D1531322

La Rose et l'Irlande

DU MÊME AUTEUR

Un viol sans importance, roman, Sillery, Septentrion, 1998.
La Souris et le Rat, roman, Gatineau, Vents d'Ouest, 2004.
Un pays pour un autre, roman, Sillery, Septentrion, 2005.
L'été de 1939, avant l'orage, roman, Montréal, Hurtubise HMH, 2006.

JEAN-PIERRE CHARLAND

La Rose et l'Irlande

HURTUBISE

HMH

Catalogage avant publication de Bibliothèque et Archives nationales
du Québec et Bibliothèque et Archives Canada

Charland, Jean-Pierre, 1954-

La rose et l'Irlande

ISBN 978-2-89428-974-7

I. Titre.

PS8555.H415R67 2007   C843'.54   C2007-940435-9
PS9555.H415R67 2007

Les Éditions Hurtubise HMH bénéficient du soutien financier des institutions
suivantes pour leurs activités d'édition :

- Conseil des Arts du Canada
- Gouvernement du Canada par l'entremise du Programme d'aide au dévelop-
  pement de l'industrie de l'édition (PADIÉ)
- Société de développement des entreprises culturelles du Québec (SODEC)
- Programme de crédit d'impôt pour l'édition de livres du gouvernement du
  Québec

Illustration de la couverture : Luc Normandin
Maquette de la couverture : Geai Bleu Graphique
Maquette intérieure et mise en page : Martel en-tête

Copyright © 2007, Éditions Hurtubise HMH ltée

Éditions Hurtubise HMH ltée   Librairie du Québec/DNM
1815, avenue De Lorimier   30, rue Gay-Lussac
Montréal (Québec) H2K 3W6   75005 Paris FRANCE
                                     www.librairieduquebec.fr

ISBN : 978-2-89428-974-7

Dépôt légal : 2e trimestre 2007
Bibliothèque et Archives nationales du Québec
Bibliothèque et Archives du Canada

DANGER
LE PHOTOCOPILLAGE TUE LE LIVRE

La *Loi sur le droit d'auteur* interdit la reproduction des œuvres sans autorisation des titulaires de droits. Or, la photocopie non autorisée — le « photocopillage » — s'est généralisée, provoquant une baisse des achats de livres, au point que la possibilité même pour les auteurs de créer des œuvres nouvelles et de les faire éditer par des professionnels est menacée. Nous rappelons donc que toute reproduction, partielle ou totale, par quelque procédé que ce soit, du présent ouvrage est interdite sans l'autorisation écrite de l'Éditeur.

Imprimé au Canada
www.hurtubisehmh.com

Personnages et associations

Voici une brève présentation de quelques-uns des personnages et des associations ayant réellement existé dont il est fait mention dans ce roman.

Anderson, sir Robert (1841-1918): Il travailla à combattre les révolutionnaires irlandais à Dublin d'abord, puis à Londres à compter de 1876. Écarté pendant un moment du Service spécial, il y revient en 1888. Il est fait chevalier au moment de sa retraite en 1901.

Archibald, sir Edward Mortimer (1810-1884): Né en Nouvelle-Écosse, il occupe différents emplois publics avant de devenir consul du Royaume-Uni à New York en 1857, poste qu'il occupe jusqu'à sa retraite le 1er janvier 1883. Il est fait chevalier à ce moment.

Beach, Thomas Miller (alias Henri LeCaron; 1841-1894): Après un bref séjour à Paris, il se rend aux États-Unis où il s'enrôle dans l'armée nordiste sous le nom de Henri LeCaron. À la fin de la guerre, il rejoint la Fraternité fénienne et, en même temps, offre ses services au gouvernement britannique. Sa carrière d'espion prend fin en 1889.

Brown, John (1825-1883): Serviteur de la reine Victoria, il joue un rôle important auprès de celle-ci lorsqu'elle devient veuve. Ayant pris froid au moment d'enquêter sur l'attaque présumée contre Florence Dixie, il meurt peu après.

Burke, Thomas Henri (1829-1882): Sous-secrétaire (sous-ministre) permanent pour l'Irlande, lui et le ministre Frederick Cavendish sont assassinés par les Invincibles le 6 mai 1882.

7

Campbell, John George Edward Henri Douglas Sutherland, marquis de Lorne et neuvième duc d'Argyll (1845-1914): Gouverneur général du Canada de 1878 à 1883. Époux de la princesse Louise.

Carey, James (?-1883): Il est à la tête des Invincibles, le groupe de militants responsables des assassinats de Frederick Cavendish et de Thomas Henri Burke. Il trahit ses complices et est tué peu après son arrivée en Afrique du Sud.

Cavendish, Frederick Charles (1836-1882): Neveu du premier ministre Charles Ewart Gladstone, nommé ministre responsable de l'Irlande au sein du cabinet, il est assassiné le 6 mai 1882, jour de son arrivée à Dublin, dans Phoenix Park.

Clan-na-Gaël: Association révolutionnaire irlandaise créée à New York en 1867. Sous la présidence de John Devoy, l'association consent, à la fin des années 1870, au «nouveau départ» de la cause irlandaise en appuyant les revendications de Charles Parnell et du Parti parlementaire. En 1883, le Clan renoue avec le terrorisme sous la présidence d'Alexander Sullivan.

Davitt, Michael (1846-1906): Né dans le comté de Mayo, ses parents émigrent au Royaume-Uni à la suite de la Grande Famine. À l'âge de dix ans, il perd un bras dans un accident de travail. Membre de la Fraternité républicaine irlandaise, il est arrêté en 1870. Libéré en 1877, il crée la Ligue pour les terres du comté de Mayo. Membre du Parti parlementaire dirigé par Charles Parnell, il est élu député en 1882.

Devoy, John (1842-1928): Membre de la Fraternité républicaine irlandaise, il passe un an en Algérie, dans la Légion étrangère, pour faire un apprentissage militaire. Arrêté en 1866, libéré en 1871, il gagne les États-Unis où il devient journaliste au *New York Herald*. Il organise l'évasion de six prisonniers irlandais détenus en Australie en 1876. Il assume la présidence du Clan-na-Gaël au tournant des années 1880 et appuie le «nouveau départ» incarné par Charles Parnell.

Dillon, John (1851-1927): Médecin irlandais, député du Parti parlementaire en 1880, il démissionne en 1883 pour être réélu en 1885. Impliqué dans la Guerre pour les terres, il est emprisonné à quelques reprises pour incitation à la violence.

Dixie, lady Florence (née Douglas; 1855-1905): Femme de lettres, militante féministe, elle s'oppose à la Ligue pour les terres. Elle revendique que les femmes puissent porter des vêtements moins contraignants et participer aux activités sportives sans entraves.

Fraternité fénienne (*Fenian Broterhood*): Organisation révolutionnaire irlandaise créée à New York en 1858 par John O'Mahony, elle connaît un lent déclin après 1870. Elle soutient les soulèvements survenus en Irlande en 1865 et 1867. Cette association est à l'origine des invasions du Canada par des féniens en 1866 et en 1870.

Fraternité républicaine irlandaise (*Irish Republican Brotherhood*): Association révolutionnaire créée en 1858 à Dublin par James Stephens. Elle fut à l'origine des soulèvements de 1865 et 1867, de même que de nombreuses actions terroristes. Elle demeure relativement peu active après 1870, quoiqu'elle existe jusque dans les années 1880.

Gladstone, William Ewart (1809-1898): Homme politique, premier ministre libéral du Royaume-Uni en 1868-1874, 1880-1885, 1886 et 1892-1894. Ses tentatives d'accorder un gouvernement autonome (*Home Rule*) à l'Irlande, de même que ses réticences à s'engager dans l'aventure coloniale, lui coûtent le pouvoir en 1886 et en 1894.

Holland, John Phillip (1841-1914): Instituteur d'origine irlandaise émigré aux États-Unis, il travaille à la conception d'un sous-marin dès les années 1870, avec l'aide du Clan-na-Gaël. Dans les années 1890, il reçoit un soutien de la marine américaine.

LeCaron, Henri (voir **Beach, Thomas Miller**).

Ligue pour les terres (*Land League*): Créée par Michael Davitt en 1879 pour revendiquer des modifications au régime de propriété des terres favorables aux paysans du comté de Mayo, elle passe sous la présidence de Charles Parnell qui en fait une association nationale. L'implication de ses membres dans de nombreuses actions violentes amène son démantèlement.

Louise (Louise Caroline Alberta), **princesse, duchesse d'Argyll** (1848-1939): Sixième enfant et quatrième fille de la reine Victoria, épouse du marquis de Lorne, elle séjourne au Canada de façon épisodique pendant le mandat de celui-ci à titre de gouverneur général. Elle s'intéresse à la peinture et la sculpture, qu'elle pratique avec talent.

McKiernan, Charles (dit Joe Beef; vers 1835-1889): Ancien militaire, il ouvre une taverne, la *Joe Beef's Canteen*, dans le port de Montréal en 1868.

Millen, Francis Frederick (1831-1889): Militaire, il sert dans l'armée britannique, puis au Mexique dans les troupes républicaines (où il obtient le grade de général de brigade) et au sein de la Fraternité fénienne. On le retrouve ensuite membre du Clan-na-Gaël. Il collabore avec les services secrets britanniques dès les années 1860.

O'Donovan Rossa, Jeremiah (1831-1915): Il fonde en 1858 la Société du Phénix, puis se joint à la Fraternité républicaine irlandaise. Arrêté en 1865, il est libéré en 1871. Exilé aux États-Unis, il adhère au Clan-na-Gaël, pour s'en séparer bientôt et créer la *United Irishmen, Organ of the men of Action* et s'attaquer à ses anciens collègues dans les pages du *Irish World*. Cet homme lance une campagne terroriste à la fin des années 1870.

O'Shea, Katherine (née Wood; 1846-1921): Épouse de William O'Shea, dont elle se sépare en 1875, elle débute une liaison avec Charles Parnell en 1880, avec qui elle aura trois enfants. Divorcée en 1890, elle épouse Parnell.

Parnell, Charles (1846-1891) : Homme politique irlandais, député du comté de Meath en 1875, puis de la ville de Cork de 1880 à 1891, il appuie le projet d'un gouvernement autonome en Irlande (*Home Rule*). Il regroupe les députés favorables à cette mesure en un véritable parti, le Parti parlementaire irlandais.

Spencer, John Poyntz, comte de (1835-1910) : Lord lieutenant, autrement dit gouverneur de l'Irlande. Au XIXᵉ siècle, le poste est tout à fait honorifique, le ministre pour l'Irlande assumant les réels pouvoirs.

Sullivan, Alexander (1847- ?) : Avocat né aux États-Unis de parents irlandais, il assume la présidence du Clan-na-Gaël en 1883 et incite l'association à renouer avec l'action terroriste.

Victoria (Alexandrina Victoria)**, reine** (1819-1901) : Accédant au trône du Royaume-Uni en 1837, elle prend le titre d'impératrice des Indes en 1877. Mariée au prince Albert de Saxe-Cobourg en 1840, elle donne naissance à neuf enfants.

Prologue

L'histoire de la résistance irlandaise à l'occupation britannique commence dès l'époque médiévale. Au xixe siècle, elle prend une tournure nouvelle. D'abord, un événement dramatique marque la démographie du pays pour longtemps. Entre 1845 et 1848, des intempéries et une maladie de la pomme de terre ruinent les récoltes. C'est la Grande Famine, qui fait mourir un million de personnes et en précipite autant en exil. De huit millions, la population passe à six millions en cinq ans. La prospérité ne revient pas vraiment ensuite : en 1900, seulement quatre millions d'individus habitent toujours en Irlande. La plupart des enfants de ce pays émigrent au Royaume-Uni, aux États-Unis, au Canada, en Australie ou en Nouvelle-Zélande.

Ce contexte économique difficile favorise une radicalisation du mouvement national. Un premier soulèvement survient en 1848. Deux autres ont lieu en 1865 et en 1867, fomentés par la Fraternité républicaine irlandaise, appuyée par une association américaine formée d'immigrants venus d'Irlande, la Fraternité fénienne.

Dans les années 1870 et 1880, un mouvement légal de revendication supplante les organisations terroristes afin d'obtenir la création d'un gouvernement autonome, le *Home Rule*. C'est le « nouveau départ », dont le principal acteur est Charles Parnell, auquel se rallie pendant quelques années la grande association américaine qui a remplacé la Fraternité fénienne, le Clan-na-Gaël.

Les moyens légaux ne satisfont pas tout le monde : des groupuscules voués à l'action violente continuent d'exister. Ils privilégient l'usage d'une nouvelle invention d'Alfred Nobel, la dynamite, pour faire valoir leur point de vue. Ils ne négligent pas des moyens déjà anciens, comme le revolver ou le couteau. Un article publié à Montréal, dans *La Patrie* du 8 mai 1882, illustre le climat qui sévit :

Assassinat de lord Cavendish et de M. Burke

Nous disions, samedi, que les Irlandais seraient bien difficiles à satisfaire si la politique de M. Gladstone n'était pas bien accueillie. Au moment où nous écrivions ces mots, un double assassinat venait souiller une fois de plus les pages de l'histoire de l'Irlande. Quelques fous furieux, des illuminés avides de sang, se précipitaient sur lord Cavendish, le nouveau secrétaire de l'Irlande, et sur son secrétaire, M. Burke, et, quelques instants après, deux cadavres gisaient dans le Phenix [*sic*] Park de Dublin.
Disons-le à la louange des patriotes irlandais, ils ne sont pas coupables. À la nouvelle de l'assassinat, M. Parnell, M. Dillon, M. Davitt ont lancé un manifeste exprimant l'horreur que les vrais amis de l'Irlande éprouvaient pour le crime horrible dont les traces n'étaient pas encore effacées. Tous les députés irlandais partagent l'indignation des signataires du manifeste.
[...] Tous les bons esprits, tous les amis de la malheureuse Irlande, sont consternés à la nouvelle d'un assassinat au moment où l'on introduisait une politique de conciliation en Irlande. On fera malheureusement retomber sur le peuple irlandais la responsabilité de l'acte de quatre insensés.
[...] M. Gladstone a voulu le bien de l'Irlande. Il a libéré les patriotes. Au moment où cette politique généreuse promettait les fruits les plus abondants une calamité vient susciter des complications. M. Gladstone a le sort des

libéraux dans toutes les parties du monde [entre les mains] : les circonstances, les événements, les crimes, les tragédies, tournent contre lui comme ils tournent généralement contre ses congénères politiques. Espérons que M. Gladstone saura faire face à l'orage et que la discussion calme et raisonnée dissipera les préventions causées par un moment d'irréflexion.

Ces événements dramatiques servent de point de départ à ce roman.

JEAN-PIERRE CHARLAND

1

En marchant vers lui, l'ours balançait les fesses de gauche à droite au point de heurter les tables sur son passage. Dans la taverne, l'espace se trouvait compté. Un peu inquiet, le client, un homme d'une quarantaine d'années, les cheveux noirs, les yeux bleus, vit la bête s'arrêter devant lui et se dresser sur son arrière-train. Elle avait beau porter une muselière qui l'empêchait d'ouvrir tout à fait la gueule, les griffes de ses pattes avant, quand elle les posa sur la chope de bière, faisaient bien la longueur d'un demi-doigt. Un coup aurait suffi pour arracher la tête d'un homme, où lui mettre les tripes à l'air libre.

— Oh là! murmura le client en levant les mains devant lui, une protection bien illusoire.

L'ours noir, une fois la pinte de bière entre les pattes, se renversa un peu vers l'arrière en ouvrant la gueule aussi largement que le lui permettait sa muselière, tout en versant le liquide. Si la majeure partie de celui-ci se retrouvait sur sa grosse tête, la bête arrivait à en avaler un peu. Au terme de la soirée, elle serait tout à fait saoule!

L'animal se décida finalement à se remettre sur ses pattes pour continuer son chemin.

— Vous en voulez une autre?

Un serveur suivait l'ours, offrant aux clients ainsi mis à contribution de remplir leur chope une nouvelle fois.

— Avec votre locataire poilu, on finit par payer beaucoup pour boire assez peu.

— Si vous désirez vous plaindre, vous vous adressez directement à Hector, répondit le serveur sans aucun humour, tout en faisant un mouvement de tête vers l'animal.

Celui-ci, rendu trois tables plus loin, tourna la tête juste à ce moment, comme pour suivre la conversation.

— Alors, une autre ?

Le ton devenait impatient. Le client sortit de sa poche une carte professionnelle et la tendit au serveur en disant :

— Je dois voir le patron.

L'autre lut le nom sur la carte, Charles McKiernan, et les mots « Laissez-passer » écrits à la main. Il plissa le front, comme s'il avait du mal à relier ce patronyme à Joe Beef, ce tavernier bien connu à Montréal, et même un peu partout en Amérique du Nord.

— Je vais voir, prononça-t-il enfin d'un ton un peu plus amène.

La taverne de Joe Beef se trouvait au coin des rues de la Commune et Callières, un grand édifice de quatre étages. Au rez-de-chaussée, quelques centaines de personnes pouvaient se tenir devant un long comptoir couvert d'une feuille de zinc, ou alors autour de lourdes tables, pour se régaler d'un steak épais de deux doigts accompagné de légumes, le tout pour dix cents. La qualité de la nourriture et les prix raisonnables attiraient les travailleurs du port de Montréal, les matelots en attente d'un nouvel engagement et aussi les ouvriers des manufactures environnantes. L'endroit fournissait également un assortiment de boissons capables de satisfaire tous les caprices, mais la majorité des clients s'en tenaient à la bière.

Le soir, la clientèle se divisait entre les marins, les travailleurs esseulés, ou ceux qui préféraient un verre entre amis au tête-à-tête avec une épouse. On y trouvait aussi tout ce que la ville comptait de mauvais garçons et de mauvaises filles. Les premiers préparaient leur prochain vol, les secondes offraient leurs charmes à qui avait quelques cents à sacrifier. Les plus âgées, ou les plus éprouvées par l'existence, se laissaient prendre en levrette dans un coin sombre d'une ruelle voisine pour le prix d'un verre de gin.

En plus de la faune urbaine habituelle, David Devlin venait de constater à ses dépens que l'endroit accueillait au moins un ours ivrogne, plusieurs lynx, parfois des loups et des renards. Heureusement, excepté le plantigrade, ces animaux occupaient des cages placées ici et là dans l'immense pièce. L'odeur des bêtes, ajoutée à celles de la sueur, de la bière et de l'urine de tout ce monde, heurtait les narines sensibles de cet homme.

❧❧❧

Après de longues minutes, le serveur de la *Taverne Joe Beef* revint.

— Le patron veut bien vous recevoir. Suivez-moi!

David traversa la salle au plancher couvert de sciure de bois. Cette matière déversée sur le sol rendait plus facile le nettoyage des lieux. Les crachats des hommes rendaient cette précaution nécessaire. Très tôt dans la soirée, les chiqueurs de tabac avaient déjà du mal à viser l'ouverture pourtant large des crachoirs; après quelques verres, cela devenait impossible.

Derrière son guide, Devlin atteignit le premier étage, où une dizaine de chambres accueillaient chacune dix couchettes. La promiscuité permettait de couper les prix: y passer la nuit coûtait dix cents. Le second étage se trouvait divisé en salles plus ou moins grandes. La taverne de Joe Beef abritait les réunions de nombreuses associations, des unions ouvrières aux sociétés de secours mutuels. Sur le palier du troisième, une lourde porte fermait l'accès. Devant elle se tenait un McKiernan tout souriant:

— Monsieur Devlin, quel honneur pour moi de recevoir un journaliste de la *Gazette*. Avec un peu de chance, ce digne périodique ne désignera pas mon modeste établissement d'antre du vice.

— Si c'est le cas, vous pourrez le poursuivre et obtenir de nouvelles excuses.

Deux ans plus tôt, McKiernan s'était amusé à poursuivre le *Montreal Daily Witness*. Finalement, le journal avait été contraint de publier des excuses dans ses pages.

— Une fois suffit. Cela coûte cher, des avocats.

Le tavernier lui tourna le dos, poussa pour ouvrir la lourde porte. Alors que David faisait mine de lui emboîter le pas, le serveur lui mit la main sur l'épaule en disant :

— Pas si vite. Écartez les bras.

Un peu surpris, David obtempéra. L'autre lui promena vivement les mains sous les bras, le long des jambes, poussa même le zèle jusqu'à tâter ses chaussures. À la fin, en passant la main dans le dos du visiteur, il trouva un petit revolver.

— Curieux outil pour un journaliste, fit l'homme en tendant l'arme au tavernier.

— Bah! Les gens de la *Gazette* deviennent assez craintifs à l'idée de fréquenter les mauvais quartiers, commenta le commerçant.

Tout de même, McKiernan prit l'arme, l'empocha et fit signe au journaliste d'entrer. Il referma la porte derrière eux. Sur le palier, le serveur s'était appuyé une épaule contre le mur, déterminé à monter la garde.

Les deux hommes se trouvaient dans les quartiers privés du tavernier, là où il vivait avec sa femme et une demi-douzaine d'enfants. L'endroit était empreint d'une élégance sévère avec ses murs lambrissés de panneaux de chêne et son tapis qui recouvrait le plancher. Une porte entrouverte laissa voir un salon bourgeois et une main féminine la referma tout de suite. Au bout d'un couloir, McKiernan pénétra dans une pièce de travail. Un lourd bureau occupait tout le centre de la pièce ; devant, deux grands fauteuils permettaient de recevoir des visiteurs.

Avant de prendre place sur la grande chaise derrière le bureau, le tavernier rendit son arme au journaliste.

— Vous êtes prévoyant. Pourtant, du moment où vous n'affichez pas l'allure d'un bourgeois venu s'encanailler, vous ne risquez rien ici.

David remit le petit revolver dans l'étui qu'il portait à sa ceinture, entre les reins. Cette précaution l'empêchait de s'asseoir à son aise, mais l'inconfort lui valait d'être toujours vivant malgré vingt ans passés à pratiquer un métier dangereux. De plus, comme venait de le souligner son hôte, il avait poussé la prudence jusqu'à se vêtir d'une vareuse un peu sale et d'une casquette. Après avoir pris place dans l'un des fauteuils, il remarqua :

— Vos clients, enfin une partie d'entre eux, n'ont rien d'un Robin des bois. Je les crois tout à fait capables de voler un pauvre, si aucun riche ne se présente à eux.

— … Vous avez peut-être raison. Certains voyous sont sans honneur.

Après ce brin de philosophie désabusée, Devlin enchaîna :

— Je suppose que vous avez quelque chose à me dire au sujet de nos compatriotes irlandais parmi les plus turbulents ?

— Pourquoi vous aurais-je demandé de passer, sinon ?

Le tavernier se pencha sous le bureau pour chercher quelque chose à ses pieds. Il se releva pour tendre à son visiteur un cylindre de bronze long de trente pouces.

— Voici l'arme qui va mettre la fière Albion à genoux. Quand sa flotte sera détruite, elle implorera l'Irlande de reprendre son indépendance.

David Devlin prit le cylindre, le fit tourner entre ses mains. Les deux extrémités étaient arrondies, l'une portait une hélice. Devant ses yeux intrigués, McKiernan expliqua :

— Bien sûr, les grandes prouesses guerrières seront le fait du grand frère de cet objet, long d'une trentaine de pieds. Le Bélier fénien…

— Oh! Le bricolage de John Holland. Je crois que notre gracieuse souveraine devrait plutôt craindre les lutins. Ils me semblent plus menaçants que cette petite machine.

— Ne soyez pas si sceptique, ce jouet marche vraiment, vous l'essaierez dans votre baignoire.

Comme le regard de son interlocuteur affichait toujours le même scepticisme amusé, l'homme continua:

— Moi, je me suis donné cette peine. En version plus grande, cet engin peut naviguer jusqu'à douze pieds sous la surface de la mer, assez longtemps pour s'approcher d'un navire, puis tirer dessus avec un canon.

— J'ai vu un sous-marin déjà en février 1864, dans le port de Charleston, le *H. L. Hunley*. Il a coulé un navire nordiste, mais n'a même pas pu revenir au quai ensuite. En fait, deux équipages sudistes du sous-marin ont péri, dont l'un à l'entraînement, pour infliger une bien petite perte à l'ennemi.

Le tavernier ne se comptait pas pour battu:

— Je sais, j'ai lu cela dans les journaux pendant la guerre de Sécession. Mais le Bélier n'est pas mu par des hommes qui s'esquintent sur des manivelles. Son moteur Brayton lui permet de naviguer à neuf nœuds…

— Moi aussi, je lis les journaux, admit un David déjà moins sûr de lui. John Holland fait des essais près de New York, du côté du New Jersey.

— Il a pu contourner Manhattan et se rendre, ni vu ni connu, jusque près des quais de Brooklyn. En fait, Holland a tout le loisir de jouer à la guerre sous-marine dans ce port achalandé: se glisser près d'un navire, faire surface et pointer son canon en criant «bang». Les chefs féniens paraissent bien impressionnés.

Le visage de David Devlin se faisait plus soucieux. Bien sûr, si une embarcation pouvait glisser sous l'eau jusqu'à frôler la coque d'un navire, la menace devenait bien réelle.

— Rien d'autre dont je devrais m'inquiéter?

— Un type de New York essaie de former des clubs Dynamite à Montréal.

— Son nom?

— James McDermott. Enfin, c'est le nom qu'il utilise.

Les révolutionnaires irlandais s'alimentaient à une réserve inépuisable de pseudonymes. En plus de protéger leur anonymat, ils donnaient l'impression d'être fort nombreux. Pourtant, ce patronyme lui était familier, David ayant côtoyé l'homme à New York près de vingt ans plus tôt.

— Et ce McDermott a du succès? questionna-t-il.

— Au moment de prêter serment, tous les membres du Clan s'engagent à utiliser la violence pour réaliser l'indépendance de l'Irlande. Ils écoutent, intéressés, ceux qui leur annoncent que c'est pour bientôt.

— Le Clan se réunit toujours ici?

Les petites salles de l'étage inférieur ne servaient pas qu'à préparer les pique-niques de la Société Saint-Patrick. David comprenait que les conduits d'aération entre les étages de l'édifice, en plus de rendre le chauffage de la grande bâtisse plus facile, permettaient au propriétaire des lieux de tendre parfois une oreille indiscrète.

— Ici et ailleurs. Plus d'une taverne se fait accueillante à Montréal. Comme ces gens-là ont souvent le gosier sec, leur patronage est bon pour les affaires!

— Si je comprends bien, vous ne savez pas si les Irlandais de Montréal sont vraiment prêts à faire sauter quelques-uns de leurs concitoyens grâce à l'invention de monsieur Nobel?

Aucune réponse ne vint. David se demandait parfois si McKiernan partageait tous les secrets de son grand établissement avec les autorités. Pourtant, celles-ci se montraient plutôt conciliantes avec cet ancien cantinier du Régiment royal d'artillerie, vétéran de la guerre de Crimée. Suffisamment en tout cas pour que celui-ci tende l'oreille pour tout répéter ensuite.

— Qui se mérite les fantasmes les plus menaçants? insista le journaliste.

LA ROSE ET L'IRLANDE

— Le nom qui revient le plus souvent, c'est celui de la princesse Louise, la quatrième fille de notre gracieuse souveraine, Victoria.

— Elle ne se trouve même pas au Canada.

— D'abord, nos bons Irlandais comprennent mal que la dame ne soit pas sous le même toit que son mari, à Ottawa. La majorité d'entre eux doit penser qu'elle est là. Ce sont des gens simples. Qu'un monsieur préfère les charmes des officiers de son entourage, ou de son secrétaire particulier, à ceux d'une jolie femme de trente-quatre ans, ne leur effleure pas l'esprit...

Si le tavernier espérait que David partage avec lui les rumeurs qui circulaient à Ottawa sur les préférences sexuelles de John George Edward Henri Sutherland (cette avalanche de prénoms ne suffisait pas, ses proches l'appelaient Ian) Campbell, marquis de Lorne, gouverneur général du Canada, il serait déçu. Le principal argument en faveur de cette hypothèse était l'absence de progéniture après dix ans de mariage.

— La dame est présentement aux États-Unis, maugréa encore le journaliste.

— Elle reviendra bien un jour. Puis les États-Unis ne sont certainement pas plus sûrs que le Canada pour une personne de la famille royale.

— Rien de plus précis ? Aucun complot dont vous devriez me tenir informé ?

— Non, rien de précis. Mais les rumeurs se multiplient sur une scission au sein du Clan. Devoy et Rossa se sont illustrés avec l'affaire du *Catalpa*. Il semble qu'ils se détestent maintenant cordialement. Au point où Rossa songe à organiser sa propre association.

Après avoir purgé des peines de prison au Royaume-Uni pour leurs activités révolutionnaires, ces deux Irlandais, Jeremiah O'Donovan Rossa et John Devoy, s'étaient retrouvés à New York. Ils organisèrent l'évasion de six de leurs compagnons détenus à la prison de Freemantle, en Australie. Dans ce dessein, ils affrétèrent un petit navire habituellement utilisé pour la chasse à la baleine, le *Catalpa*, en avril 1875. L'année suivante, ils cueillirent leurs prisonniers et revinrent à New York en août 1877, après avoir fait un tour du monde dans l'aventure.

David Devlin poussa un soupir. Il en était peut-être à sa dernière visite à la taverne de Joe Beef. Celui-ci paraissait bien mal informé. La scission avait déjà eu lieu. Devoy dirigeait le Clan-na-Gaël. Rossa faisait bande à part avec la *United Irishmen*. Depuis un an déjà, cette organisation soutenait les efforts de terroristes au Royaume-Uni. La première victime avait été un garçon de sept ans de Liverpool, Richard Blake. Depuis, une bombe explosait en moyenne tous les mois. Après les villes du nord — Liverpool, Manchester, Glasgow —, Londres était visée depuis quelque temps.

— Si jamais deux associations irlandaises entrent en compétition pour se prouver l'une à l'autre qu'elles vont plus loin dans la guerre, continua le tavernier, ce sera l'horreur.

Ce genre de conclusion, il appartenait plutôt à David Devlin de les débiter à son employeur. Comme il n'apprendrait plus rien d'utile, autant rentrer.

— Vous me donnez un autre petit «sésame», pour ouvrir votre porte la prochaine fois?

— Ah oui! Je m'en suis fait faire de nouvelles…

Le tavernier chercha dans un tiroir de son pupitre, en sortit une carte au moins trois fois plus grande que la normale. Après avoir griffonné «Laissez-passer» dessus, il la tendit à son visiteur.

— «Charles "Joe Beef" McKiernan, le fils du peuple», lut David avec un sourire amusé. Et derrière, continua-t-il, vous avez fait imprimer une véritable épître!

La taille de la carte ne tenait pas au nouveau titre de noblesse de son interlocuteur. L'imprimeur avait dû placer sur le recto la profession de foi de son client. Au moins, celle-ci ne se trouvait pas écrite en vers, comme il était arrivé au commerçant de le faire.

Il ne se soucie ni du pape, ni du prêtre, ni du pasteur, ni du roi Guillaume de la Boyne; tout ce que Joe veut, c'est la monnaie. Il met sa confiance en Dieu l'été pour se protéger du mal; à l'approche des gelées hâtives et des premières neiges, pauvre vieux Joe met son espoir dans le tout-puissant dollar et dans le bon vieux bois d'érable pour tenir son ventre au chaud, car les églises, les chapelles, les harangueurs, les prédicateurs et autres fatras, Montréal en regorge déjà.

— Oh! Et maintenant vous parlez de vous à la troisième personne, remarqua David en se levant, gouailleur. De mauvaises langues diront que vous vous prenez pour la reine.

— Alors, vous direz à ces gens-là qu'ils sont bien ignorants. Vicky n'utilise pas la troisième personne du singulier, mais la première du pluriel. Le «Nous» de majesté!

Le tavernier s'était levé aussi pour raccompagner son visiteur jusqu'à la porte. Le journaliste avait placé le modèle réduit de sous-marin sous son bras, en précisant:

— Je le garde. Mais comment avez-vous mis la main dessus?

— Un Irlandais de New York sans le sou me l'a donné en guise de paiement pour quelques jours passés ici.

McKiernan avait ouvert la porte de son bureau. En s'engageant dans le couloir, il continua:

— Je peux vous offrir le gîte pour la nuit? Il y a quelques obligations: d'abord, vous vous lavez, ensuite vous vous laissez asperger de ma poudre secrète pour tuer les poux et les morpions, puis vous couchez nu. Cela me permet d'économiser une fortune en frais de nettoyage des draps et des couvertures.

— ... et malgré ces précautions, vous les lavez souvent?

— Tous les mois.

Au ton du marchand, David devina devoir multiplier par trois le délai réel entre deux lessives. Alors que son hôte ouvrait la lourde porte donnant sur le palier, il préféra décliner l'offre:

— Je dois prendre un train. Je dormirai en chemin.

— Dans ce cas, Henri va vous reconduire à la gare Bonaventure.

— Ce n'est pas nécessaire…

Le serveur qui avait accompagné le visiteur jusqu'au dernier étage de la taverne se tenait toujours là, montant la garde devant les appartements de son employeur. Celui-ci avait la réputation de réaliser de très bonnes affaires, les recettes d'une journée devaient représenter le salaire annuel de deux ou trois ouvriers. Assez pour tenter les mauvais larrons qui buvaient au rez-de-chaussée.

— Tut, tut, tut, fit McKiernan. Dans ces murs, vous êtes en sécurité, mais le trajet à pied jusqu'à la gare peut se révéler périlleux. Votre vareuse de mécanicien et vos godillots ne tromperaient pas un œil averti.

Voilà que le tavernier contredisait les affirmations émises un peu plus tôt sur la sécurité des lieux. Il marqua une pause puis ajouta à l'intention du serveur :

— Reconduis-le en voiture ! Au retour, ramasse les gens qui risquent d'attraper la crève en couchant dehors.

D'un geste de la tête, l'homme salua son visiteur, puis referma la porte de chêne. Un instant plus tard, le bruit de lourdes barres se fit entendre. Elles préviendraient toute tentative pour forcer les lieux, à moins d'utiliser une masse de fer.

Au second étage, des gens aux allures de conspirateurs sortaient des salles de réunions. La plupart ne devaient rien concocter de plus dangereux que la mise sur pied de sociétés de secours mutuel : contre une cotisation de quelques cents par semaine, les membres profiteraient de soins médicaux en cas de maladie ou d'accident, et si la mort survenait tout de même, leurs veuves recevraient de quoi payer des funérailles décentes.

Au premier, des hommes nus, le corps encore mouillé après un passage au bain public, marchaient sous une énorme poivrière qui laissait tomber sur eux une poudre jaunâtre. «L'odeur seule de cette mixture doit faire fuir la vermine», songea David. Cette précision amuserait les lecteurs de la *Gazette*. Mais le fait de voir ces mesures d'hygiène en action n'augmentait en rien son envie de profiter de l'hospitalité des lieux.

Dans la grande salle du bas, les animaux de la ménagerie retrouvaient leur calme. L'ours affalé dans un coin cuvait sa bière, alors que les clients sortaient lentement. Des serveurs, des gourdins à la main, pressaient le mouvement. Il régnait une discipline militaire dans la taverne de Joe Beef, quoique cela échappât aux bonnes gens de Montréal qui préféraient ne voir là qu'un lieu de turpitudes. À onze heures précises tous les soirs, les buveurs devaient vider les lieux.

❧❧❧

Dehors, David se laissa guider jusqu'aux écuries situées à l'arrière de l'établissement. Les urinoirs qui se trouvaient là aussi étaient soudainement si achalandés que les hommes devaient faire la queue. En conséquence, des vessies impatientes se soulageaient un peu partout dans la cour arrière, rendant les pavés glissants et l'odeur insoutenable.

Un garçon avait attelé des chevaux aux quelques voitures. Henri prit place sur le siège de l'une d'elles, David à côté de lui. Bientôt, les deux hommes respiraient l'air plus frais de la rue de la Commune. Sur leur gauche, les mâts des navires amarrés aux quais faisaient penser à une forêt dénudée. Quelques minutes plus tard, ils s'engageaient sur la rue William.

— Cette pratique d'offrir un toit aux sans-abri se maintient-elle toute l'année ? questionna David. Je croyais que ce n'était qu'au plus fort de l'hiver.

Le serveur devenu cocher hésita un moment, puis il se dit que si le patron recevait un journaliste, il désirait sans doute informer le public de l'ensemble de son œuvre !

— Oui et non. Tout au long de l'année, les hommes qui en ont les moyens donnent dix cents pour un rasage, un bain et un lit pour la nuit. Et ceux qui ne peuvent payer peuvent s'étendre sur les bancs, ou à même le sol, dans la grande salle de la taverne. Si tôt en décembre, on les laisse habituellement trouver seuls leur chemin jusqu'à nous. Cependant, en janvier et en février, nous attelons une demi-douzaine de voitures pour parcourir les rues près du port afin de ramasser des types à moitié gelés. Autrement, ils crèveraient avant le lever du jour... Ce soir, reprit le serveur après une pause, le patron voit sans doute une occasion d'avoir un article favorable dans la *Gazette* en me confiant cette corvée.

— Alors que ferez-vous après vous être débarrassé de moi?

Joe Beef cherchait la bonne publicité, celle qui insistait sur son cœur généreux. Son attitude envers les démunis tenait peut-être à sa sensibilité, mais en l'étalant, il faisait prospérer ses affaires.

— Je vous laisserai à la gare, puis je rentrerai directement à la taverne. Bien sûr, si en chemin, je vois une personne à demi morte de froid, je la ferai monter.

Une éventualité qui risquait peu de se produire. Tout au plus, la nuit du 8 au 9 décembre 1882 serait plaisamment fraîche.

— McKiernan est-il aussi près des unions ouvrières qu'on le dit?

— Des unions, je ne sais pas; des ouvriers, certainement. Vous vous souvenez de la grève à la filature Hudon?

— Oui, bien sûr. Tous les journaux en ont parlé.

— ... Nous avons distribué six cents repas gratuits sur les piquets de grève, plusieurs jours d'affilée.

— Cela a dû coûter cher...

— Plutôt, mais cela a rapporté beaucoup. Maintenant, aucun travailleur de Montréal n'ignore que Joe Beef est son ami.

La voix du serveur trahissait une admiration amusée pour l'habileté commerciale de son patron. Le «fils du peuple»

avait encore de belles années devant lui et, à sa mort, il laisserait un héritage plus important que celui de l'employé des
services secrets du Royaume-Uni qui colligeait des informations sur son compte !

Après avoir emprunté les rues Saint-Joseph et Saint-
Jacques, le serveur arrêta sa voiture devant le bel édifice de
briques rouges de la gare Bonaventure. Après des remerciements, David Devlin alla attendre son train devant une tasse
de thé bien chaude. Comme le trajet vers Ottawa passait par
Kingston, il ne serait pas à la maison avant le matin.

Halifax, samedi 9 décembre 1882

James McDermott présentait une allure reconnaissable
entre toutes. Cet homme dégingandé, en plus d'offrir aux
regards une tignasse du roux le plus éclatant, au point d'avoir
enduré toute sa vie de se faire appeler le Rouge, portait
constamment une veste en peau de phoque d'une couleur
jaunâtre. Comment diable un personnage aussi peu discret
pouvait-il s'embarquer à destination du Royaume-Uni pour
y mener une campagne terroriste ?

Alors qu'il faisait encore nuit, James McDermott se présenta au quai d'embarquement de la compagnie Cunard, dans
le port d'Halifax. À la personne qui lui demanda son billet
au sommet de la passerelle conduisant à bord, il se présenta
comme étant Peter Quingley. À la première lueur de l'aube,
le navire largua les amarres, poussa ses machines à vapeur à
fond et s'engagea dans l'Atlantique Nord. En dix jours, le
bâtiment pouvait atteindre Liverpool.

❧❧❧

Ottawa, samedi 9 décembre 1882

Vers six heures du matin, David Devlin rentrait chez lui. Déjà, la lumière brillait à la petite fenêtre du sous-sol de sa maison. La cuisinière s'agitait devant l'énorme poêle à charbon. Ainsi, la bâtisse ne serait pas trop froide au moment du petit déjeuner.

David monta à l'étage en faisant le moins de bruit possible et, plutôt que de réveiller sa femme, se dirigea vers la pièce à l'arrière qui lui servait de « bibliothèque ». Le mot était un peu prétentieux, car les livres ne s'y comptaient que par dizaines. Mais, contrairement à la plupart de ses concitoyens des quartiers plus nantis, il pouvait se targuer de les avoir tous lus !

À Ottawa, le patronyme de Devlin disparaissait, car il était réservé à son travail de journaliste et à ses rencontres dans les milieux irlandais. La maison des Langevin, sur la rue Gloucester, près de l'intersection de la rue Metcalfe, ne s'avérait pas si modeste. Au milieu d'une rangée de résidences toutes identiques, hautes de trois étages, au recouvrement de briques, la demeure s'ornait de la *bay-window* du logis des classes moyennes. À deux pas de la Colline parlementaire, le quartier comptait plus que sa part de politiciens et de fonctionnaires. La gare se trouvait bien un peu loin, mais déjà on discutait d'en construire une nouvelle, majestueuse, tout près du parlement.

Dans la bibliothèque, sa pièce de travail en fait, David rangea le modèle réduit du sous-marin dans un coin, enleva sa vareuse pour revêtir une veste de velours élimée et se cala dans son vieux fauteuil acheté d'occasion en posant ses pieds sur le pouf. Il espérait ajouter une heure ou deux de sommeil à celles déjà gagnées pendant le trajet depuis Montréal. Il en serait quitte pour des yeux cernés et un mal de dos pour tout le reste de la journée.

❧❀❧

David entra dans la petite salle à manger du rez-de-chaussée vers neuf heures, se pencha pour faire la bise à Édith, sa femme, avant de s'asseoir en face d'elle. Même si la quarantaine approchait, elle demeurait mince. Sans un corset et les couches successives des jupes et des jupons, juste avec une chemise de nuit et un peignoir, impossible de s'y tromper. L'absence de toute maternité participait à ce résultat.

Sous un couvercle métallique pourtant destiné à empêcher cette éventualité de se produire, il trouva ses deux œufs à peu près froids. Autant manger sans plus attendre. Au moins, le thé que lui versait son épouse fumait encore.

— Alors, cette expédition auprès de tes informateurs montréalais a porté fruit ?

Les yeux gris d'Édith trahissaient une pointe d'inquiétude, mais depuis dix ans elle se faisait un devoir d'adopter un ton léger au moment d'aborder le sujet des activités de David.

— La routine. Des Irlandais parlent de faire sauter des gens. Plusieurs ont jeté leur dévolu sur la princesse Louise.

— Encore ?

— Elle représente la reine au Canada.

— Son mari représente la reine, corrigea Édith avec un sourire.

— En regard du droit, tu as raison. Plus précisément, le gentil marquis de Lorne représente le gouvernement du Royaume-Uni. La princesse représente sa mère. En la frappant, les Irlandais atteindraient la tête de l'empire, qu'elle incarne mieux que le Parlement lui-même.

La nuance valait d'être faite, la jeune femme ne protesta pas. Les rumeurs à propos de complots contre la famille royale ne se comptaient plus. Les journaux américains dirigés par des Irlandais les reprenaient toutes, de la plus anodine à la plus grotesque, et parfois ils les inventaient. Quand la reine s'était foulé une cheville dans un escalier, un périodique avait très sérieusement prétendu qu'une domestique d'origine irlandaise avait fait en sorte que les marches soient très glissantes…

— J'ai reçu une nouvelle lettre de mon père. Il insiste pour que nous lui rendions visite.

Un silence suivit ces paroles. David ne souffrait pas d'un amour fou pour son beau-père, Edward Mortimer Archibald, quoique les relations entre eux demeurassent à la fois courtoises et polies depuis une dizaine d'années. Quant au décès de sa belle-mère, il avait accueilli la nouvelle avec une indifférence hypocrite quelques années plus tôt.

— Je pense que son changement de vie l'inquiète. Dans trois semaines, ce sera fini !

Édith faisait allusion à son travail de consul du Royaume-Uni à New York. Nommé en 1857, l'homme aurait dû prendre sa retraite au moment où il atteignait ses soixante-dix ans, il y avait presque trois ans de cela. Le ministère des Affaires étrangères, au moment où éclataient les premières bombes irlandaises en Écosse et en Angleterre, l'avait prié de rester en place.

Non pas que ses exploits de consul le distinguassent de ses collègues. À cet égard, sa performance se révélait dans la bonne moyenne, sans plus. Mais New York abritait les bureaux des sociétés révolutionnaires irlandaises. Le consul Archibald, derrière sa barbe blanche et ses airs de vieillard débonnaire, gérait un réseau d'espionnage avec une compétence exceptionnelle. Sans bouger de sa bibliothèque, ou presque, il envoyait à Londres des mémoires d'une redoutable précision.

— Tout de même, à soixante-treize ans, il doit bien se faire à l'idée que la retraite est inévitable.

Édith eut un petit soupir. Son époux, si sagace en d'autres circonstances, se montrait parfois un peu obtus.

— À son âge justement, et après tout ce temps, mettre la maison en vente, se défaire de la plupart de ses meubles, empaqueter ses souvenirs les plus précieux, ce n'est pas une mince affaire. Je vais aller lui donner un coup de main. Viendras-tu avec moi ?

— Chez les Canadiens français, le mari suit toujours sa femme, où qu'elle aille, surtout si elle est jolie.

Sa flagornerie lui valut un sourire, un regard appuyé de grands yeux gris, mais tout de suite elle perça son jeu :

— Sans compter que tu pourras aller lorgner du côté du Clan !

— ... Cela se peut bien, admit David.

— Tu seras prudent, ces gens-là sont dangereux.

— À part l'obligation d'écorner mon serment de tempérance, je ne risque rien...

Catholiques et protestants, au Canada comme aux États-Unis, se passionnaient pour les ravages sociaux causés par l'alcool. De nombreuses sociétés prônaient l'abstinence. Les plus zélés parmi les « secs » parlaient de lois pour prohiber la vente de l'alcool. Le premier ministre John Alexander Macdonald évoquait parfois le projet de tenir un référendum sur la question. David se demandait s'il avait envie de vivre assez longtemps pour voir son pays en arriver là.

Plutôt que de répéter les invitations à la prudence, Édith choisit de changer de sujet :

— Que comptes-tu faire aujourd'hui ?

— Je devrais me précipiter chez le gouverneur général pour l'inciter à multiplier les précautions. Mais de toute façon, il ne me recevra pas, son aide de camp me regardera comme si j'étais un demeuré. Alors je vais plutôt aller m'étendre dans la baignoire avec un joli petit sous-marin en bronze, pour voir s'il fonctionne, comme on me l'a affirmé hier soir. Si cela te dit de venir jouer avec...

La phrase laissée en suspens sous-entendait des possibilités ludiques bien au-delà du modèle réduit en bronze. Après un « Oh ! » Édith rosit comme seule une Écossaise victorienne savait le faire, se dit que son mari était parfois très « français ». Sans vraiment l'accepter, elle s'abstint sagement de refuser son invitation à « jouer ».

ᘒᜭ᙮ᜭᘓ

Ottawa, lundi 11 décembre 1882

Sans être très élégante, la maison du commerçant de bois Thomas McKay offrait suffisamment de majesté pour que le gouvernement canadien l'achète afin de loger le représentant de la souveraine au pays. David se présenta tôt le lundi matin à la résidence à la façade de pierre grise et décorée de fausses colonnes. Le troisième locataire des lieux, installé là depuis 1878, le marquis de Lorne, ne pouvait malheureusement pas le recevoir, et son horaire serait aussi chargé pendant toute la semaine.

Mais un aide de camp obséquieux, le colonel Cosgrove, accepta de le rencontrer. L'agent secret se retrouva dans un bureau du rez-de-chaussée, assis devant un officier à l'uniforme chamarré, chauve jusqu'au milieu du crâne. Pour compenser son manque de cheveux, de longs favoris frisés mangeaient la moitié de ses joues et se rejoignaient sous son nez. Les militaires raffolaient des ornements pileux, mais celui-là affichait un enthousiasme suspect.

— Voilà ce sur quoi travaille le Clan depuis plus de deux ans : un sous-marin capable de couler les navires du Royaume-Uni.

En disant ces mots, David posa le modèle réduit de bronze qu'il trimbalait depuis le matin au milieu du pupitre. Son vis-à-vis esquissa un sourire :

— Je vois que votre zèle pour l'espionnage vous monte à la tête, au point de donner foi aux élucubrations des féniens.

— Il me semble à tout le moins que des gens de l'amirauté devraient se pencher sur le sujet. Des gens qui en savent un peu sur les bâtiments de guerre.

David avait soudain une furieuse envie de mettre sa main sur le visage de cet officier arrogant. Sans doute tenait-il son poste d'un parent influent, pour afficher une pareille incompétence !

35

— Si vous insistez. Ces gens-là ont sans doute besoin de rire un peu. Votre jouet les déridera. Ce sera tout?

Devant la porte du bureau laissée ouverte, un homme à l'élégance recherchée, un rouleau de canevas sous le bras, passa en affichant un sourire des grands jours.

— Le gouverneur est là, remarqua David.

— Je ne vous ai pas dit qu'il était absent. Il a un horaire chargé: cette semaine, les artistes de la Société royale viennent proposer les œuvres qui formeront la base de la collection canadienne.

— Bien sûr, cela est plus important que les menaces terroristes.

— Je vous ai demandé s'il y avait autre chose.

Le ton devenait tranchant. Autant abréger cette corvée.

— Les rumeurs d'attentat contre la princesse Louise se multiplient.

— Encore? L'an dernier, vous nous avez imposé votre présence pendant toute l'expédition dans les Prairies afin de la protéger. Nous n'avons pas vu l'ombre d'une tentative d'un mauvais coup. À croire que vous vouliez profiter de l'occasion pour voir du pays.

— Je suppose que Frederick Cavendish a regretté de ne pas être accompagné d'un touriste comme moi, au moment où il a reçu le premier coup de couteau dans un parc de Dublin.

— ... Ce n'est pas la même chose.

Le colonel Cosgrove se troubla tout de même. Le 6 mai dernier, le ministre responsable de l'Irlande, Frederick Cavendish, celui qui dirigeait l'administration de l'île avait été lardé de coups de couteau à Dublin. Son secrétaire avait subi le même sort. Sur les cadavres reposait une carte portant le mot «Invincibles». Que ces deux hommes s'aventurent seuls, à pied, dans un grand parc, tenait de la pure folie. L'endroit regorgeait de coins sombres où tendre une embuscade. Des officiers chargés de la sécurité avaient dû être chassés de leur poste à la suite de cette bévue.

— En Irlande, la violence est constante. Dans notre colonie perdue sous la neige, il ne se passe jamais rien, se justifia l'officier.

— Dans notre colonie, la population irlandaise se compte par centaines de milliers. Après ce qui est arrivé à la princesse il y a trois ans...

— Un simple accident!

Son Altesse Royale, la princesse Louise, avait quitté une réception en catastrophe. La rumeur voulait que la jeune femme ait été folle de rage après avoir surpris son mari dans des bras masculins. Le traîneau où elle prenait place s'était retourné et la passagère avait parcouru une bonne distance en labourant le sol avec son crâne. Sa blessure à la tête avait un moment fait craindre le pire.

— Vous vous souvenez, j'étais là! intervint David. L'une des sangles reliant le traîneau à l'attelage avait été tranchée aux trois quarts peu de temps auparavant, un coup de couteau bien net. Elle ne pouvait que se rompre au premier cahot sur la route.

Au moment de prononcer ces paroles, le jeune homme réalisa que le colonel Cosgrove semblait désirer que la princesse demeure sans protection. Avec ses ongles trop propres, sa pilosité ornementale mieux entretenue que les boucles d'Édith, se pouvait-il qu'il voit cette femme comme sa rivale?

— Vous ne prendrez aucune mesure pour la protéger? interrogea l'agent secret.

— Elle n'est pas ici.

— À Londres, à New York ou à Ottawa, vous pourriez placer deux hommes près d'elle.

Plutôt que de répondre, le colonel changea de sujet:

— Vous ne recevez pas une solde ou un salaire, comme tout le monde, mais vous profitez d'une «annuité», une rente qui vous sera versée votre vie durant. Un rare privilège.

— Et alors?

— Quel service avez-vous rendu au gouvernement pour vous mériter pareil traitement de faveur ?

— Si vos supérieurs ont jugé préférable de ne pas vous mettre au courant, ce n'est certes pas à moi de le faire.

Surtout, David n'avait aucune envie de raconter à ce fat les péripéties qui avaient entraîné la mort de sa première épouse et celle de son meilleur ami. La gravité de la blessure récoltée dans l'aventure avait sans doute incité le gouvernement à faire preuve d'une grande générosité : le pronostic du médecin s'avérant pessimiste, cette rente viagère promettait de ne pas coûter trop cher. L'agent secret s'était finalement remis avec la ferme intention de profiter longtemps des quelques centaines de livres sterling annuelles, le salaire d'un capitaine de l'armée régulière.

— Vous pourriez rester simplement chez vous et inonder les journaux de vos articles, reprit l'aide de camp. On me dit que vous vous en tirez plutôt bien.

Comme son interlocuteur ne s'empressait pas de donner son assentiment à cette réorientation professionnelle, le militaire ajouta, cassant :

— Cette fois, vous avez terminé ?

— Vous savez que vous êtes d'une extraordinaire incompétence ? Ce cylindre de bronze que vous avez sous le nez depuis dix minutes pourrait contenir trente livres de dynamite. De quoi détruire toute la bâtisse. Pourtant, vous ne l'avez même pas examiné.

L'officier regarda soudainement le modèle réduit avec des yeux inquiets. L'agent secret continua :

— Vendredi dernier, j'étais chez un tavernier. Avant d'être conduit dans ses appartements, j'ai été fouillé. J'avais ceci sur moi.

David passa la main au bas de son dos, sortit vivement son arme pour la déposer sur le pupitre.

— Vous gardez la porte du gouverneur général. Cet homme est moins bien protégé qu'un tavernier. L'un de vos artistes pourrait entrer avec une arme et lui vider le barillet dans la tête avant que vous puissiez soulever vos fesses de votre siège.

— … Vous avez terminé ?

L'officier posa les yeux sur les papiers dispersés sur son bureau, fit mine de s'absorber dans la lecture de l'un d'eux. David remit son arme en place, puis murmura :

— Je vous souhaite aussi une bonne journée.

∾✿∾

À bord du train entre Montréal et New York,
vendredi 15 décembre 1882

Le 15 décembre, les Langevin prenaient le train pour accomplir leur petit pèlerinage filial. Plutôt que de prendre un traversier pour passer de Kingston à Buffalo, ils privilégièrent le chemin plus long par Montréal. Cela signifiait plus de douze heures de déplacement sur des banquettes moelleuses au départ, éreintantes à mi-chemin et effroyables à l'arrivée.

Tous les deux avaient pris la précaution d'apporter un livre avec eux. Le choix de David lui mérita un commentaire :

— Tu ne crois pas être un peu âgé pour lire cet auteur ? Quoique parfois, à bien y penser…

Jules Verne s'adressait surtout à un jeune public. Mais *Vingt mille lieues sous les mers* prenait une nouvelle actualité. Bien qu'il parcourût les pages en diagonale, ce ne fut qu'après avoir traversé la moitié de l'État de New York qu'il demanda :

— Je peux te faire un peu de lecture à voix haute ?

Le wagon se trouvait à peu près vide, aucun passager ne serait trop ennuyé par la récitation.

— Cela me permettra de pénétrer dans l'univers d'un écolier français.

— Alors voilà ! L'action se passe à l'avant-dernier chapitre, après que les héros, dont un chasseur de baleines canadien, aient fait beaucoup de tourisme au fond des mers :

Une masse énorme sombrait sous les eaux, et pour ne rien perdre de son agonie, le Nautilus descendait dans l'abîme avec elle. À dix mètres de moi, je vis cette coque entr'ouverte, où l'eau s'enfonçait avec un bruit de tonnerre, puis la double ligne des canons et les bastingages. Le pont était couvert d'ombres noires qui s'agitaient.

L'eau montait. Les malheureux s'élançaient dans les haubans, s'accrochaient aux mâts, se tordaient sous les eaux. C'était une fourmilière humaine surprise par l'envahissement d'une mer!

Paralysé, raidi par l'angoisse, les cheveux hérissés, l'œil démesurément ouvert, la respiration incomplète, sans souffle, sans voix, je regardais, moi aussi! Une irrésistible attraction me collait à la vitre!

L'énorme vaisseau s'enfonçait lentement. Le Nautilus le suivait, épiait tous ses mouvements. Tout à coup, une explosion se produisit. L'air comprimé fit voler les ponts du bâtiment comme si le feu eût pris aux soutes. La poussée des eaux fut telle que le Nautilus dévia.

Alors le malheureux navire s'enfonça plus rapidement. Ses hunes, chargées de victimes, apparurent, ensuite des barres, pliant sous des grappes d'hommes, enfin le sommet de son grand mât. Puis, la masse sombre disparut, et avec elle cet équipage de cadavres entraînés par un formidable remous...

Je me retournai vers le capitaine Nemo. Ce terrible justicier, véritable archange de la haine, regardait toujours. Quand tout fut fini, le capitaine Nemo, se dirigeant vers la porte de sa chambre, l'ouvrit et entra. Je le suivis des yeux.

Après un silence, la jeune femme observa:

— Une scène plutôt horrible. Je suppose que tu te passionnes pour cette histoire de sous-marin, le *Nautilus*, à cause du modèle réduit?

— Oui. En fait, je me demande pourquoi une association révolutionnaire finance un projet aussi farfelu à coups de milliers de dollars, une fortune composée des cotisations hebdomadaires de dix cents de milliers d'Irlandais. Leur inspiration vient de là.

— Voyons, tu ne veux pas dire qu'ils tentent de traduire dans la réalité les exploits imaginés par un romancier fantaisiste.

— Dans *Vingt mille lieues sous les mers*, le méchant se nomme le capitaine Nemo. Il s'agit d'un prince indien qui se venge sur les Britanniques des misères infligées à son peuple lors de la guerre des années 1850. L'auteur en fait un monstre, mais visiblement il éprouve une certaine sympathie pour lui.

— Les révolutionnaires irlandais voudraient reprendre le même scénario, pour les mêmes motifs ? Voyons, ce sont des gens sérieux... à leur manière.

Sa femme ne pouvait croire que des livres destinés aux enfants influencent des gens assez déraisonnables pour semer des bombes dans les villes du Royaume-Uni.

— Je pense que ce sont surtout de grands rêveurs, à la poursuite d'une chimère, quand ce ne sont pas des opportunistes qui ont trouvé là un métier plutôt rémunérateur, admit David.

— Tout de même, le Bélier fénien ne peut représenter une menace aussi terrible que le *Nautilus* ?

— Si ce que j'ai entendu est vrai, les progrès accomplis depuis la guerre de Sécession sont impressionnants, mais pas au point de permettre à des pirates irlandais de semer la terreur sur les mers.

Rassurée, Édith replongea dans les drames matrimoniaux des personnages de Jane Austen et David se passionna pour la façon dont les trois protagonistes principaux du roman sortiraient finalement du sous-marin.

New York, vendredi 15 décembre 1882

Le soleil se couchait fort tôt en cette saison. Cela permit à David Langevin d'arriver au consulat du Royaume-Uni, au 161, 4ᵉ Rue Ouest, sous le couvert de l'obscurité. Pourtant, il s'inquiétait du fait qu'un Irlandais pourrait le voir entrer. Dans une pareille éventualité, la nature de son véritable travail serait établie. Il aurait préféré aller à l'hôtel pour plus de prudence, mais son épouse lui avait fait comprendre que beau-papa avait droit tout de même à certains égards.

Aussi, au moment d'entrer dans la jolie demeure de pierre brune, après être passé prestement du fiacre au hall, il prononça un:

— Bonsoir, Mortimer, j'espère que vous allez bien!

L'utilisation de ce prénom, alors que tous connaissaient le consul sous le nom d'Edward Archibald, avait d'abord souverainement agacé le vieil homme, puis avec le temps il avait décidé de voir là une complicité bienveillante.

— Je me porte comme un charme, si j'oublie un moment que je suis vieux, perclus de rhumatismes et bientôt inutile.

Le consul Archibald lui offrait une main ferme et un regard qui contredisait ce mauvais diagnostic.

Les bises à Édith prirent un long moment, puis le couple se retira pour se « rafraîchir » avant le souper. Une heure plus tard, devant un bon repas, le père et la fille discutaient de ce qui devait être vendu, de l'emballage des caisses et surtout des aspirations du vieil homme: écouler ses dernières années dans la petite ville de Brighton, sur la côte sud de l'Angleterre. Finalement, son successeur achèterait la maison et plusieurs meubles.

— Le médecin m'affirme que l'air marin me fera le plus grand bien.

Le ton trahissait un enthousiasme si incertain que David garda pour lui son opinion: l'humidité de la côte et le temps pluvieux de l'Angleterre ne vaudraient rien pour soigner des rhumatismes. Le vieil homme préférait certainement ne pas connaître un pareil pronostic.

2

Le parlement de Westminster, le siège du gouvernement du Royaume-Uni, s'élevait, majestueux, sur un immense espace près de la Tamise. Vieux d'une quarantaine d'années seulement, le temps avait pourtant fait son œuvre. La pollution rongeait la pierre calcaire des murs extérieurs, tout en la faisant passer d'une douce couleur sable à un noir sale. En plus des cheminées des usines qui crachaient une fumée grasse et noire sur la ville, s'ajoutait celle de chacune des maisons d'habitation.

Katherine O'Shea arriva à l'extrémité du pont de Westminster. Jolie, elle attirait les regards avec sa chevelure brune formant une construction complexe, sur laquelle tenait en équilibre un petit chapeau de velours orné d'une voilette qui lui retombait jusqu'au nez. À peu de distance se trouvait la grande porte permettant aux visiteurs d'accéder à l'édifice. Au moment d'entrer, une voix se fit entendre derrière elle :

— Madame O'Shea, je suppose que vous êtes venue rejoindre votre époux.

Elle se retourna pour dévisager un homme plutôt lugubre, au regard brûlant, Michael Davitt. Le député du comté irlandais de Meath s'était approché d'elle sans bruit. La vue de la manche droite, vide, pendant le long de son corps, la troublait toujours un peu. À l'âge de dix ans, cet homme avait laissé son bras dans une manufacture de textile du nord de l'Angleterre.

À quelque chose malheur avait été bon: impropre à tout travail manuel, il avait enfin pu fréquenter l'école.

— Oui, bien sûr.

— Peut-être devriez-vous aller vous asseoir au salon de thé. Notre réunion n'est même pas commencée. Je dois d'ailleurs me presser d'aller les rejoindre, pour ne pas vous retarder davantage.

— Dans ce cas, je suivrai sans doute votre conseil après avoir pris un peu l'air. Au revoir.

Katherine O'Shea appuya ces mots d'une inclinaison de la tête, avant de tourner les talons dans un bruissement de tissus. Elle se dirigea vers le quai qui donnait sur la Tamise. Un moment, Michael Davitt la regarda. De taille moyenne, mince, vêtue d'une robe bleu sombre, elle offrait aux regards une cascade de soie. Sous les fesses soulignées par une tournure — certains appelaient cet accessoire de mode un faux-cul — de dimension modeste, une lourde boucle savamment chiffonnée oscillait à chacun de ses pas.

Secouant la tête de dépit, le manchot se dirigea très vite vers le second étage du palais de Westminster.

❧

Katherine O'Shea ne resta à l'extérieur que pour donner le temps à son interlocuteur de s'esquiver. Une fois entrée, la majesté de l'immense édifice gothique, avec ses onze cents pièces et ses trois milles de corridors, s'imposa à elle. Au rez-de-chaussée se trouvaient des bureaux, des salles à manger et des bars: plus d'un millier de personnes passaient là tous les jours, fournissant une clientèle abondante.

Elle gravit un grand escalier à pas lents. À une extrémité du premier étage se trouvait la Chambre des communes, où s'assemblaient les centaines de députés lors de la session. Katherine traversa lentement les grandes pièces placées en enfilade, s'attarda un moment devant les deux grands tableaux ornant les murs de la Galerie royale. Ils illustraient les événements ayant permis au Royaume-Uni de s'imposer comme la plus grande puissance mondiale. Le premier montrait la mort de l'amiral Nelson lors de la victoire de Trafalgar, qui avait assuré la suprématie britannique sur les mers. Le second évoquait la rencontre des généraux anglais Wellington et prussien Blücher sur le champ de bataille de Waterloo, le lieu de l'ultime défaite de l'empereur Napoléon.

À la suite de ces événements, l'Empire britannique avait pu se développer sans grande opposition sur les continents asiatique et africain, sans compter les *dominions* du Canada, de l'Australie et de la Nouvelle-Zélande. Un empire, clamaient ses publicistes, sur lequel le soleil ne se couchait jamais.

De la Galerie royale, la jeune femme passa dans le hall central, juste sous la grande tour de l'édifice. Tout ce qui se trouvait au sud de cette grande pièce octogonale relevait de la Chambre des lords. Au nord de celle-ci, les diverses salles se rapportaient à la Chambre des communes. La lumière blanche de décembre pénétrait par les grandes fenêtres en ogive, aux vitres découpées en petits carreaux retenus par des tiges de plomb, et inondait l'endroit, soulignant le plafond et les murs richement ornés de sculptures.

Des gens allaient et venaient en tous sens, des députés formaient çà et là des conciliabules pour discuter avec animation des derniers projets de lois. Des électeurs cherchaient leur chemin vers le bureau de leur représentant, désireux de quémander un emploi ou un privilège quelconque. Dans cette foule, de nombreuses femmes venaient rencontrer un époux, un fiancé, un parent, parfois même un amant.

Des arches, au nombre de huit, ornaient le hall central. Sous certaines d'entre elles, des statues de marbre gardaient la mémoire de premiers ministres ou de politiciens du passé. Cependant, l'élément le plus chargé de symboles de cette grande salle se trouvait au sol : des mosaïques représentaient des saints. Près de l'une d'elles sur laquelle figurait aussi un dragon, un garçon de six ou sept ans demandait à son frère juste un peu plus âgé :

— Tu sais ce que cela représente, toi ?

— Non, pas du tout.

Ils avaient à peu près le même âge que les aînés des garçons de Katherine. Celle-ci s'approcha pour expliquer :

— On trouve sur le plancher les portraits des saints patrons du Royaume-Uni. Celui-ci, c'est le patron de l'Angleterre, saint Georges. Venez voir les autres.

Une main sur l'épaule de chacun des garçons, elle les guida à travers la pièce :

— Ici, c'est saint Andrew pour l'Écosse... ici, saint David pour le pays de Galles... et enfin voici saint Patrick pour l'Irlande.

— C'est un saint catholique ?

— Tu sais, tous ces saints existaient avant que les protestants ne se séparent des catholiques.

Une femme s'approcha. Le plus jeune des enfants courut vers elle en disant :

— Maman, tu savais toi que c'était des saints ?

Katherine salua d'un mouvement de la tête la nouvelle venue qui lui répondit d'un sourire tout en entraînant sa progéniture avec elle. Chacun de trois derniers territoires représentés par ces mosaïques avait été uni à l'Angleterre par la force ou par la ruse.

La jeune femme resta à contempler saint Patrick, songeuse. La dernière étape de l'intégration de l'Irlande au Royaume-Uni avait été la suppression en 1801 du Parlement siégeant à Dublin. Ainsi, aucune des lois s'appliquant à l'Irlande ne se trouvait adoptée par ses seuls représentants. À la place, ce pays procédait à l'élection de dizaines de députés pour le parlement de Westminster.

Du bout de sa bottine noire, Katherine traça les traits du visage de saint Patrick.

❧❧❧

À ce moment, au second étage, dans la salle numéro quinze, les chefs du Parti parlementaire tenaient enfin leur réunion. Michael Davitt avait pris place à une lourde table de chêne avec cinq de ses collègues, tous députés comme lui.

— Messieurs, commença Charles Parnell d'entrée de jeu, si nous voulons obtenir l'appui du Parti libéral à notre projet d'un gouvernement autonome pour l'Irlande, il faut ranger notre machine de guerre.

— ... Au contraire, risqua Davitt. Le mieux est de maintenir la pression en Irlande. Si le calme revient trop vite, les libéraux croiront avoir satisfait tout le monde avec leur loi sur les terres.

Après avoir purgé une longue peine de prison pour sa participation au soulèvement de 1865, le manchot avait créé la Ligue pour les terres du comté de Mayo en 1879, afin d'améliorer les conditions de vie des paysans de l'Irlande. L'association avait remporté un tel succès que Charles Parnell l'avait récupérée pour étendre son action à la totalité de l'île et en assumer la présidence, reléguant Davitt à un rôle de secrétaire.

— Notre campagne d'agitation dans tout le pays, corrigea Parnell, nous a conduits tous les deux en prison. Néanmoins, nous avons atteint deux de nos objectifs : en Amérique, nos compatriotes en exil acceptent de nous apporter un soutien financier régulier ; ici, les libéraux ont donné aux paysans une loi fort utile.

Le politicien s'exprimait d'une voix faible, comme pour obliger ses compagnons à tendre l'oreille. Pourtant, chacun savait qu'il pouvait hurler ses arguments dans le désordre de la Chambre des communes, ou en pleine campagne électorale lors d'immenses assemblées publiques tenues en plein air. Il s'agissait d'un homme plutôt grand, encore mince, d'une pâleur troublante soulignée par des cheveux et une barbe très noirs.

— Une loi insuffisante : les paysans pauvres se trouvent évincés tous les jours pour ne pas avoir payé leur loyer, objecta Davitt.

— Toutes les lois sont imparfaites, celle-là pourra être améliorée. Elle permet tout de même à des paysans de voir leur loyer réduit du cinquième, ou même du quart, du montant réclamé par les propriétaires.

— Ce qui ne suffit pas à éliminer la misère. Les récoltes ont diminué de moitié, avec ces pluies incessantes depuis trois ans.

— Il pleut aussi en Angleterre et en Écosse. Il faut faire cesser les outrages, insista Parnell d'une voix blanche en fixant son interlocuteur de ses yeux sévères.

Ce mot ambigu, « outrage », désignait les actions violentes entreprises contre les grands propriétaires terriens, leurs employés ou même les paysans, afin de les contraindre à respecter les mots d'ordre révolutionnaires.

— On me dit que le nombre de ces incidents violents dépasse maintenant le millier, pour l'année 1882, continuait le chef après une pause. Cela nous donne l'air de brigands. Le mieux serait de faire disparaître la Ligue pour les terres afin de la remplacer par une organisation placée directement sous l'autorité du Parti.

Parnell voulait dire que celle-ci serait sous sa direction personnelle. L'homme exerçait un tel contrôle sur l'organisation politique que les membres parlaient du « roi sans couronne ».

— Autrement, enchaîna O'Shea, l'un des députés présents, jamais les libéraux ne voudront proposer la création d'une Chambre d'assemblée irlandaise. Tous les jours, depuis un an, les journaux du Royaume-Uni ont pu parler de bétail mutilé, de récoltes incendiées et de gens assassinés. Les Irlandais sont présentés comme des barbares.

Pendant de longues minutes, la discussion porta sur la nouvelle société à mettre en place et les personnes à nommer aux postes clés. À la fin, Parnell aborda le dernier point important de l'ordre du jour :

— Notre ami John Dillon ira prêcher la bonne parole à nos camarades des États-Unis à la fin du mois. Ceux-ci doivent absolument maintenir leur soutien financier.

— Les rumeurs à ce sujet sont un peu inquiétantes, précisa Dillon au profit de ses camarades : certains excités au sein du Clan-na-Gaël parlent de revenir aux campagnes terroristes. Ces entreprises coûtent cher et accaparent une partie des ressources dont nous serons nécessairement privés.

— Vous comprenez que si nous recevons moins d'argent des États-Unis, il ne sera plus possible de verser une indemnité aux députés du Parti parlementaire, précisa encore le chef.

Chacun fit mine de se perdre dans la contemplation de la surface de la table. Les représentants de la population britannique à la Chambre des communes ne recevaient aucune rémunération. Sauf Parnell, qui profitait d'une fortune de famille, aucun des élus présents dans cette salle ne pouvait conserver son poste sans l'argent consenti par le Parti.

Les six hommes réglèrent encore quelques détails, puis commencèrent à ranger les papiers posés devant eux. En se levant, Michael Davitt murmura à l'attention de Parnell :

— J'aimerais vous dire un mot en privé.

— Nous nous en tiendrons à ce que nous venons de décider.

— Je sais. Ce n'est pas au sujet de la Ligue.

— Passez à mon bureau dans une minute.

Ses dossiers sous le bras, Charles Parnell sortit de la pièce. Parce qu'il traînait un peu, Davitt se trouva seul en compagnie de John Dillon. Celui-ci crut bon de conseiller :

— N'insiste pas, tu sais bien qu'il s'en tiendra à sa décision.

— Ce n'est pas cela. J'ai rencontré Kitty O'Shea en bas.

— Oh ! Bonne chance, si tu entends ramener notre chef dans le chemin de la vertu. Je ne voudrais pas être à ta place.

Je me sauve à New York de ce pas pour ne rien entendre sur le sujet.

Le manchot venait d'utiliser un mot très vulgaire, sans en avoir l'air. Le diminutif habituel, pour Katherine, était Kate. En Irlande, le surnom Kitty désignait une prostituée.

❧

William O'Shea passa la tête dans la porte du salon de thé du rez-de-chaussée, afin de chercher des yeux l'une de ses connaissances. Il s'approcha de la table où Katherine prenait place pour déclarer :

— Bonjour, madame.

— Oh ! Bonjour.

Rien dans son ton ne montrait qu'elle s'attendait à voir son époux, ou qu'elle y prenait plaisir.

Le visage de cet homme, barré d'une grande moustache qui rejoignait les favoris, offrait des traits agréables. De profil cependant, son menton fuyant donnait une impression de veulerie. Il poursuivit :

— Je suis allé à la maison voir les enfants. J'ai aperçu les valises de Parnell dans ta chambre.

— Comme tu préfères éviter ma présence au point de venir voir tes enfants seulement les jours où je ne suis pas là, ce que je fais ne te concerne plus.

— Tu pourrais au moins faire attention, aller à l'hôtel ! Tu te conduis comme une courtisane, gronda l'homme d'une voix étouffée.

— Je suppose que dans ton petit appartement de Londres, tu es devenu un expert en ce domaine.

Un moment, William chercha une réponse. Celle qui lui vint à l'esprit lui sembla trop vulgaire pour être formulée à voix haute en ces lieux solennels. Son visage s'empourpra sous la colère. Après un moment, il tourna les talons.

Le bureau de Charles Parnell était vaste, confortable, comme il convenait pour un chef de parti dont le pouvoir se révélait plus grand que ne le suggérait le nombre de députés agissant sous ses ordres. Devant le large meuble de chêne qui occupait le milieu de la pièce, un fauteuil de cuir accueillait un Michael Davitt mal à l'aise.

— Je vous l'assure, expliqua encore Parnell, la suppression de la Ligue est nécessaire. Nous devons afficher la plus grande respectabilité. Autrement, même si Gladstone maintenait son alliance avec nous, il perdrait les députés de son propre parti qui s'opposent à toute concession à l'Irlande. Je crains que le premier ministre nous abandonne pour limiter les dégâts dans ses rangs.

Cette nouvelle justification de son chef procurait à Davitt le moyen d'aborder le sujet difficile qui l'amenait :

— Vous venez de parler de respectabilité. Il n'y a pas que les outrages commis en Irlande qui peuvent amener des libéraux à nous tourner le dos. De banales histoires de mœurs risquent d'avoir le même effet.

— …Que voulez-vous dire ? demanda un Parnell qui devinait la tournure que prendrait la conversation.

— J'ai rencontré Katherine O'Shea à l'entrée de l'édifice, tout à l'heure.

Le chef leva les sourcils, comme s'il ne savait pas où voulait en venir son interlocuteur. Celui-ci enchaîna :

— Tous nos amis savent qu'il s'agit de votre maîtresse.

— Je ne vous permets pas…

Davitt leva son unique main pour imposer le silence à Parnell.

— Alors je me permettrai moi-même ! Nous savons tous que si vous faites de William O'Shea l'un de vos principaux collaborateurs, c'est parce qu'il vous tient par les couilles. Gladstone le sait aussi.

— Ces choses ne regardent personne. Je ne m'abaisserai ni à les nier ni à les confirmer, se renfrogna Parnell. Vous avez autre chose à dire ?

— Vous affirmez que nous approchons d'une concession majeure de la part des libéraux, la création d'un Parlement local en Irlande. Tout cela tombera à l'eau si la rumeur que vous partagez la couche de la femme de l'un de vos députés se répand. L'un ou l'autre de ces bigots vous dénoncera dans les journaux.

— Nous n'aurons aucun mal à trouver dans la vie des élus libéraux ou conservateurs des turpitudes autrement plus graves.

Michael Davitt secoua la tête, découragé de cette attitude.

— Pour prouver quoi ? Que certains fréquentent des bordels ? Que d'autres baisent la femme de chambre de leur épouse dès que celle-ci regarde ailleurs ? Qu'ils se sont tous mutuellement enculés au temps de leurs études dans l'une de ces écoles privées qui font la fierté de l'Angleterre ? Comme ils sont tous coupables des mêmes péchés, ils fermeront les yeux et les oreilles avec une belle unanimité.

— Comme ils le feront à propos des rumeurs sur mon compte… qui ne se rendront pas jusqu'à eux si vous ne les colportez pas.

— Mais ce que vous faites est unique… et ridicule. Vous imposez O'Shea à notre Parti, vous le placez dans un comté sûr, vous devez le payer grassement pour qu'il vous serve de truchement auprès des libéraux, pour le seul privilège de baiser avec sa femme.

La colère empourprait le visage habituellement pâle de Parnell. Serrées sur les accoudoirs de sa chaise, ses jointures blanchissaient. À la fin, ce fut d'une voix sourde qu'il menaça :

— Dans n'importe quel pays civilisé, un tribunal me donnerait l'absolution si je vous abattais comme un chien, après de telles paroles.

— Vous faites erreur. Un tribunal innocenterait le mari, s'il tuait quelqu'un pour préserver la réputation de son épouse. Mais O'Shea ne fera rien de la sorte, trop heureux de troquer sa femme contre de petits privilèges politique.

— Sortez.

— Je sortirai quand j'aurai terminé. Vous avez peu d'alliés aussi sûrs que moi. Je vous serai fidèle, car je crois que vous conduirez l'Irlande à plus de liberté. Nous sommes essentiels l'un à l'autre. J'amène au Parti les pauvres, les militants des sociétés révolutionnaires, tant en Irlande qu'aux États-Unis. De votre côté, vous attirez les gens respectables des villes, les gros cultivateurs qui rêvent de stabilité. À nous deux, nous pouvons réussir. Mais vous menacez de tout faire rater. Bien que vous soyez protestant, vous recevez l'appui de l'Église catholique d'Irlande. Celle-ci, et tous les gens respectables qui vous admirent, sont cependant plus prompts à absoudre un meurtre qu'un adultère. N'allez pas tout ruiner pour un caprice.

Sur ces mots, Davitt se leva de son fauteuil pour marcher vers la porte.

❧❦❧

Un caprice! S'il ne s'agissait que de cela! Quelque deux ans plus tôt, Katherine O'Shea était venue dans la galerie réservée aux dames pour observer les débats de la Chambre des communes. Il l'avait croisée dans le corridor du parlement. Quelques instants avaient suffi à les lier pour toujours. La naissance de leur premier enfant, survenue alors que le politicien se trouvait en prison, et sa mort après quelques jours, avaient scellé leur union de façon plus définitive que n'importe quel passage devant un ministre du culte.

L'homme demeura perdu dans ses pensées pendant un long moment, jusqu'à ce que Katherine se matérialise à la porte de son bureau.

— Kate!

LA ROSE ET L'IRLANDE

Sa froideur et sa maîtrise de soi envolées, Charles se leva de son siège pour courir vers elle, la prendre dans ses bras, poser sa bouche sur la sienne. Sous ses paumes, les épaisseurs d'un corset armé de baleines et d'une robe l'empêchaient de sentir la chaleur de ses flancs, mais sa mémoire joua son rôle : le souvenir de l'intimité partagée lui donna l'impression de palper des chairs tièdes et souples.

— J'ai eu le déplaisir de croiser mon mari en bas, murmura-t-elle bientôt en reprenant son souffle, les bras levés pour replacer le chapeau dont l'équilibre avait été compromis pas les baisers.

— Et moi, de me faire servir une leçon de morale par l'un des serviteurs les plus zélés de la cause irlandaise.

— Le manchot ? Je l'ai croisé aussi. Je ne sais pas encore qui, de lui ou de mon cher époux, m'a procuré la réaction la plus dégoûtée.

Après avoir dit cela, elle secoua la tête comme pour en chasser un mauvais souvenir, faisant aller de droite à gauche ses lourdes boucles brunes. Parnell avait posé une fesse sur le bord de son bureau afin de s'approcher de Katherine, assise dans un fauteuil.

— Il m'a expliqué que les évêques d'Irlande pourraient me condamner si l'on apprenait notre liaison. Ce serait la ruine du Parti.

— Tu crois que ces oiseaux vêtus de pourpre exercent une si grande influence sur les électeurs ?

— Une influence croissante, tant chez les catholiques que chez les protestants. Puis tous les journaux à grand tirage cherchent des histoires juteuses pour vendre de la copie. Ce sont les nouveaux censeurs, plus impitoyables que n'importe quel triste personnage ensoutané ou avec le cou serré dans un col de *clergyman*.

Un moment, Katherine se mordit la lèvre inférieure, songeuse. Puis elle déclara à voix basse :

— Je rêve toujours de la même chose : nous liquidons nos biens et nous allons vivre ensemble dans un pays où personne ne nous connaît. En Italie par exemple, ou encore dans le sud de la France. Là-bas, le fait que nous soyons mariés ou non n'aurait aucune importance.

— Tu sais bien que c'est impossible.

Bien sûr, la fidélité à la cause irlandaise l'empêchait de tout abandonner. Ce motif ne pesait toutefois pas très lourd pour la jeune femme : jamais elle n'avait mis les pieds dans ce pays.

Surtout, l'intérêt les retenait au Royaume-Uni. Tous les deux dépendaient d'un patrimoine familial pour maintenir leur niveau de vie. Charles aurait sans doute pu partir avec sa part de l'héritage de ses parents. Katherine et son mari vivaient d'une allocation versée par une tante de celle-ci. Si elle heurtait la moralité de la vieille dame, cette dernière risquait de leur retirer sa protection. Le couple se retrouverait littéralement à la rue. En réalité, seule l'espérance de toucher le généreux héritage de l'aïeule, décidément résolue à mourir centenaire, amenait le curieux couple à ne pas se résoudre au divorce. Surtout qu'on approchait du but, elle avait dépassé les 90 ans.

— Oui je sais, c'est impossible ! admit Katherine après une longue pause.

— Si tu veux, changeons de sujet. Ressasser notre triste situation ne fait de bien à aucun de nous deux. Tu es toujours disposée à attendrir le grand homme ?

— … Tu crois que c'est utile ?

Sa voix exprimait une bonne dose de scepticisme.

— Quelqu'un doit lui promettre que nous allons museler nos militants les plus bruyants, pour le convaincre de faire un geste. Je ne peux pas promettre pendant dix ans encore aux électeurs d'Irlande que les libéraux leur accorderont un gouvernement local si Gladstone ne donne aucune indication que cela arrivera.

— Tu peux lui dire cela toi-même, il a un bureau dans cette bâtisse.

Katherine accompagna ces mots d'un geste ample, comme pour désigner le parlement de Westminster.

— Ici, tous mes mouvements sont observés et discutés, murmura Charles, je veux plus de discrétion. Puis je crois que le vieil homme s'est entiché de toi !

— Peut-être refusera-t-il de me recevoir, opposa-t-elle, sceptique.

— Il te recevra. C'est déjà convenu.

Bien sûr, dans ce jeu politique compliqué, les deux chefs avaient intérêt à maintenir la communication, pour qu'une véritable collaboration soit un jour possible. La jeune femme finit par céder :

— Alors tu me conduiras, et tu attendras à la porte. Quand devrai-je jouer la scène devant le grand homme ?

— Dans quelques jours. Laissons d'abord se répandre la rumeur de la disparition de la Ligue… en espérant que des assassins ne se livrent à aucune action d'éclat en Irlande d'ici là.

꧁꧂

Charlestown, comté de Mayo,
samedi 16 décembre 1882

Conàn Mallon, le directeur des services de sécurité pour toute l'Irlande, maudissait Richard Jones, le commissaire de police de la petite ville de Charlestown. Après l'échange d'une douzaine de télégrammes, cet homme avait réussi à le convaincre de se rendre dans ce trou perdu. Toute la journée de la veille, un train qui ignorait totalement la ligne droite l'avait amené à la frontière des comtés de Mayo et de Sligo.

Après une nuit très courte dans une mauvaise auberge, Mallon sortit dans la cour de l'établissement. Le soleil rosissait déjà l'horizon. Le commissaire Jones s'était amené avec deux constables. Chacun portait une carabine en bandoulière.

— Mieux vaut prendre nos précautions, ces collines ne sont pas très sûres, dit le policier.

— Et ce départ en pleine nuit... commença Mallon.

Le fonctionnaire ne jugea pas utile de préciser que les révolutionnaires profitaient de l'obscurité pour faire leurs mauvais coups. Mieux aurait valu partir en pleine clarté.

— La Ligue pour les terres est maîtresse des lieux. Je préfère que notre déplacement demeure secret, décréta le policier.

Un peu après six heures, les quatre cavaliers s'engageaient sur un mauvais chemin au sud de Charlestown. Dans la clarté blafarde, Conàn Mallon voyait monter des filets de fumée d'amoncellements de pierres pas plus hauts que trois pieds. Il arrêta son cheval près de l'un d'eux au moment où une jeune femme dépenaillée en sortait en rampant, un bébé pendu à son sein. Une très belle rousse grande et mince, la peau argentée dans la lumière du matin. Elle le regarda un long moment de ses yeux fiévreux.

À la fin, mal à l'aise, l'homme tira sur les rênes de son cheval pour tourner, donna un coup de talon dans ses flancs pour lui faire presser le pas afin de rejoindre au plus vite ses compagnons.

— En Irlande, des beautés dignes des peintures de Rossetti sortent du sol, observa-t-il d'une voix faussement amusée.

— Vous trouverez une famille irlandaise dans chacune des anfractuosités du roc, commenta le commissaire de police. Ils entassent des pierres assemblées sans mortier au-dessus de leur logis, pour se donner un toit.

— Mais de quoi vivent-ils?

— De rien, ou à peu près : un peu de pain, ou plus souvent une pomme de terre reçue en aumône ici et là, des racines grattées dans le sol. Les plus malheureux mâchent de l'herbe en attendant la mort.

Mallon croyait lire un éditorial d'un journal proche de la cause irlandaise. Cette fois, le constat sortait de la bouche d'un policier.

— Aucune aide n'est organisée?

— Ah! Dans les villages près de la côte, de belles dames viennent d'Angleterre pour distribuer de la soupe. Mais cela ne suffit pas.

Les initiatives de sociétés de bienfaisance demeuraient inefficaces quand survenait une véritable catastrophe économique, comme de mauvaises récoltes successives.

— Mais ces gens ont des amis, des parents susceptibles de venir à leur secours, insista le chef de la police irlandaise.

— À cause de la pluie qui ne cesse de tomber depuis trois ans, les ressources de ceux qui ont encore une parcelle de terre suffisent à peine à faire vivre la famille. Quant aux grands propriétaires, tout à leur malheur de voir décroître leurs revenus, ils ne voient pas les affamés. Pensez donc : certains doivent se défaire d'un cheval de course, ou alors priver leur fille aînée d'une nouvelle crinoline !

Mallon se fit la remarque de tenir ce commissaire de police à l'œil : tant de cynisme conduisait parfois à la trahison.

Les Irlandais n'étaient pas les seuls à subir les affres du mauvais temps. En Écosse, au pays de Galles, en Angleterre même, des paysans étaient ruinés. Mais tous les Irlandais gardaient en mémoire la Grande Famine de 1845-1848, où un million des leurs étaient mort de faim, et le même nombre n'avait pu faire autrement que d'émigrer en Amérique. Tous craignaient de voir ces événements se répéter.

— Revenons aux dames qui viennent soulager la misère des paysans. Je crois que vous jouissez de la présence d'une femme de lettres, protégée de la reine Victoria, dans vos parages…

— Ah! Lady Florence Dixie. Cette femme habite un charmant cottage sur la côte, avec sa famille. Quelle nuisance ! Elle affirme être venue se faire sa propre idée sur la Guerre pour les terres. À son ton, même les Irlandais qui n'ont pas lu son pamphlet *L'Irlande et son ombre* ont deviné qu'elle condamnait en bloc tout le travail de la Ligue pour les terres. Elle accuse cette organisation de prôner le communisme en voulant nationaliser la terre, pour la redistribuer aux paysans.

— Sa présence ici ne fait donc pas l'unanimité ?

— Au contraire, ils sont unanimes à lui souhaiter du mal. J'ai bien hâte de la voir partir. Je dois charger un policier de veiller sur elle en permanence, alors que j'ai des problèmes plus sérieux sur les bras, vous le verrez tout à l'heure.

Mallon laissa échapper un soupir. Ce diable de Jones répétait que les événements avaient pris une tournure terrible, mais refusait de divulguer le moindre détail.

— À tout le moins, pouvez-vous me dire où nous allons ?

— À Cnoc Mhuire. Nous y serons dans une heure.

— Et qu'est-ce qu'il y a sur cette colline ?

Le mot gaélique *cnoc* désignait une colline, aussi revenait-il fréquemment sur les cartes géographiques d'Irlande et d'Écosse.

— En 1879, le 20 août précisément, la Vierge Marie, saint Joseph et saint Jean l'Évangéliste sont apparus à un petit groupe de personnes.

— Déjà, le whisky permet de voir bien des apparitions alors j'imagine que le whisky dans un estomac vide…

— Mais ils sont plusieurs à les avoir vus à des moments différents, et chacun fait des personnages une description à la fois détaillée et identique à celle des autres !

De retour à Dublin, Conàn Mallon prendrait décidément des informations sur le commissaire Richard Jones. Voilà qu'il prêtait foi aux superstitions des papistes.

— Si vous m'avez fait traverser tout le pays pour enquêter sur des apparitions de Marie…

— Ce sont bien des apparitions. Celles de cadavres.

❧❀❧

Passé dix heures, les cavaliers atteignirent Cnoc Mhuire, une petite agglomération de bicoques construites en pierre, surmontées de toits de chaume. Juste après le village, dans les champs, ils commencèrent par jeter un coup d'œil sur cinq carcasses de vaches. Du haut de leur monture, les membres du petit peloton examinèrent une bête éventrée. Elle avait marché sur une longue distance avant de crever, traînant environ quinze pieds d'intestins déroulés derrière elle, laissant dans l'herbe une piste sanglante.

— On l'a trouvée dans cet état hier matin. J'ai empêché qu'on y touche, pour vous la montrer.

— Je connais les façons de faire du Capitaine Clair-delune. Inutile de me faire venir ici pour me montrer cela.

Dans un premier temps, la Ligue pour les terres avait demandé de boycotter les grands propriétaires qui évinçaient leurs locataires insolvables. Le mot *boycott* avait d'ailleurs fait son entrée dans la langue anglaise en 1880, tout près de Cnoc Mhuire, à Lough. Les agitateurs avaient ordonné d'ostraciser Charles Boycott, l'agent d'un propriétaire terrien. Des fiersà-bras avaient fait en sorte que celui-ci ne trouve aucun ouvrier pour faire les récoltes. Dépité, l'homme avait quitté la région.

Pour en arriver à imposer une telle discipline au sein d'une population acculée à la famine, la Ligue pour les terres recourait à l'intimidation. L'expression «Capitaine Clair-delune» désignait en fait les troupes de durs à cuire qui, la nuit, battaient la campagne pour terroriser les individus les plus enclins à trahir les mots d'ordre révolutionnaires. Mutiler le bétail d'un paysan ou d'un propriétaire terrien représentait le premier degré de la répression. Parfois, un mot épinglé sur une vache ayant eu les mamelles tranchées précisait que le même sort attendait l'épouse de l'agriculteur, si ce dernier ne se soumettait pas aux directives.

— Inutile de me montrer les autres bêtes, nous connaissons aussi ces pratiques sur la côte est de l'Irlande.

Le commissaire fit un signe aux paysans qui se tenaient à une distance prudente. Ils s'approchèrent avec empressement. La chair plus très fraîche de ces animaux nourrirait toutes les familles des environs pendant un jour ou deux.

— Nous allons vers cette maison, là-bas. C'est celle d'un agent au service d'un grand propriétaire. Ce dernier habite sans doute une jolie maison à Londres... L'agent s'appelait Jarvis.

La maison, sise à quatre ou cinq arpents, s'élevait sur deux étages, avec un joli toit d'ardoises. Mallon nota qu'aucune fumée ne s'échappait de la cheminée, malgré le temps frais et humide.

— Je suppose que les vaches étaient à lui? questionna-t-il.

— Oui. Le Capitaine Clair-de-lune a cependant brûlé quelques étapes dans son petit jeu d'intimidation.

Dans la cour de l'habitation, le policier montra quelques trous sommairement creusés.

— Cela a été fait il y a une semaine. Le message habituel : vos tombes sont déjà prêtes, si vous ne déguerpissez pas, vous allez les occuper bientôt.

Tous mirent pied à terre. Le fonctionnaire, devinant la suite, suivit le commissaire et pénétra dans la maison. La porte donnait sur une pièce servant à la fois de cuisine et de salle à manger. Le corps d'un homme d'une quarantaine d'années gisait sur le dos, la gorge tranchée. Une grande mare de sang noirâtre, déjà coagulé, s'étalait sous lui.

— Venez, au fond...

Dans la chambre à coucher, une femme, l'épouse, se trouvait au pied du lit. Elle aussi montrait une profonde coupure au cou.

Sans un mot, Mallon monta à l'étage avec le policier. Dans une première chambre, une jeune fille, d'environ dix-huit ans, reposait sur le lit, la chemise de nuit retroussée jusqu'au-dessus des seins. Des traces de sang marquaient le haut des cuisses. Aucun besoin d'une autopsie pour savoir ce qui lui était arrivé. Le cou portait les traces de mains solides et la langue était tirée. Il s'agissait sûrement d'une mort par strangulation.

— Il y en a encore une autre, murmura le policier.

Dans la pièce d'à côté, une gamine d'une douzaine d'années, la chemise également troussée, reposait sur un lit étroit. À la vue d'une poupée de chiffons dans un coin de la pièce, Mallon eut un haut-le-cœur et fit mine de sortir.

— Non, le plus important est près du lit...

En réprimant son dégoût, à contrecœur, il avança et regarda l'endroit sur le mur où un doigt avait tracé avec le sang de la fillette, le mot «INVINCIBL...»

— «Invincible», lut le commissaire Jones à voix haute pour son supérieur qui se précipitait vers l'escalier.

ᘡᛞᘠ

— Ce sont eux, les Invincibles! cria le commissaire Jones, blanc de rage.

— Tuer la famille d'un agent d'un propriétaire terrien, cela ne peut avoir aucun rapport avec la mort du ministre responsable de l'Irlande.

L'assassinat du membre du cabinet du gouvernement de Gladstone et de son principal collaborateur avait été signé par les «Invincibles». Le mot gardait une sonorité tragique dans tout le pays.

— Alors, comment expliquez-vous la référence?

— Sans doute que les auteurs de ce crime ont voulu nous provoquer, se moquer de nous. J'imagine mal que les assassins de lord Frederick Cavendish, le plus important officier public en Irlande, viennent ensuite battre la campagne et égorger des familles entières dans un trou perdu!

Les coupables du meurtre survenu à Dublin étaient peut-être venus se mettre au frais à la campagne, alors que les policiers mettaient la capitale sens dessus dessous. Mais dans ce cas, leur intérêt n'était pas d'attirer l'attention. Mallon préférait croire que des criminels avaient simplement repris ce mot par bravade.

3

New York, samedi 16 décembre 1882

Pendant toute la journée, David Langevin avait renoué avec les endroits qu'il fréquentait il y a plus de quinze ans, alors qu'il habitait la métropole américaine. Tout était encore plus grand, plus fiévreux. Pourtant, la crise économique survenue en 1873 faisait toujours sentir ses effets. Cela se vérifiait par la présence accrue de vagabonds ou de mendiants dans les rues, et les files d'attente devant les soupes populaires organisées par des sociétés charitables.

Après un repas interminable, le clan Archibald, limité au père et à la fille, sur lequel le gendre représentait un greffon plutôt étonnant, se retrouva dans la bibliothèque. Vers dix heures du soir, tous les trois partageaient une excellente bouteille de porto. David et Édith avaient placé leurs verres à demi pleins sur un guéridon près du sofa où ils se trouvaient, alors que le consul remplissait le sien à un rythme inquiétant.

— David, fit-il après avoir exprimé une nouvelle fois toutes ses récriminations à propos de sa retraite prochaine, comment se déroule votre travail d'espionnage?

Édith comptait parmi l'infime minorité des femmes de son siècle à trouver naturel d'écouter des secrets d'État. À vingt ans à peine elle prenait des notes, dissimulée derrière un paravent de soie, quand son père recevait un informateur. Elle gardait alors un revolver à portée de main au cas où une entrevue tournerait mal.

— Je travaille pour un homme qui ne veut rien savoir des informations que je glane pour lui. À vrai dire, il ne me parle même pas: je m'adresse à un esthète raffiné, son aide de camp.

— Quel imbécile! Je sais bien que les féniens ne parlent plus de conquérir le Canada par les armes, comme ils le faisaient dans les années 1860. Mais avec tous ces attentats, la situation devient horrible au Royaume-Uni. Les politiciens de ce pays, comme partout dans le monde, deviennent des cibles. Vous vous souvenez du choc causé par l'assassinat du président américain, l'an dernier? Les services secrets sont plus que jamais nécessaires.

Comment oublier? Le président Garfield avait reçu deux balles de revolver, mais l'opinion publique demeurait convaincue que ses médecins, à cause de leur incompétence, étaient les vrais meurtriers.

Le vieil homme fit une pause, vida son verre pour se donner une contenance, avant de demander:

— Votre situation est si mauvaise?

— L'esthète, prononça le journaliste en appuyant sur le mot de façon amusée, m'a conseillé de profiter de ma rente et de consacrer tout mon temps à l'écriture.

Édith exerçait une emprise suffisante sur elle-même pour s'empêcher de dire que ce ne serait pas une si mauvaise option, écrire plutôt que se faire tirer dessus.

— Une idée me vient: si je disais au ministère des Affaires étrangères que vous pourriez lui rendre service, peut-être vous utiliserait-il?

— Si vous voulez, concéda l'agent secret. Comme mes rapports doivent moisir dans des tiroirs à Ottawa, je pourrais tout aussi bien les chiffrer et les envoyer directement à Londres.

— Non, non, je veux dire les aider sur place. Depuis le début des attentats, on a créé une section spéciale dans les services de police, pour enquêter sur les révolutionnaires irlandais. Vous connaissez bien ces gens: ceux que l'on arrête aujourd'hui sont souvent des vétérans des années 1860 que vous avez fréquentés de près. Vous pourriez vous rendre utile à Londres.

— Vous n'êtes pas sérieux !

Le visage du consul indiquait que non seulement il l'était, mais que l'idée lui paraissait excellente. Son gendre jugea bon de préciser :

— Pour faire un travail d'espionnage, il faut un réseau d'informateurs, et surtout bien connaître les lieux, ne serait-ce que pour identifier les menaces. Je ne connais personne au Royaume-Uni.

— Quand j'ai eu recours à vos services, vous ne connaissiez rien des féniens ou de New York. C'était la même chose quand Allan Pinkerton vous a recruté pour espionner les Sudistes.

Le premier réflexe de David fut de répondre qu'alors, rien d'autre ne se présentait à lui. Seule l'absence de débouchés lui avait fait accepter des propositions si improbables. Le fait de réaliser que vingt ans plus tard son avenir ne paraissait pas meilleur l'incita à se taire. Archibald mit les points sur les « i » à sa place :

— Votre employeur actuel vous incite à rester chez vous. Dans la métropole, on ne sait plus où donner de la tête, avec tous les attentats. Votre chance est là-bas.

— Vous pensez que ces gens-là voudront d'un espion venu des colonies ?

— À New York, ils se sont contentés pendant vingt-cinq ans d'un consul originaire de la Nouvelle-Écosse.

— D'origine écossaise et protestant : c'étaient de bons éléments à votre dossier. Que je me serve de mon identité irlandaise ou de celle de mes parents adoptifs canadiens-français, je ne rassurerai personne.

Parce que pendant plus d'une année son père s'était opposé à ce qu'elle s'entiche d'un Irlandais catholique, Édith avait l'habitude de se méfier des moments où la discussion s'engageait sur le terrain des appartenances ethniques ou religieuses. Arbitre des tensions entre les deux hommes, elle poussa son mari de la cuisse pour le faire taire tout en murmurant :

— Permets-tu à mon père de poser la question à ses supérieurs du ministère des Affaires étrangères ? Tu verras bien la réponse. De toute façon, tu reçois une annuité : tu ne leur coûterais rien.

— C'est bien vrai, renchérit le consul. Puis si vous n'avez rien à faire à Londres, vous serez en mesure d'envoyer des articles à divers journaux, à Montréal et ici, à New York. Comme au moment où vous êtes allé dans la métropole, en 1866... Les affaires de l'Empire passionnent les lecteurs.

Surtout, pensa David en prenant son verre de porto sur le guéridon, ses malheurs professionnels se révélaient une aubaine pour le clan Archibald. Le père rêvait que sa fille adorée l'accompagne en Angleterre. Cette dernière y voyait une occasion de faire un long séjour dans la plus grande ville du monde. Le tout était de savoir si lui-même y trouverait son compte.

Au moment de monter se coucher un peu plus tard, le journaliste se demandait encore si sa femme et son beau-père n'avaient pas concocté ce dénouement lors de leur échange de lettres. Dans ce cas, la grande châtaine qui le précédait dans l'escalier lui avait tendu un véritable guet-apens... Au moment d'entrer dans la chambre, il conclut que si c'était le cas, la paix de son ménage méritait de jouer le dupe.

Jersey City, lundi 18 décembre 1882

Tout naturellement, David Langevin avait pensé errer en solitaire du côté du New Jersey, sous un ciel gris et maussade. Mais Édith était résolue à constater par elle-même les progrès de la guerre sous-marine. Sa femme se joignit donc à lui.

Aussi, bras dessus, bras dessous, ils montèrent à bord d'un traversier amarré au port de New York, à la hauteur de la rue Cortland, afin de passer sur la rive ouest du fleuve Hudson. Si, à bord, ils purent voisiner frileusement avec le gros poêle à charbon, une fois à Jersey City la promenade sur les quais leur fit regretter de ne pas avoir amené du Canada des vêtements plus chauds. Passé la mi-décembre, le climat sous cette latitude pouvait se révéler désagréablement froid et humide.

Très vite, Édith convint que sa présence en ces lieux faisait un peu saugrenue. Des débardeurs s'agitaient de tous côtés en jetant vers elle des regards mi-surpris, mi-admirateurs. À vrai dire, sa robe gris acier tombait plutôt bien et sa tournure sur les fesses, comme l'exigeait la mode, bien qu'étant de proportion modeste, rendait la démarche d'Édith agréablement ondulante. Le petit chapeau incliné sur l'œil droit et la voilette légère qui dissimulait un peu la partie supérieure du visage complétaient bien l'ensemble.

— Tu crées une petite commotion, on dirait, remarqua son mari.

— Ils devraient plutôt s'intéresser à ce qu'ils font. Un accident peut survenir très vite, dans cet encombrement.

Sa compagne faisait allusion aux multiples cargaisons qui passaient des soutes de navires transatlantiques jusque sur les quais. Des débardeurs prenaient les sacs et les caisses tirées des flancs des bâtiments avec de grandes grues pour les mettre sur des chariots métalliques. D'autres s'attelaient à ces petits véhicules pour les amener vers un entrepôt ou, plus souvent encore, vers les wagons de chemin de fer stationnés à proximité. La plupart des marchandises venues des quatre coins du monde ne faisaient que transiter dans la région de New York, avant d'être expédiées vers l'intérieur du continent. Les États-Unis se développaient à toute vitesse.

Ce ne fut qu'après une bonne heure passée sur les quais, à proximité du bassin du canal Morris, qu'Édith pressa le bras de son compagnon en disant :

— Tu crois que cela peut être un sous-marin ?

Elle regardait un rectangle de métal sombre effleurant à peine la surface de l'eau glauque et huileuse, entre des navires à vapeur. Deux hommes qui se trouvaient sur une plate-forme de planches posée sur des barils faisant office de flotteurs étaient penchés au-dessus de cette curieuse machine.

— Cela ressemble autant à un sous-marin que tout ce que nous avons vu jusqu'à présent.

Sur le bord du quai fait de grosses poutres de bois, ils avaient une vue plongeante sur l'étrange bâtiment, une douzaine de pieds plus bas. David devinait la forme allongée d'un cylindre effilé à ses deux extrémités, long de trente pieds environ et d'un diamètre de six pieds là où il était le plus large.

— Allez-vous-en! clama une voix venue de la petite plate-forme de bois.

David afficha la mine niaise de celui qui n'entendait rien. L'homme répéta son injonction encore deux fois avant de grimper prestement à l'échelle donnant accès au quai.

— Vous êtes sourd ou quoi? maugréa-t-il en se dressant devant le journaliste.

— Nous ne faisons que regarder…

Ce marin semblait tout à fait résolu à chasser les intrus. Seule la présence d'une femme l'incita à réfréner un peu son humeur belliqueuse pour continuer un ton plus bas:

— Vous n'avez rien à faire ici… Puis cela peut-être dangereux.

David plongea une main dans la poche intérieure de son paletot, en sortit une carte portant son nom, son titre et le nom de son employeur, «David Devlin, journaliste, *The Gazette*». La vue du petit morceau de carton ne changea rien à l'attitude courroucée du marin. Peut-être ne savait-il tout simplement pas lire. Il allait répliquer quand une voix dit derrière eux:

— Est-ce que je peux vous aider?

— … Ces personnes nous espionnent.

Le marin ne saurait jamais combien son évaluation de la situation était bonne.

— Laissez, je vais m'en occuper.

Le nouveau venu, un grand type doté d'une large moustache, habillé avec recherche et arborant un chapeau de feutre au large rebord, enchaîna en examinant le couple :

— Madame... Monsieur ?

— David Devlin, journaliste.

Un geste prompt lui permit de récupérer une autre carte dans sa poche pour la présenter à ce nouvel interlocuteur.

— Et voici ma femme...

— Jane ! interrompit sa compagne en tendant la main.

L'homme la prit, effleura les doigts gantés de ses lèvres en disant :

— Madame Devlin, enchanté de faire votre connaissance.

En affichant comme un vague regret, le nouveau venu se retourna vers David en disant :

— *The Gazette* ? Je ne connais pas.

— Un journal de Montréal. Je devine qu'il ne compte pas beaucoup de lecteurs dans cette ville, général Millen.

L'autre afficha la plus grande surprise tout en scrutant le visage de son interlocuteur avec une attention redoublée.

— Nous nous sommes connus en 1865, expliqua David en riant. Je me souviens de vous avoir croisé à quelques reprises au quartier général de la Fraternité fénienne. Il est vrai que votre uniforme de brigadier général de l'armée républicaine du Mexique attirait le regard.

— Vous êtes donc ce David Devlin, un journaliste dont la réputation à New York commençait tout juste à devenir enviable. Vous êtes disparu tout d'un coup...

— Après une histoire que je préfère oublier.

En disant ces mots, David fit mine de se gratter le lobe de l'oreille gauche avec son auriculaire. Le Clan-na-Gaël, comme toutes les sociétés secrètes d'Amérique, multipliait les signes « secrets », afin que les membres se reconnaissent entre eux. Plus personne ne pouvait se toucher le nez en public sans qu'une demi-douzaine de personnes appartenant à autant d'associations mystérieuses ne prennent cela comme un salut discret.

Amusé, le général Francis Frederick Millen lui rendit son signal en disant :

— Vous êtes resté fidèle à nos objectifs pendant toutes ces années ?

— Autant que faire se peut, puisque j'habite maintenant dans un *dominion* britannique.

— Et vous vous intéressez aussi aux expérimentations de notre ami Holland, puisque je vous trouve ici, poursuivit Millen en regardant le bâtiment immergé.

— J'ai lu de nombreux articles sur le sujet, dont certains de votre plume. J'ai pensé venir voir moi-même.

Ancien général de l'armée de la république du Mexique et révolutionnaire irlandais, ce curieux bonhomme mettait maintenant du pain sur sa table — et tout le reste nécessaire à une existence confortable, à en juger par son allure prospère —, grâce à son travail de journaliste au *New York Herald*. Ce journal accueillait d'ailleurs de nombreux militants pour l'indépendance irlandaise, dont le fondateur du Clan-na-Gaël et son président actuel, John Devoy.

— Mes lecteurs aimeront plonger dans les expériences sous-marines de notre ingénieur irlandais, continua David.

— Plonger... le mot est bien choisi. Je vais voir ce que je peux faire.

Millen se pencha sur le bord du quai pour lancer en gaélique :

— John, nous avons ici un journaliste. Pourrais-tu lui faire faire une petite balade ?

Si le recours à cette langue, plutôt qu'à l'anglais qu'ils avaient utilisé jusque-là, avait pour but de tenir David à l'écart de la conversation, c'était peine perdue : il connaissait parfaitement le gaélique, avec toutes ses variantes régionales. Aussi put-il conclure que Millen venait du nord de l'Irlande.

— Tu crois que c'est prudent ? répondit l'un des hommes sur la plate-forme de bois.

— Bah ! Un article de plus ou de moins ne changera plus rien maintenant. Puis en te faisant connaître, peut-être gagneras-tu un juteux contrat gouvernemental.

Quelques années auparavant, John Philip Holland avait commencé par soumettre son idée de sous-marin à la marine de guerre des États-Unis. Un refus à peine poli l'avait amené à chercher plutôt le patronage du Clan-na-Gaël, dont l'un de ses frères était membre.

— Nous allons effectuer une toute petite sortie pour tester le ballast. Alors, si ton journaliste veut monter, nous lui ferons de la place.

Millen se retourna, tout sourire :

— Vous avez de la chance, John accepte de prendre un passager.

— Merci, mes lecteurs vous en seront éternellement reconnaissants.

David avait parlé en gaélique, une façon de marquer encore mieux son identité irlandaise. En regardant en bas, il constata la présence d'une ouverture circulaire dans le rectangle long d'une dizaine de pieds qui émergeait tout juste à la surface de l'eau. Elle faisait peut-être quinze pouces de diamètre et certainement pas plus de dix-huit. Tout d'un coup, l'idée lui parut beaucoup moins intéressante.

— Jane, je ne voudrais pas te laisser toute seule ici, au froid…

— Ne vous inquiétez pas, prononça Millen, plus affable que jamais. Il y a un café juste derrière cet entrepôt.

De la main, l'homme désignait une bâtisse basse et sombre à une cinquantaine de pieds du quai.

— L'endroit est à peu près respectable… et puis je lui tiendrai compagnie.

D'un regard, David constata que sa femme grelottante ne regretterait pas de se mettre au chaud un moment.

71

— Vas-y, lui dit-elle avec un sourire amusé. Sans cette robe encombrante, je me joindrais à toi. Comme ce n'est pas possible, je compte sur monsieur Millen pour tenir à distance les débardeurs pleins d'admiration de tout à l'heure.

— … Alors je vous rejoindrai dès que possible. Je suppose que je n'entrerai jamais dans ce trou avec mon paletot. Je peux vous le confier?

Tout en détachant les boutons, David se disait que quelqu'un, quelque part, devrait lui verser une prime pour les risques que comportait son métier. Un instant plus tard, Millen prenait son manteau et Édith, sa canne.

— Je garde le melon, précisa-t-il en s'engageant dans l'échelle conduisant près des flots.

À peine rendu deux échelons plus bas, il entendit un Millen tout mielleux dire à Édith :

— Alors, madame Devlin, des débardeurs vous ont admiré au passage? Je dois dire que ces gens-là ont du goût.

En plus de risquer la noyade, voilà que la quiétude de son ménage se trouvait menacée. Un moment plus tard, David prenait pied sur la plate-forme de bois qui vacillait maintenant sous les pas de trois hommes. Sa veste de tweed offrait une protection bien illusoire contre le vent qui balayait la surface de l'eau. John Philip Holland, un homme à peu près de son âge, la lèvre supérieure cachée sous une énorme moustache, lui serra la main en se présentant, avant de déclarer :

— Entrez tout de suite, sinon vous attraperez la crève.

Sous le regard désapprobateur du marin qui l'avait à l'œil, David monta sur le rectangle de métal dangereusement instable, posa un pied dans le trou circulaire qui faisait office d'écoutille, trouva en tâtant le premier barreau d'une échelle métallique, puis descendit dans ce qui lui semblait être un cercueil de fer.

Quand le couvercle de l'écoutille se referma avec un «clang» sonore, la comparaison devint encore plus réaliste. Les trois hommes occupaient un cylindre dont le diamètre intérieur ne faisait pas tout à fait six pieds, avec un espace habitable long d'au plus dix pieds une fois comptés les ballasts, le canon à l'avant et le moteur à l'arrière. Juste sous le pont, une personne pouvait se tenir à peu près droite. Ailleurs, il fallait se plier en deux. Accroupi, David tenait son chapeau melon d'une main et se cramponnait à un tuyau métallique de l'autre.

Une lampe à incandescence jetait une lumière jaunâtre dans l'habitacle. Seuls deux hublots minuscules permettaient de voir à l'extérieur du submersible.

Sans tarder, le marin mit le moteur Brayton en marche. Un bruit à peine soutenable envahit le tube de fer. Holland, les yeux rivés au périscope, actionnait des manettes. En vibrant, le petit bâtiment commença à se déplacer avec un mouvement ondulant.

— Aujourd'hui, nous ne sortirons pas du bassin, hurla Holland pour couvrir le bruit. Aussi, impossible de prendre de la vitesse. Mais je peux atteindre sans mal dix milles à l'heure en surface, sept en plongée.

C'était une honnête vitesse de croisière, aussi grande que celle de la plupart des navires marchands.

— Vous avez une longue autonomie ?

Malgré sa peur, l'agent secret essayait de se passionner pour cette machine infernale. Quelle misère de se découvrir claustrophobe à la quarantaine.

— Trois, quatre heures tout au plus. En fait, l'espace manque pour transporter beaucoup de carburant.

— Vous utilisez du pétrole ? Les vapeurs vont nous tuer.

— Elles sont évacuées à l'extérieur par un tuyau qui dépasse en surface.

À l'odeur qui se répandait dans l'habitacle, David devinait que ce tuyau-là voisinait celui qui amenait l'air dans le sous-marin.

— Alors l'ennemi doit se trouver tout près, pour que votre appareil soit utile.

— Il faut le remorquer près d'une zone de combat, ou alors le transporter dans la cale d'un navire, et le mettre à l'eau au moment voulu avec une grue.

— Vous croyez que ce sera efficace, dans ces conditions ?

Cette conversation, hurlée à tue-tête dans un petit bâtiment soumis aux oscillations du roulis et du tangage, enlevait à David toute envie de se montrer délicat avec son interlocuteur. Mal lui en prit car celui-ci, avec une mine offensée, répliqua :

— Imaginez un moment que des navires de guerre britanniques imposent un blocus au port de New York, comme les Nordistes l'ont fait à la Confédération sudiste pendant la guerre de Sécession. Je vais vous montrer ce que je peux faire. Harry, accélère !

Ces derniers mots, adressés au marin, entraînèrent une augmentation soudaine du niveau sonore, alors que le bâtiment penchait un peu vers l'arrière.

— Venez voir.

Le geste de la main, plus que les mots inaudibles, amena David à poser les yeux dans le périscope. Les embruns, dans le miroir supérieur placé à la surface de l'eau, empêchaient de bien distinguer ce qui se trouvait devant. Les navires s'approchaient à une vitesse dangereuse. Il recula très vite pour laisser l'ingénieur reprendre le pilotage.

— En naviguant ainsi en surface, nous pouvons presque passer inaperçus. Il serait déjà possible de s'approcher d'un navire de guerre sans attirer l'attention. Mais en plongée, avec seulement le périscope au ras de l'eau, c'est comme si nous disparaissions. Attendez un moment.

Holland actionna quelques manettes alors que David se disait que jamais plus il ne douterait, au moins à haute voix, de la parole d'un sous-marinier. Le submersible s'inclina un peu vers l'avant. Le tangage s'estompa bientôt et le clapotis sur la coque disparut tout à fait. Le journaliste redoutait que les tôles cèdent sous la pression.

— Nous sommes… sous l'eau?

— C'est un sous-marin. Je peux atteindre facilement une profondeur de cinquante pieds, mais pour un court laps de temps, car le tuyau d'alimentation en air n'est pas très long.

Le mouvement vers les profondeurs du bassin Morris se poursuivit un moment, puis le bâtiment retrouva l'horizontale.

— Regardez!

C'était un ordre, David obtempéra. Dans l'un des petits hublots, un mur de fer se déroulait sous ses yeux: la coque d'un navire. Compte tenu de l'eau sale du port, cela signifiait que ce transatlantique se trouvait tout au plus à moins de trois ou quatre pieds. Le sous-marin longeait le bâtiment de près, au point même de le frôler dans un bruissement de tôle.

Un instant plus tard, Holland reprenait les commandes pour se retirer à une distance prudente du navire.

— Le canon permettrait de percer cette coque sans que personne ne se soit rendu compte de notre présence. Le plus grand navire de guerre se trouverait sans défense.

— Le canon? Une explosion dans un espace aussi petit?

— Un canon pneumatique. L'air comprimé est libéré d'un coup, ce qui donne une poussée considérable. En surface, le projectile peut parcourir des centaines de verges.

— Et sous l'eau, comme maintenant?

— … Quelques dizaines, répondit l'ingénieur autodidacte après une pause.

— Avec assez de puissance pour percer le blindage d'un navire de guerre?

— Certainement. Imaginez un obus chargé de dynamite.

Ce moustachu débonnaire, avec son allure de professeur obsédé par son sujet, imaginait tout bonnement se glisser près d'un navire chargé d'hommes, pour les assassiner lâchement. Cette façon de se battre semblait à David dépourvue de tout courage.

— Mais pour une opération en plongée, vous devez être collé sur la cible, ne serait-ce que pour savoir où elle se trouve. Votre sous-marin serait éventré lui aussi par la déflagration.

L'agent secret avait le chic pour briser les plus grands enthousiasmes. Un moment, Holland eut envie de dire que la stratégie était toute simple : s'approcher pour voir la cible, puis reculer à une distance prudente avant de faire feu. Mais un doute sur la puissance de l'onde de choc le rendit prudent. À la fin, il convint plutôt :

— La meilleure façon serait de s'approcher d'un navire sous les flots, faire surface à une centaine de mètres de lui, tirer un obus, puis plonger à nouveau. Je ne doute pas que je pourrais couler une flotte entière sans jamais être vraiment menacé.

À tout le moins, David constatait que cette petite machine de guerre représentait une menace considérablement plus grande que le *H. L. Hunley* qu'il avait contemplé de loin dix-huit ans plus tôt dans la baie de Charleston.

Satisfait d'avoir réduit au silence le journaliste trop curieux, Holland se contenta ensuite de se livrer à quelques essais sur les ballasts. Après une vingtaine de minutes, l'inventeur fit part de son désir de revenir au quai.

꧁❦꧂

Quoique situé près du port, le café où Millen avait conduit Édith se révélait bien tenu. Sa clientèle devait se composer de commis employés dans les maisons d'affaires voisines, en plus de voyageurs ou de commerçants de passage. Assise près d'une fenêtre, la jeune femme réchauffait ses mains sur sa tasse de thé. Son compagnon avait commandé un café.

— Alors, madame Devlin, vous vous plaisez à New York ?

— Comparé à Ottawa, c'est à couper le souffle. La population doit dépasser le million…

— Elle doit même dépasser le million et demi, en comptant Brooklyn.

Sans mal, Édith jouait le rôle de la provinciale en visite dans la grande ville, accompagnant son mari venu chercher des sujets d'articles nouveaux. Quant à Millen, un homme du monde, il affichait un sourire de séducteur et une politesse frisant l'obséquiosité.

— Je crois entendre dans votre voix une pointe d'accent écossais…

— Je suis née en Nouvelle-Écosse. Je présume que l'accent a survécu à trois générations au Canada.

— C'est un peu la même chose pour moi. Vous entendez un peu de l'Irlande, et un peu du Mexique parfois, dans ma bouche. Mais votre mari parle gaélique mieux que moi, et en anglais on dirait un Yankee élevé à Boston.

— David a grandi en Amérique, mais il m'a dit que ses parents ne connaissaient pas un mot d'anglais à leur arrivée ici. Ses années dans un régiment irlandais de New York, pendant la guerre de Sécession, lui ont rafraîchi la mémoire quant à sa langue d'origine.

Édith Langevin connaissait si bien la biographie «officielle» de son époux qu'elle aurait pu la réciter pendant son sommeil. Le fait d'avoir été recueilli à sept ans par un couple de Canadiens français de Rivière-du-Loup devait demeurer un secret d'État. Surtout, tous devaient ignorer qu'il maîtrisait trois langues et divers accents, dont il jouait comme un comédien le fait avec des déguisements.

❧❧❧

Le sous-marin amarré de nouveau à la petite plate-forme de bois, le moteur enfin silencieux, David demanda :

— Nous pouvons rester ici, le temps que je vous pose encore quelques questions ?

Holland accepta. Pendant quelques minutes, il évoqua son enfance à Limerick, en Irlande, son désir déçu d'entrer dans la marine marchande. Sa vue plutôt faible, qui le forçait à porter des lunettes épaisses, expliquait le rejet de sa candidature. Dépité, il avait opté pour des études chez les Frères des écoles chrétiennes. À cet endroit, un instituteur lui avait communiqué l'amour des sciences.

Après avoir enseigné quelques années en Irlande, au début des années 1870, Holland était venu avec sa famille s'établir au New Jersey. L'enseignement lui avait permis de gagner sa vie quelques années encore jusqu'à ce qu'il puisse se consacrer à sa seule vraie passion : la mise au point d'un sous-marin.

Quand David voulut savoir qui finançait ses recherches, ce fut pour s'entendre dire :

— Posez cette question au général Millen. Il saura quoi répondre.

L'homme avait empoigné le dernier barreau de l'échelle métallique quand David demanda tout en rangeant son calepin et son crayon dans la poche intérieure de son veston :

— Encore une question : avez-vous lu *Vingt mille lieues sous les mers* ?

— ... Oui, fit l'homme en interrompant son geste pour le regarder. Il y a une bonne douzaine d'années de cela. Très intéressant.

— Il vous a inspiré ?

— Oui, même si cela ne paraît pas très sérieux. Mais je réclame la préséance. J'étais encore à l'école quand j'ai dessiné mon premier sous-marin, pas très différent de celui-ci d'ailleurs... J'avais même dessiné une machine volante.

L'homme affichait sa fierté pour ses travaux précoces.

— Et ce dernier projet est aussi en voie de réalisation ?

— Il est trop tôt. Il faudra d'abord un moteur à la fois très léger et puissant pour la faire voler. Ce Brayton, même s'il représente ce que l'on trouve de mieux aujourd'hui, ne suffirait pas.

L'ingénieur montrait du doigt l'arrière du submersible où se trouvait la machine bruyante. Un instant plus tard, il émergeait à l'air libre, le journaliste derrière lui, son melon vissé sur le crâne. Après une poignée de main et des remerciements au marin à la mine renfrognée, David regagna le quai.

❧❧❧

— Si jamais je fais mine de monter à nouveau dans un sous-marin, je t'autorise à m'assommer à coups de parapluie. J'ai cru mourir de peur, et maintenant je n'échapperai pas à une pneumonie.

David disait cela à sa femme en boutonnant son paletot jusqu'au col. La marche depuis le quai jusqu'au petit café le faisait claquer des dents.

— Je m'en souviendrai, répondit-elle en souriant.

En prenant place sur une chaise, David demanda un whisky au serveur. Lassé du café et libéré de l'obligation de s'en tenir à une boisson respectable en compagnie d'une dame, Millen fit de même.

— Holland n'a rien voulu me dire. Je suppose que le Clan finance ses travaux.

— Je ne sais pas si je dois...

Des yeux, le général désigna Édith.

— Oh! Nous pouvons passer au gaélique pour plus de discrétion si vous le désirez, mais Jane lit les mêmes journaux que moi. Le Bélier fénien n'est plus un secret, même au Canada.

— Oui, le Clan lui vient en aide.

— John Devoy, ou la faction dirigée par Jeremiah O'Donovan Rossa?

— Au départ, le Clan, grâce à un fonds pour soutenir la guérilla. Ensuite Devoy, le président, a décidé de donner une chance aux moyens légitimes du Parti parlementaire. Tout l'argent disponible doit aller aux paysans chassés de leurs terres et aux politiciens. Le sous-marin ne figure plus dans les plans.

Ce fut David qui compléta l'exposé de son interlocuteur:

79

— Alors, Rossa a décidé de créer sa propre organisation, la *United Irishmen*, pour poursuivre la guerre grâce à des dynamiteurs envoyés au Royaume-Uni. En plus, il s'intéresse à cette impressionnante mécanique.

— Ce ne sont pas des choses à dire… commenta le général Millen à voix basse.

— Rossa les dit, et surtout il les écrit dans le *Irish World*. Mais ne craignez rien, j'ai appris, dès 1865, sous la gouverne de John O'Mahony, ce qu'il convient de révéler et la manière de le faire, quand je m'adresse au « grand public ».

En 1858, John O'Mahony avait fondé à New York la Fraternité fénienne vouée à soutenir les projets révolutionnaires en Irlande. En 1865, pendant que David Devlin, qui était un jeune homme alors, semait des articles sympathiques à ceux-ci dans divers journaux, le brigadier général Francis Frederick Millen était allé à Dublin préparer le soulèvement. À ce moment, le mouvement payait aussi une solde généreuse à de nombreux vétérans de la guerre de Sécession.

— Je me souviens de vos articles. Vous avez rendu les lecteurs américains sympathiques à notre cause.

— Disons que j'ai aidé les lecteurs du *Tribune* et du *Harper's* à comprendre un peu mieux nos griefs contre le Royaume-Uni.

Un sourire faussement modeste soulignait ces paroles, car David aimait que quelqu'un se souvienne encore de ce travail. Il continua :

— Bien que ce soit une expérience inoubliable, je ne suis pas venu à New York seulement pour faire une promenade en sous-marin. J'aimerais rencontrer quelques dirigeants du Clan, autant pour satisfaire mes lecteurs que par intérêt personnel.

— Présentez-vous simplement à nos locaux, sur Union Square.

— Mais ces gens-là vont me parler comme à un journaliste étranger à leur cause — ou pire comme à un espion ! — si personne ne dit un mot en ma faveur !

Depuis sa renaissance, en 1858, le mouvement révolutionnaire irlandais se trouvait infiltré par l'ennemi ou était victime de trahisons de la part de ses membres, à un point qui n'avait sans doute pas d'égal dans l'histoire. En conséquence, tout le monde devenait suspect.

— Je peux faire connaître votre présence dans la ville lors de la prochaine réunion de l'exécutif, consentit le général. Selon le souvenir que vous aurez laissé, si souvenir il y a, vous serez bien ou mal reçu.

— Ce sera pour moi un plaisir de le découvrir.

Son verre maintenant vide, David commençait tout juste à se réchauffer, au point de déboutonner le col de son paletot. Quant à Édith, elle jouait les potiches en s'absorbant dans la contemplation de la rue animée, devant la fenêtre.

— Vous allez manger avec moi? demanda Millen.

— Le mieux est de prendre un repas léger sur le traversier, répondit le journaliste après avoir échangé un regard avec sa femme. Après le sous-marin, nous avions convenu de nous intéresser aux dentelles.

David se leva et le général fit de même pour lui serrer la main. Édith eut à nouveau droit à un baisemain affecté. Un instant plus tard, le couple regagnait la rue.

❧❀❧

— Alors, Jane comme dans Jane Austen, je suppose. Quel mystère me vaut d'avoir une épouse avec un nouveau prénom?

— Je connais cet homme depuis près de vingt ans. En fait, je l'ai vu pour la première fois à l'époque où je te servais d'agent de liaison.

— Tu veux dire que…

— Qu'un jour il a sonné à la porte du consul Archibald, mon digne papa. Mais lui ne venait pas offrir ses services à titre d'espion respectable. Il désirait vendre des informations sur les projets révolutionnaires des Irlandais. C'est un traître.

Un autre à ajouter à une liste déjà longue. David se demanda un moment si le consul accepterait de lui révéler tous ces noms. Après réflexion, l'espion décida de s'abstenir de poser la question. En savoir trop s'avérerait terriblement dangereux s'il était capturé et soumis à la torture.

— Craignais-tu qu'il se souvienne de la charmante Écossaise, aux yeux gris, qui ouvrait la porte du consulat aux informateurs ? Le souvenir lui est-il revenu pendant votre long aparté en tête-à-tête ?

— Je ne crois pas. J'étais jeune et discrète alors. De plus, je portais une crinoline qui devait faire cinq pieds de diamètre et j'avais les cheveux en bandeau. Ou bien, s'il m'a reconnue, il est aussi hypocrite que moi.

Dans ce cas, le général devait avoir été très amusé de la situation. Surtout, cela pouvait conduire le journaliste tout droit dans un guet-apens.

— Si Millen a eu le moindre soupçon, sans doute a-t-il les moyens de nous faire suivre tous les deux. Je déteste devoir rentrer chez ton père ce soir.

Plutôt que de proposer qu'ils aillent s'installer dans un petit hôtel discret, la jeune femme changea de sujet :

— Ce fameux sous-marin est-il aussi effrayant que le *Nautilus* du capitaine Nemo ?

— Heureusement non, mais il représente tout de même une menace sérieuse que l'amirauté britannique devrait surveiller de près. Ce petit instituteur, un ingénieur autodidacte, a réalisé des progrès étonnants.

Pour chasser ses idées moroses, David accepta vraiment de passer la fin de l'après-midi dans les grands magasins de la rue Broadway, dans la section que l'on appelait le « mille des dames ».

༆

New York, mardi 19 décembre 1882

Dès le lendemain de son expédition en sous-marin, un mouchoir à la main à cause du rhume que lui avait valu cette aventure, David se présentait un peu avant onze heures aux locaux de la *United Irishmen*, au 12 de la rue Chambers, pour y rencontrer le président. Il se heurta à un jeune homme maussade qui lui répondit d'aller voir à la porte d'à côté.

Au fond, le travail d'espion ressemblait fort à celui de journaliste : de longues démarches pour trouver quelqu'un, puis des efforts surhumains pour faire parler le quidam. Le grand révolutionnaire du mouvement irlandais se trouvait bien dans le local voisin, le *J. P. Ryan Saloon*. David reconnut Jeremiah O'Donovan Rossa sans trop de mal grâce aux photogravures parues dans les journaux. Le personnage occupait une table au fond de la grande salle, la sienne à en juger par les aises qu'il prenait, avec des journaux, du papier, une plume et un encrier étalés devant lui.

Rossa adoptait des précautions familières à David. Dos au mur, capable de voir à la fois la porte donnant sur le trottoir et une autre, au fond, conduisant vraisemblablement aux latrines dans la cour arrière, il pouvait parer aux attaques-surprises. Dans son métier de journaliste comme dans celui de révolutionnaire, les ennemis devaient être nombreux.

— Monsieur Rossa, nous avons passé une nuit ensemble.

Cette entrée en matière, formulée en gaélique, n'était pas plus mauvaise qu'une autre. Le géant aux cheveux roux marqués de gris par l'âge leva la tête du journal dans lequel il faisait semblant de s'absorber. Ses yeux avaient suivi le nouveau venu dès son entrée dans le bar. Puis, il déclara, amusé :

— Pourquoi de jolies jeunes femmes ne viennent-elles jamais me dire des choses semblables ?

— Elles sont plutôt rares en prison.

Le journaliste était heureux de trouver le personnage dans l'un de ses bons jours, car les colères de celui-ci devenaient légendaires. Autant profiter de la chance qui s'offrait à lui :

— Est-ce que je peux m'asseoir avec vous un moment ?

En disant ces mots, il esquissa le geste de se gratter l'oreille gauche.

— Oh ! Vous êtes un mignon du Clan. Vous désirez me ramener au bercail ou me mettre du plomb dans la tête ? Approchez.

Tout en restant assis, le colosse passa rapidement les mains sur les flancs et sous les aisselles de son visiteur pour s'assurer qu'il ne portait pas d'arme. Derrière le comptoir de zinc qui faisait office de bar, un serveur surveillait la scène, prêt à s'en mêler si les choses tournaient mal. Sans doute avait-il un fusil de calibre douze à portée de la main. David se félicita d'avoir laissé son revolver chez son beau-père, même s'il se sentait un peu nu sans lui dans ce quartier mal fréquenté.

— Rien de cela, répondit-il après la fouille. Je désire vous parler, pour le bénéfice de mes lecteurs.

Ces derniers mots furent suivis de la présentation de sa carte professionnelle, puis il répéta :

— Je peux m'asseoir ?

— *The Gazette*. Le Canada qui s'intéresse à moi… Bon, prenez cette chaise et dites-moi dans quelle prison nous nous sommes connus.

Rossa lui désignait une chaise bien précise, afin que le corps du journaliste ne masque aucune des portes. La grande salle se révélait à peu près déserte à cette heure-là. Dès que sonnerait midi, elle se remplirait très vite.

— Le 16 septembre 1865, nous avons passé la nuit dans les geôles du château de Dublin.

Ce château consistait en un assemblage hétéroclite de bâtiments dont les parties les plus anciennes dataient du Moyen Âge. Le gouvernement imposé à l'Irlande par les Britanniques s'y trouvait.

— Je ne garde aucun souvenir de vous, ce qui signifie que vous n'avez jamais été amené devant un tribunal.

— Américain et journaliste, on m'a expliqué que mieux valait embarquer sur un navire au plus vite pour rentrer à New York. On m'a arrêté parce que j'avais rencontré James Stephens un peu plus tôt. Sous prétexte d'une entrevue, j'étais venu lui dire où seraient débarquées les armes achetées aux États-Unis.

— Je vois.

En septembre 1865, James Stephens, le chef des révolutionnaires en Irlande, et tout son état-major avaient été arrêtés par les Britanniques à la veille du déclenchement d'une insurrection. Peu après, et pour quelques jours seulement, le général Millen s'était retrouvé à la tête du mouvement révolutionnaire décapité.

— C'est pour parler de nos retentissants échecs passés que vous voulez me voir ?

— De préférence pour discuter de vos activités présentes, plutôt explosives.

Autant jouer d'audace, cet homme-là préférait certainement la franchise aux questions détournées. Pourtant, l'autre protesta d'abord :

— Je ne vois pas ce que vous voulez dire.

— Voyons, vous écrivez dans les journaux que votre organisation est responsable du dynamitage en règle qui a lieu au Royaume-Uni.

— Qui me dit que vous n'êtes pas un espion ennemi ? Justement, nous avons été trahis en septembre 1865.

— Par Pierce Nagel, je sais. Depuis, quelqu'un lui a réglé son compte dans une ruelle sombre. La rumeur veut que vous ayez commandité son élimination.

Rossa afficha un instant l'air satisfait de l'homme responsable de cette bonne action. Dans le regard farouche de son interlocuteur, David lut un avertissement explicite : trahir se solderait par une exécution. Dans les minutes qui suivirent, le militant accepta de raconter ses premières expériences révolutionnaires à Cork, à la tête de la Société du Phénix.

— Dire que j'ai accepté de saborder cette organisation pour me joindre à celle de James Stephens ! Ce ne fut pas ma meilleure idée. J'ai été séduit par ce nabot qui fumait sa pipe en silence. Je croyais que c'était un signe de sagesse. En réalité, il somnolait.

— Tout de même, son organisation couvrait toute l'Irlande.

— Avec comme résultat que les révolutionnaires de toute l'Irlande se sont retrouvés au cachot. Tous mes amis de Cork, des hommes qui avaient confiance en moi, ont été arrêtés !

Pendant un long moment, ce militant évoqua le procès où il s'était défendu lui-même — sans aucun résultat positif —, puis les années de prison purgées dans des conditions atroces. Le Royaume-Uni avait alors transformé un militant pour l'indépendance de l'Irlande en un meurtrier résolu.

᠀᠀᠀

« Nos effectifs sont complets. Nous n'avons pas de place pour un amateur. »

— Les idiots, maugréa Édith en chiffonnant le télégramme. Traiter d'amateur l'homme qui a sauvé la vie du fils de la reine Victoria en 1870 !

Le consul Archibald préféra ne pas rappeler que l'une des personnes mêlées à cet attentat était la première madame Devlin. David avait espionné les terroristes sans se rendre compte qu'il s'en trouvait une dans son lit. L'histoire avait suscité bien des commentaires désobligeants dans les officines du ministère des Affaires étrangères. Toutefois, le vieil homme savait que seule son opposition au mariage de sa fille avec un Irlandais de religion catholique avait amené l'agent secret à se résoudre à une union si malencontreuse. Mieux valait ne jamais sonder cette plaie encore vive.

Après un moment, Édith continua sur un ton plus mesuré :

— Est-ce une réponse définitive ? Dois-je faire mon deuil de ce séjour à Londres ?

— Voyons, croyais-tu que ces gens-là voudraient d'un Canadien dans leurs pattes sans protester un peu ? J'ai moi-même mis plus de vingt ans à me construire une respectable réputation de maître d'un réseau d'espionnage. Il me reste à demander à tous les politiciens et les fonctionnaires à qui j'ai permis d'avoir l'air compétent de plaider ma cause.

Un sourire reparut sur le visage de la jeune femme : passer quelques années au centre du monde, Londres, elle n'aspirait pas à moins. À la suite d'un moment de réflexion, elle demanda à voix haute, un peu inquiète :

— Et pour David ? Ne risque-t-il pas de ruiner son avenir, dans ce milieu inconnu ?

— Sans vouloir te chagriner, son travail n'intéresse personne actuellement. Ce militaire d'Ottawa avait raison, à sa façon : le mieux serait qu'il vive des jours tranquilles à écrire pour les journaux.

— Il ne veut pas en entendre parler. Au Canada, cela se limite à se faire le publicitaire d'un parti politique. Aucun journal ne trouve un lectorat suffisant pour s'affranchir de ceux-ci. Un journaliste ne peut se faire une véritable réputation, ce qui lui tient à cœur plus que tout.

— Cela sera possible en partant sur de nouvelles bases. Si j'avais vingt ans de moins et un avenir de consul, je le prierais de revenir travailler à New York. Mais mon successeur ici ne veut pas en entendre parler, et de mon côté, il ne me reste qu'à soigner mes rhumatismes. Son meilleur intérêt est de venir à Londres.

❧❀❧

Vers midi, le *J. P. Ryan Saloon* s'était rempli d'employés des entreprises voisines. David avait refusé de manger, mais un café fumait maintenant devant lui. Après une demi-heure à entendre parler de réminiscences de prison, il ramena son interlocuteur au présent :

— Hier, je me suis présenté au bassin Morris. Impressionnant, ce sous-marin. Je crois comprendre que la *United Irishmen* finance aujourd'hui ce projet.

— Vous savez que le Clan entend récupérer cette machine parce qu'il a mis de l'argent dans sa conception, au début ? Ils menacent d'intenter des poursuites devant les tribunaux pour que je la leur rende. Ce ne sont plus des révolutionnaires, mais des avocats.

David saisit au vol l'allusion au caractère légaliste que prenait le mouvement révolutionnaire :

— Vous ne faites pas confiance aux revendications pacifiques d'une plus grande autonomie pour l'Irlande, avec un gouvernement local ?

— Vous savez ce que le Parti parlementaire demande ? À peu près les mêmes pouvoirs qu'une petite municipalité. Le gouvernement local ne s'occuperait même pas des douanes ou du service des postes !

Les réclamations demeuraient en effet bien modestes, et plutôt floues. Malgré cela, elles semblaient très supérieures à ce que le gouvernement du Royaume-Uni paraissait prêt à accorder.

— Ce serait un début, un peu comme ce qui s'est passé au Canada. Maintenant, seules les relations internationales échappent au gouvernement d'Ottawa.

— Les Irlandais ne quémanderont pas leur indépendance à la pièce, tout au long du prochain siècle. On n'a qu'à chasser les Anglais à coups de pied au cul. Mon peuple ne veut rien de moins qu'une république totalement indépendante de l'occupant !

Le révolutionnaire arriverait peut-être à le crier suffisamment fort pour en convaincre les Irlandais, pensa David. Ou plutôt, l'aveuglement des Britanniques, incapables de concessions sérieuses, y arriverait. Il opposa plutôt :

— Vous voulez dire les chasser avec des bâtons de dynamite.

— C'est la guerre. Ce sont eux qui l'ont commencée. S'ils veulent y mettre fin, ils n'ont qu'à se retirer d'Irlande.

— Vous menez cette guerre en tuant des innocents au Royaume-Uni.

— Les Britanniques ont provoqué une famine qui a tué la moitié des Irlandais, qui a forcé l'autre moitié à l'exil...

Ou Jeremiah O'Donovan Rossa maîtrisait mal les mathématiques, ou la population de l'Irlande comptait huit moitiés. Les morts et les exilés de la période 1845-1850 mis ensemble représentaient le quart de la population totale de l'île. La saignée n'avait pas cessé depuis et les taudis d'Amérique recevaient tous les ans leur contingent de malheureux.

— Votre première victime, en 1881, était un enfant de sept ans, Richard Blake. Vous croyez que l'Irlande se trouve plus proche de son indépendance depuis sa mort?

Rossa tenait sa main droite sous la table depuis le moment où son interlocuteur avait commencé à le contredire. Il la leva prestement, armée d'un revolver, pour poser le canon contre la tempe de David.

— Il n'y a qu'une façon de discuter avec un Anglais: on lui pose une arme sur la tempe. Puis on lui demande tout doucement: tu fous le camp de mon pays, oui ou « bang »?

— Vous ne devriez pas jouer à ces jeux. À votre âge, vos réflexes sont trop lents, j'aurais pu vous casser le bras dès votre premier mouvement. Je crois même que j'aurais pu placer votre carcasse devant moi à temps pour que l'idiot derrière le comptoir, là-bas, vous coupe en deux avec sa chevrotine... Ma question demeure: notre pays est-il plus près de son indépendance grâce à ces meurtres?

Dans la grande salle, tous les dîneurs avaient les yeux fixés sur eux. Après un moment, le quinquagénaire fit disparaître son arme sous la table en maugréant:

— Allez demander aux politiciens du Royaume-Uni à combien de morts ils évaluent la liberté de mon pays. Quand

89

nous aurons atteint ce nombre, ils nous laisseront tranquilles.

Cet homme ne pensait même pas à nier son rôle dans ces attentats. Cela ne signifiait aucunement qu'il fut coupable. Rossa portait volontiers la responsabilité de ses mauvais coups comme de ceux des autres. Le plus troublant était que le gouvernement des États-Unis acceptait que des hommes comme lui, habitant son territoire, fomentent des assassinats dans un pays avec lequel n'existait aucun état de guerre.

— Que pensez-vous de la Ligue pour les terres ?

— La Ligue est devenue un instrument du Parti de Charles Parnell, sans plus, pour faire le plein de votes et obtenir de l'argent de l'Amérique.

— Elle se révèle très utile aux paysans évincés de leur terre.

Rossa répondit d'abord par un grand rire, avant de déclarer :

— Êtes-vous naïf à ce point ou faites-vous semblant ? Le Clan fait de grandes quêtes, en plus de ramasser les cotisations hebdomadaires de ses membres, pour permettre à ses chefs en Amérique et aux camarades de Parnell, de mener un train de vie princier.

— Vous faites aussi des quêtes...

— Pour soutenir des combattants. Suivez-moi une année entière, vous verrez que je ne garde pas un cent pour moi, excepté pour me nourrir et me loger très pauvrement.

La tenue crasseuse du révolutionnaire témoignait en sa faveur : il ne gardait évidemment pas un rond pour s'acheter des vêtements.

— De l'argent a été acheminé en Irlande, pour aider les personnes évincées de leur terre.

— Suivez le trajet d'un dollar donné par un travailleur lors d'une quête dans une taverne. Une part va dans les coffres du Clan, une autre dans ceux du Parti parlementaire, une troisième dans ceux de la Ligue pour les terres. Si vous me faites la preuve que dix cents vont dans les poches d'un paysan, je vous paierai un verre.

Pour la forme, David demanda encore :

— Vous n'accordez donc aucun de crédit à Charles Parnell ?

— Cela ne vous semble pas louche, un protestant à la tête d'une formation politique représentant des catholiques ? Un grand propriétaire terrien qui dirige une ligue dont le mot d'ordre est de rendre le sol à ceux qui le cultivent ?

— Alors éclairez-moi, dites-moi quelle est « votre » vérité.

Le révolutionnaire choisit d'ignorer l'immense ironie qui teintait la voix de son interlocuteur. Il adopta plutôt le ton qui lui valait l'admiration de ses fidèles, entre le prêche et les confidences avinées.

— Cet homme se voit comme un monarque, il a trouvé l'Irlande pour installer son trône. À une population écrasée depuis des siècles, il promet un petit bout de pouvoir, un gouvernement local impuissant, que jamais les Britanniques n'accepteront de concéder, de toute façon. Mais avant que les Irlandais ne reviennent de leurs illusions, Parnell régnera pendant quelques décennies.

— Je ne connais pas Parnell, je ne peux pas juger. Mais vous prêtez bien peu d'intelligence aux électeurs des candidats du Parti parlementaire. S'ils étaient aussi facilement bernés que vous le dites, ce seraient des imbéciles.

En disant ces derniers mots, David s'était levé. Il enchaîna :

— Mes parents, que la Grande Famine a tués, étaient au moins aussi intelligents que vous. Votre appréciation me paraît méprisante pour mon peuple. Je vous souhaite le bonjour.

Sans se lever ni lui serrer la main, Rossa répliqua :

— Vous écrirez vraiment quelque chose, ou ai-je gaspillé ma salive pour un espion britannique ?

— Pourquoi un espion viendrait-il vous parler ? Vous clamez vos opinions dans tous les journaux qui acceptent de vous publier. Si vous vous donnez la peine de lire la *Gazette* la semaine prochaine, vous y verrez un compte rendu honnête de notre conversation. Peut-être pas admiratif, mais honnête.

David tourna ensuite les talons. Sa sympathie allait souvent à des révolutionnaires irlandais, des hommes sincères et généreux. Rossa n'en recevrait pas une goutte. Non seulement le sang versé n'avait pas l'air de lui peser sur la conscience, mais de plus, à vociférer comme cela dans un lieu public, il ne semblait rien connaître des usages de la vie en société.

≈✥✥≈

New York, vendredi 22 décembre 1882

Union Square se trouvait à l'intersection des rues Broadway et Bowery, deux artères commerciales essentielles à la vie de la métropole américaine. Dans la première rue, les grands magasins les plus élégants étaient alignés ; dans la seconde, en s'éloignant vers l'est, s'entassaient des débits de boisson, des bordels, des maisons de jeu ainsi que tous les lieux de plaisirs illicites qu'une société imaginative pouvait proposer à des clients capables de payer.

Au centre de la place, au milieu d'arbres dénudés, une statue équestre de George Washington recevait la fiente des pigeons depuis vingt-cinq ans. David trouva sans difficulté les locaux du Clan-na-Gaël, au second étage d'un élégant édifice de pierres grises. Ceux-ci ne présentaient pas le caractère somptueux de la maison Moffatt où, quinze ans plus tôt, la Fraternité fénienne prétendait assumer le rôle du gouvernement en exil de la république d'Irlande. Néanmoins, les lieux témoignaient de l'importance, dans la vie politique et sociale de New York, d'une association qui comptait plusieurs dizaines de milliers de membres.

À l'entrée, deux hommes en uniforme de l'Armée républicaine irlandaise l'accueillirent. Leur habit représentait en réalité un calque de l'uniforme de l'armée américaine, sauf que le leur était vert plutôt que bleu.

— J'aimerais rencontrer le général Millen, déclara David en tendant sa carte.

— Vous avez rendez-vous avec lui?

— En quelque sorte.

La réponse laissa les plantons perplexes. L'un d'eux se dirigea vers un couloir sur lequel donnaient une douzaine de portes. Un moment plus tard, le général arrivait tout souriant, la main tendue, en demandant:

— Monsieur Devlin, quel plaisir de vous revoir. Votre femme se porte-t-elle bien?

— Son bien-être est proportionnel à l'état de mes finances. Avec toutes les tentations qui s'offrent à elle à New York, vous me voyez venir quémander une entrevue avec votre président. J'en tirerai peut-être le prix d'une robe.

— Quelle idée aussi d'avoir abandonné le *Tribune*, il y a quelques années, pour aller travailler pour un journal obscur publié dans un pays glacial.

— N'insistez pas, je me répète la même chose régulièrement. Si vous êtes en mesure de me faire entrer au *New York Herald*, je ferai chanter une messe en guise de remerciement. Mais je crains que votre employeur n'ait déjà fait le plein de journalistes irlandais.

Tout en parlant, le général avait entraîné le visiteur dans le couloir où se trouvaient les bureaux. Il lui dit en riant:

— C'est vrai, nous sommes déjà plusieurs. Si nombreux en fait que je ne crois pas pouvoir ajouter quelqu'un.

— Dommage. Le propriétaire de votre quotidien se montre-t-il sympathique à la cause de l'Irlande pour recruter autant de membres en vue du Clan-na-Gaël?

— Voulez-vous dire que notre talent seul ne nous aurait pas valu d'être embauché?

Millen affichait un air faussement fâché tout d'un coup. David ne s'en formalisa pas.

— J'ai habité New York assez longtemps pour savoir que le talent suffit rarement à un Irlandais catholique.

— … Vous avez raison, malheureusement. En réalité, le propriétaire, le fils Bennett, aime financer les entreprises à caractère spectaculaire: une expédition en Afrique, une autre au pôle Nord. Le mouvement républicain irlandais s'ajoute à la liste des sujets exotiques susceptibles de plaire à nos lecteurs. Puis ces magnats de la presse aiment tirer les ficelles du monde politique. Notre pays est son terrain de jeu.

— Alors tant pis, je resterai dans mon petit journal canadien.

La discussion s'était poursuivie devant la porte d'un bureau. Le général frappa, attendit une réponse bourrue avant d'ouvrir.

— John, je te présente David Devlin, journaliste à la *Gazette*, un journal de Montréal. Nous nous sommes côtoyés pendant quelques années, du temps de la Fraternité fénienne. Notre ami a rendu des services à John O'Mahony.

Millen adressa un salut au visiteur, puis s'esquiva. John Devoy quitta son fauteuil derrière son bureau pour venir serrer la main du journaliste et lui désigner un siège. Il s'agissait d'un homme robuste, de petite taille, ne portant ni la barbe ni la moustache. Ses yeux témoignaient d'une résolution farouche. Il déclara en reprenant sa place :

— Vous croyez vraiment que les Canadiens voudront entendre parler de moi ?

— Vous n'êtes pas un acteur sans importance de la scène politique.

— Mais dans une colonie britannique...

— Les Canadiens ont appris à se méfier des humeurs des féniens.

Le président du Clan-na-Gaël rit de bon cœur avant de commenter :

— La folie de la Fraternité fénienne : envahir le Canada ! Il fallait un optimisme à toute épreuve pour s'engager deux fois dans un pareil projet.

— Au lendemain de la guerre de Sécession, cela ne paraissait pas si fantaisiste, avec tous les vétérans irlandais qui se sentaient l'humeur guerrière.

— Tout l'argent dépensé aurait pu être utile en Irlande...

Ressasser des histoires aussi anciennes n'intéresserait ni ses lecteurs ni les services secrets. David tenta de réorienter le cours de la discussion :

— J'ai rencontré Jeremiah O'Donovan Rossa. Celui-là aussi rêve de la guerre... sur le territoire du Royaume-Uni.

— Sa grande obsession.

— Du côté du Clan, entendez-vous vous en tenir au « nouveau départ » conclu avec Charles Parnell lors de sa visite de 1879 ?

Devoy commença par lui lancer un regard méfiant, puis laissa tomber :

— Depuis trois ans, les congrès successifs du Clan-na-Gaël en ont décidé ainsi.

— Ai-je raison de ne pas trouver beaucoup d'enthousiasme dans votre ton ?

— Les moyens légitimes n'ont pas eu de grands résultats jusqu'ici. Toutefois, la stratégie de notre association est déterminée par le Directoire. Mon rôle est d'en appliquer les décisions. Aussi je ne formulerai pas de commentaires.

Depuis quelques mois, les pouvoirs de président du Clan avaient été sérieusement limités. Un Directoire formé de six membres décidait désormais des choix stratégiques de l'organisation. Peu désireux de soulever des soupçons, le journaliste consentit à revenir vers le passé :

— Et si vous me racontiez l'évasion des Irlandais détenus en Australie ?

— C'est vieux, tout cela.

— Mais cela peut donner un article sur six colonnes.

Pendant une heure, Devoy commenta cette folle aventure qui s'était étalée sur deux ans et avait amené un petit voilier à faire le tour du monde pour aller récupérer six prisonniers détenus dans l'hémisphère austral.

4

L'homme grand et mince, vêtu avec recherche, descendit les marches de la résidence vice-royale au pas de course, conscient d'être déjà en retard au travail. Il prit toutefois le temps de contempler un moment l'édifice majestueux de style classique, orné de colonnes à l'avant. «Tout de même, murmura-t-il, comparés à d'autres, certains emplois sont une véritable bénédiction!»

Puis il grimpa dans le fiacre, frappa sur le plafond de la voiture pour indiquer au cocher de se mettre en route. Edward George Jenkinson, le secrétaire particulier du lord lieutenant, un titre désignant le gouverneur de l'Irlande, tenait à l'obligation de demeurer à la disposition du grand homme le privilège d'habiter la résidence officielle.

Jusqu'au 6 mai dernier, limité à l'occupation de secrétaire particulier, il s'était langui de ses années de service enivrantes aux Indes. Mais depuis cette date, les responsabilités de sous-secrétaire, en d'autres mots de sous-ministre pour la police et pour le crime, formaient l'essentiel de sa tâche. Le double assassinat lui avait valu de l'avancement.

Machinalement, il chercha le message qu'on lui avait glissé dans la poche au petit déjeuner, déplia le morceau de papier et lut: «Mon Georgy chéri, je suppose que tu partiras bientôt pour rencontrer tes mauvais garçons. Le fonctionnaire des colonies insiste. Il tient absolument à nous mettre son gendre dans les pattes. Ton gros Loup rouge». Aucune véritable signature n'était nécessaire : une seule personne avait exhumé ce George parmi ses prénoms, tout en se désignant elle-même comme le Loup rouge.

La résidence vice-royale se trouvait dans l'immense espace triangulaire de Phoenix Park, situé au nord-ouest de Dublin. Le trajet, pour se rendre au siège du gouvernement, même au petit trot, prenait largement plus d'une demi-heure. Il fallait longer les quais sur la rive nord de la rivière Liffey, traverser le pont à la hauteur de la rue Parliament, avant de se retrouver au « château ». Il s'agissait d'un ensemble d'immeubles anciens : alignés autour d'une cour centrale, certains étaient faits de brique et d'autres de pierre. Une tour ronde rappelait l'existence de la place forte médiévale. De grands jardins se trouvaient juste au sud de ces bâtiments.

Au moment où il descendait à l'entrée des services de police, Jenkinson se trouva face à face avec le directeur Conàn Mallon. Celui-ci déclara d'entrée de jeu :

— Monsieur, à moins que vous n'ayez besoin de moi ce matin, je pensais me rendre à Milton.

— Dans ce cas prenez mon fiacre. Que se passe-t-il ?

— Du bétail sera vendu aux enchères pour couvrir des loyers agricoles impayés.

— Rien qui attire l'attention du directeur de la police, d'habitude. Vous pensez vous convertir à l'agriculture bientôt ?

La chose était dite d'un ton badin, avec un sourire. Le policier aurait préféré le « Qu'est-ce que tu vas foutre là-bas ? » prononcé sur le ton bourru du prédécesseur de ce bellâtre. Un peu plus caustique qu'il ne l'aurait souhaité, il répondit :

— Selon la rumeur publique, Michael Davitt y sera aussi. Ce sont les projets d'avenir de ce personnage qui m'intéressent aujourd'hui, pas les miens.

— Écoutez bien, et faites-moi rapport.

Sur ces mots, le fonctionnaire un peu trop élégant, âgé d'environ cinquante ans, les joues glabres et une petite moustache sous le nez, pénétra dans l'immeuble de brique. Dans la pièce spartiate qui lui servait de bureau, il commença par ouvrir le courrier. En plus de celui ayant transité par Londres, lui aussi avait reçu un télégramme signé par le consul Edward Archibald, recommandant les services d'un certain David Devlin, le pseudonyme de David Langevin, son gendre. Ce nom avait circulé dans le passé, Jenkinson ne se souvenait plus trop pourquoi.

Le télégramme suivant était très bref: «Je suis arrivé à l'endroit convenu. PQ.» Cette fois, ce fut à mi-voix que le fonctionnaire commenta le message:

— Voilà enfin le mauvais garçon.

Dans les minutes qui suivirent, un jeune agent de police reçut l'ordre de se rendre à la résidence vice-royale afin d'aller demander au valet de chambre de Jenkinson de préparer un sac de voyage.

❧❀❧

Milton, jeudi 21 décembre 1882

— N'achetez rien! Même si les prix sont très bas, n'achetez rien. Ces animaux représentaient la vie de vos frères. Regardez-les.

Michael Davitt se tenait debout sur la toiture d'un fiacre pour haranguer la foule. Du geste, il indiquait une famille blottie près de la voiture, un père, une mère, trois jeunes enfants. Le village de Milton, non loin de Dublin, se composait de quelques maisons basses construites de pierre grise. Sur la petite place, on avait érigé un enclos où se trouvaient deux vaches et une dizaine de moutons. Tout près, un cavalier se tenait bien droit sur sa selle. Près de lui, deux ruffians guère rassurants s'appuyaient sur de lourds gourdins qui ne servaient pas qu'à marcher dans la lande.

— Vous connaissez le crime de ces gens: la pauvreté. Vous êtes tous coupables du même. Parce que le paiement de leur loyer est en retard, voilà que l'agent du propriétaire foncier met leurs animaux en vente pour se faire rembourser. Sans la laine, sans le lait, dans un an, ils ne pourront pas payer non plus. Ils seront évincés de leur terre.

La petite foule exprima son ressentiment par un grondement de colère. Le député, en voyant des hommes former de petits groupes et conspirer dans un murmure, crut bon d'ajouter :

— La violence est inutile. Si vous serrez seulement les poings, vous vous retrouverez en prison pour six mois. Je ne doute pas que des agitateurs se trouvent ici pour fomenter des désordres afin d'avoir un prétexte pour vous arrêter. Voyez, la police se trouve là.

Un autre grand geste de son unique bras permit à Davitt de désigner le directeur de police Mallon qui se tenait appuyé contre le fiacre stationné à l'autre extrémité de la petite place. Deux voitures venues de Dublin le même jour pour amener des notables : les habitants de Milton en feraient un sujet de conversation pendant un bon moment.

— Vous savez ce qu'il faut faire. D'abord, ne rien acheter. Ensuite, vous faites comme pour Boycott. Le propriétaire terrien n'existe plus, son agent n'existe plus. Ne leur parlez plus, ni à eux ni à leur famille ; si vous les croisez sur votre chemin, fixez le sol et continuez votre route. S'ils veulent vous acheter ou vous vendre quelque chose, ne répondez pas. Ces gens-là n'existent plus pour nous.

Michael Davitt ne put se priver d'esquisser une menace. Après une longue pause, il enchaîna :

— Et puis regardez bien ces animaux : ils semblent en très mauvaise santé. Je parie que ceux qui les achèteront les trouveront morts un bon matin.

Prestement, en s'aidant de son bras gauche, le politicien sauta sur le siège du cocher, et de là regagna le sol. Son petit discours eut l'effet escompté : lentement les personnes présentes sur la place quittèrent les lieux, abandonnant l'agent foncier et ses hommes de main. Sans doute se déplaceraientils dans un autre comté pour vendre les bêtes, mais le résultat pouvait se révéler identique.

Au moment où Davitt faisait mine de monter dans sa voiture, le directeur de police se dirigea vers lui :

— Monsieur le Député, prononça-t-il assez fort pour être entendu, je peux échanger quelques mots avec vous ?

— ... Je suppose que si je dis non, vous allez m'arrêter ?

— Si je voulais vous arrêter, ce serait déjà fait. Vous m'en avez d'ailleurs gentiment fourni le motif. Pas très prudente votre finale sur les maladies du bétail. De quoi donner des idées aux personnes qui aiment empoisonner les étangs, ou mieux, trancher dans la chair des animaux. La loi appelle cela de l'incitation à la violence.

— Et moi, l'expression pacifique de mes idées. Si vous n'avez pas l'intention de me mettre les menottes, je peux m'en aller ?

Davitt fit mine d'ouvrir la portière du fiacre. Le cocher avait repris sa place sur son siège et tenait les rênes bien en main.

— Voyons, nous pouvons bien causer un moment. Je voulais vous entretenir de ma dernière visite dans le comté de Mayo. Vous êtes né là-bas, n'est-ce pas ?

— ... Oui, répondit l'autre après une pause.

— Quelqu'un voulait me montrer le travail du Capitaine Clair-de-lune. Des vaches mutilées, comme vous le suggériez tout à l'heure. Mais cette fois, ces gens-là se sont montrés zélés : un couple égorgé, deux jeunes filles violées et étranglées...

— La Ligue pour les terres n'a rien à voir dans des affaires de ce genre, interrompit son interlocuteur.

— J'ai vu le mot « Invincibles » tracé avec du sang.

Pendant un moment, Davitt demeura interdit, puis il demanda :

— Vous ne vous êtes jamais dit que des actions de ce genre pouvaient être commises par des propriétaires résolus à nous faire passer pour des monstres ? Si l'horreur persiste, bientôt tous les électeurs du Royaume-Uni et une bonne partie de ceux de l'Irlande demanderont au gouvernement Gladstone de refuser toutes les négociations avec nous, pour imposer plutôt une dictature encore plus brutale.

— Il y a huit mois, avec votre ami Parnell, vous avez aussi proposé cette hypothèse pour expliquer les meurtres de Phoenix Park. Comme je suis un homme consciencieux, j'ai exploré cette piste. Sans succès, je dois l'avouer. Vous qui êtes un homme bien informé, si vous possédez le moindre élément de preuve, vous devriez me le donner. Cela servirait grandement les intérêts de votre mouvement et le dissocierait de ces assassinats.

Un moment, le député se montra hésitant, puis il déclara avec un air méprisant :

— Je ne suis pas un traître. Adressez-vous à l'armée de misérables à qui vous versez un salaire.

— Votre intérêt n'est pas de protéger une conspiration de propriétaires terriens, des gens susceptibles de ruiner tout le travail que vous accomplissez depuis trois ans. J'en déduis que vous avez lancé cette accusation pour vous dédouaner. Les coupables de ce dernier crime se trouvent chez vous.

Davitt chercha un moment une réponse percutante, mais n'en trouva pas. Le policier enchaîna :

— Je comptais sur votre humanisme pour dénoncer les violeurs d'enfant. Vous n'avez ni femme ni enfant, mais je suis sûr que vous n'approuvez pas...

— ... Si jamais je découvre dans la Ligue des personnes qui commettent des actes de ce genre, je ne les dénoncerai pas. Mais soyez certain que vous trouverez leur cadavre au bout d'un champ ou dans une ruelle.

— Je n'en attendais pas moins de vous.

Le commissaire Mallon salua en posant les doigts sur le rebord de son chapeau melon sans le soulever, à cause du temps maussade, puis retourna vers sa voiture.

ᗞᏜᏜᏜᏄ

Birkenhead, vendredi 22 décembre 1882

Si la plupart des villes du Royaume-Uni souffraient de la pollution industrielle, Liverpool offrait certainement le spectacle le plus navrant à cet égard. Les édifices se couvraient d'une pellicule noire que la pluie faisait dégouliner sur les murs. Edward Jenkinson, qui s'était embarqué à bord d'un navire la veille en soirée, débarquait en matinée dans le port le plus achalandé du Royaume-Uni.

De là, un train lui permit de traverser la rivière Mersey pour rejoindre la ville voisine de Birkenhead, réputée pour ses chantiers de construction navale. Un peu avant l'heure du lunch, le fonctionnaire entrait dans le hall de l'hôtel *Birkenhead*, érigé juste en face de la gare. Aucune plante verte, aucun fauteuil : l'endroit ne payait pas de mine. L'allure prospère du visiteur attira l'attention du commis affalé sur une chaise derrière le comptoir.

— Je dois rencontrer Peter Quingley. Je crois qu'il m'attend.

— Si vous le dites, fit l'autre avec un sourire à moitié édenté. Chambre 28, au second.

De la tête, l'homme désigna l'escalier dans un coin. Une minute plus tard, après de petits coups discrets, la porte s'ouvrait sur un grand personnage efflanqué.

— … Quingley ? demanda Jenkinson après un moment de surprise.

— C'est moi. Entrez, vous allez vous faire remarquer dans le couloir.

Jusqu'au moment de s'asseoir sur une chaise branlante placée dans un coin de la pièce, le fonctionnaire garda un regard amusé sur son hôte.

— Quelque chose ne va pas ? demanda celui-ci d'un air agacé.

— Oh ! Disons que votre allure ne passe pas inaperçue.

James McDermott, alias Peter Quingley, surnommé le Rouge, à cause de sa chevelure du roux le plus éclatant, attirait l'attention dans une foule. Cette particularité ajoutée au fait qu'il portait une veste de cuir jaunâtre le rendait inoubliable.

— Je pourrais vous retourner le compliment. Ne vous promenez dans ce quartier qu'en plein jour, dans les endroits où il y a du monde. Sinon, vous finirez nu, dans le fond d'un canal.

Bien sûr, les cheveux soigneusement coupés et coiffés, la redingote de prix, la cravate bouffante en soie et le chapeau haut de forme laissaient deviner l'homme respectable et prospère. Dans un quartier misérable, cela prenait l'allure d'une provocation.

— Comment avez-vous été recruté par Jeremiah O'Donovan Rossa ? demanda le fonctionnaire. Pour une mission de ce genre, cela ne doit pas être simple de trouver des volontaires.

— À la table d'un *saloon*, devant un verre. Croyez-vous que la *United Irishmen* place des annonces dans les journaux ?

— Je n'en serais même pas surpris. J'ai vu une publicité dans un journal de New York où les âmes généreuses sont invitées à envoyer de l'argent dans une boîte postale pour soutenir la campagne de guérilla au Royaume-Uni.

Le terroriste secoua la tête en riant avant de préciser :

— Le plus drôle, c'est que cela fonctionne. Mais pour le travail sérieux, même Rossa s'impose de recruter avec soin des personnes connues.

— Vous militez depuis longtemps chez les révolutionnaires ?

— J'ai été le secrétaire particulier du vieux John O'Mahony, au milieu des années 1860. Je dois bien être passé par une demi-douzaine d'associations révolutionnaires depuis.

Ces questions étaient de pure forme, Jenkinson avait pris ses informations dès que l'idée d'orchestrer cette petite campagne de terrorisme lui était venue.

— Vous avez reçu assez d'argent pour tenir un long moment ?

— Deux mille dollars.

— Soit cinq cents livres. Cela devrait suffire largement pour une année, si vous vous limitez à ce genre d'établissement.

Le fonctionnaire regardait la pièce. En plus de la chaise où il était assis, un lit défoncé avait été poussé contre un mur. Quingley — autant s'en tenir à ce nom, même en pensée, pour ne commettre aucune erreur — était à demi étendu, faute d'un autre siège. Une malle avait été rangée sous la couche. Sur les murs, les déchirures du papier peint donnaient une piètre allure à la pièce.

— Non, cela ne suffira pas. Nous sommes deux, puis il faut payer pour obtenir les explosifs. Nous n'avons rien ramené d'Amérique afin d'éviter les fouilles.

— Ça va, ça va ! Je peux doubler la mise.

Quingley garnissait sans doute son bas de laine, mine de rien, pour préparer ses vieux jours. Son métier présentait une part suffisante d'imprévus pour inciter à la prudence et se tenir prêt à toute éventualité.

— Comment entendez-vous procéder maintenant ?

— Demain, dès le matin, je me rendrai à Londres pour rencontrer mon collègue. Il faudra ensuite passer en Irlande afin de chercher des collaborateurs.

— Compte tenu de ce que vous disiez tout à l'heure, vous ne pouvez pas espérer trouver des personnes fiables dans le premier pub venu…

— Au contraire, nous avons une adresse à Cork. La bière y est excellente.

Devant la mine étonnée de son interlocuteur, Quingley précisa enfin :

— Rossa a mis en place une société révolutionnaire dans cette ville dès le début des années 1860. Nous avons les noms de membres de la vieille garde, des personnes fiables selon le patron, toujours fidèles aux objectifs républicains du passé. Ils me recommanderont des jeunes gens prêts à faire la guerre.

— Je vois. Comment allons-nous communiquer ensemble ?

— Le télégraphe… Des messages chiffrés, bien sûr. Mais seulement en cas d'urgence. Dans ce genre d'expédition, l'équipe sur le terrain doit jouir d'une totale autonomie.

Les deux hommes convinrent d'un code qui servirait à garder secrètes leurs rares communications. Avant de quitter les lieux, Jenkinson crut bon de préciser :

— Tout à l'heure, j'étais sérieux. Vêtu de cette façon, toutes les personnes qui vous apercevront se souviendront encore de l'événement dans vingt ans. Au moins, débarrassez-vous de cette horrible veste. Quant aux cheveux, je suppose que vous n'y pouvez rien. Mais être chauve, dans certains cas, ce n'est pas plus mal…

❧

Londres, samedi 23 décembre 1882

Les hôtels les plus discrets de Londres, les moins confortables aussi, se trouvaient dans l'est de la ville, là où se concentraient les équipements portuaires des grandes sociétés marchandes. Des marins venus des quatre coins du monde, parlant toutes les langues, permettaient à deux conspirateurs de passer inaperçus. Afin de réduire les chances d'être repéré, Matthew O'Brien avait pris un passage sur un vapeur l'amenant à Portsmouth, pour rejoindre ensuite la métropole en train. Quand il rencontra son compagnon sur le quai du bassin Shadwell, la surprise se lut sur son visage.

— Jim, qu'est-il arrivé à tes cheveux ? D'abord, je ne t'ai pas reconnu.

— Justement, c'est là l'objectif. Je faisais trop voyant. Je m'appelle Peter, ne te trompe plus jamais !

Le terroriste avait accepté de suivre le conseil d'Edward Jenkinson et de changer son allure. Le résultat laissait à désirer. Le décolorant avait fait disparaître le roux de ses cheveux pour l'affubler d'une tignasse d'un jaune pisseux.

— Je ne peux pas dire que ce soit plus discret.

Peter Quingley en était venu à la même conclusion. Un rasoir permettrait de régler la difficulté dès le soir venu. Quant à sa veste de peau de phoque, elle ne sortirait plus du fond de sa malle. Appuyé à un baril traînant sur les quais, le chef de l'expédition répétait ses directives une dernière fois :

— Nous prenons des chemins contraires pour rejoindre Cork, nous n'habitons pas dans les mêmes pensions et nous arrivons toujours à un rendez-vous par des rues différentes. Le premier à se présenter commence par s'asseoir dans un coin pour observer les personnes sur les lieux. La police a des informateurs dans tous les débits de boissons de Grande-Bretagne et d'Irlande. Autant que possible, avant de pénétrer quelque part, nous parcourons les alentours de l'immeuble afin de reconnaître toutes les portes, toutes les fenêtres et tous les chemins pour prendre la fuite.

— Tu vas me répéter cela combien de fois ?

— Assez souvent pour que tu comprennes. Seuls les imprudents se font prendre. Si cela t'arrive, tu constateras vite que les prisons de Sa Majesté sont très inconfortables, et les gardiens s'arrangeront toujours pour te faire partager une cellule avec quelqu'un qui déteste les Irlandais.

O'Brien commençait surtout à penser que son compagnon adorait jouer au petit chef. Pour changer de sujet, il demanda :

— Tu devrais plutôt me dire où nous trouverons de la dynamite. Nous aurions dû la prendre avec nous.

— Trop dangereux, les bagages sont fouillés. Je suis certain que nos collègues en Irlande, ou même en Angleterre, se sont dotés de leur petit arsenal. Au pire, nous pourrons fabriquer des bombes incendiaires avec du fertilisant et du sucre.

L'autre ouvrait des yeux un peu effrayés.

— Nous avions convenu qu'il fallait éviter de faire des victimes !

— Nous pourrons incendier des entrepôts, des baraques militaires. Les personnes qui donnent l'ordre d'éviter de tuer des innocents devraient en même temps nous expliquer comment procéder. Avec une bombe, on ne peut pas toujours faire dans le détail.

❧

Londres, dimanche 24 décembre 1882

Quand le premier ministre William Ewart Gladstone ne résidait pas dans son immense domaine du nord du pays, on pouvait le retrouver soit au palais de Westminster, soit à la résidence officielle du 10 de la rue Downing, soit dans sa somptueuse résidence de Belgravia Square, l'un des quartiers les plus huppés de Londres. Ce dernier endroit s'avérait le plus discret.

Charles Parnell avait mis quelques jours pour planifier la rencontre entre le vieil homme et sa maîtresse. Au moment où Katherine O'Shea agita le heurtoir de bronze de la porte, un maître d'hôtel sanglé dans un uniforme impeccable lui répondit. Derrière lui, elle traversa un hall chargé de peintures dont chacune, à la vente, aurait rapporté de quoi acheter une honnête maison dans un quartier respectable. À la fin, elle se retrouva dans un salon élégant.

Le maître de maison se leva à son entrée, se déclara enchanté de la recevoir et garda sa main gantée dans les siennes bien plus longtemps que ne l'exigeaient les convenances. « Mon Dieu, se peut-il qu'il se soit entiché de moi ? » pensa la jeune femme.

Après avoir pris place avec précaution dans l'élégant fauteuil couvert de soie que lui désignait son hôte — même vêtue pour une visite d'« affaires », la tournure sur ses fesses se révélait encombrante —, elle commença presque rougissante :

— Je vous remercie de me recevoir ainsi, à une heure pareille...

108

— Mais non, mais non. C'est un charmant moyen de communiquer avec monsieur Parnell.

Plus charmant en tout cas que les rencontres de l'année précédente avec le mari de cette dame.

William Gladstone avait commencé sa carrière politique près de cinquante ans plus tôt en tant que député conservateur. Au fil des ans, il était passé au Parti libéral et en avait assumé la direction. En 1868 et en 1880, les électeurs l'avaient porté au pouvoir. Fin 1882, âgé de soixante-treize ans, sa réputation était faite. Les journaux le désignaient de l'acronyme GOM, pour *Great Old Man*, une expression que son vieil adversaire conservateur Benjamin Disraeli aimait changer en *God Only Mistake*...

— Charles Parnell m'a assuré que la Ligue pour les terres disparaîtra bientôt, commença la jeune femme. Elle sera remplacée par une association moins belliqueuse.

— Le plus tôt sera le mieux. Depuis sa fondation, les outrages, dont des meurtres, se sont multipliés.

— Les Irlandais ont tellement peur que la famine revienne. Ces dernières années...

Le premier ministre la fit taire d'un mouvement de la main en disant doucement :

— Je sais, je sais. Les récoltes sont très mauvaises partout au Royaume-Uni. En plus, les États-Unis nous inondent de produits agricoles bons marchés. Quand nos paysans ont un maigre surplus à vendre, ils le font à vil prix à cause de cette compétition déloyale.

— Vous comprenez alors que les paysans ne peuvent pas payer les loyers.

— Je comprends aussi que les propriétaires ne peuvent pas abandonner cette source de revenus sans se ruiner.

Elle se mit en devoir d'expliquer à son interlocuteur une réalité complexe :

— Il faut réduire la pression sur les paysans, car ils mettront le pays à feu et à sang. On ne peut même plus les expédier vers l'Amérique. Là-bas, on ferme la porte aux immigrants.

Des dizaines de milliers d'Européens descendaient toujours dans les ports de la côte est des États-Unis. À cause des difficultés économiques toutefois, le nombre des Irlandais acceptés par les services d'immigration se trouvait considérablement réduit.

— Notre nouvelle loi sur les loyers fonciers raisonnables leur vient en aide. La violence amène toutefois un nombre croissant de libéraux à me demander de rompre tous les liens avec le Parti parlementaire.

— Ce Parti permet de juguler la colère, ou plutôt de lui donner la chance de s'exprimer sous une forme légitime. Si les Irlandais perdent l'espoir d'obtenir un gouvernement local où ils pourront régler eux-mêmes certaines de leurs affaires, la misère risque de jeter sur les routes une armée de désespérés qui trouveront préférable de mourir d'une balle anglaise lors d'une émeute plutôt que de s'étioler lentement.

— Madame, je trouve très étrange de discuter de sujets aussi sérieux avec une charmante jeune femme. Et surtout d'entendre dans votre bouche une analyse aussi terriblement exacte. Mais je ne peux rien faire de plus.

Les femmes respectables du Royaume-Uni devaient se limiter à la lecture des pages féminines et des feuilletons. Leurs époux considéraient d'ailleurs le fait qu'elles ne connaissaient rien à la politique et aux affaires comme étant la preuve la plus évidente que leur pays avait atteint le niveau de civilisation le plus élevé. La réalité était tout autre : une proportion sans doute considérable de femmes se souciait de ce qui se passait au-delà des murs de leur salon. Certaines, tournées en dérision par la quasi-totalité des hommes, poussaient l'audace jusqu'à réclamer le droit de vote.

Sachant qu'elle n'arriverait à rien, la jeune femme préféra changer de sujet :

— En supprimant la Ligue pour les terres, Parnell vous tend la main. Pour que ses fidèles continuent de le suivre, vous devez faire un compromis aussi. Par exemple, des paroles favorables au gouvernement local qui seraient reprises dans la presse…

— … feraient en sorte que la moitié des députés libéraux me lâcheraient à la Chambre. En conséquence, notre ami devrait alors négocier avec lord Salisbury et ses conservateurs. Ce serait sans succès.

Le premier ministre n'avait pas tort. L'idée de donner plus de pouvoir aux Irlandais semblait hérétique à bien des électeurs britanniques, au sens propre du terme, car ce serait exposer les protestants de l'Ulster à subir les exactions de la majorité catholique. Le politicien enfonça le clou :

— Il y a les outrages, mais aussi le meurtre de mon neveu, en mai dernier, à Phoenix Park. Les coupables courent toujours. Des rumeurs prétendent que la Ligue pour les terres, dont Parnell assume la présidence, est mêlée à l'affaire.

— Vous savez qu'il n'en est rien. Parnell a présenté sa démission sur-le-champ, que vous avez refusée, et le Parti a offert une récompense pour la capture des coupables.

— Cela n'a délié la langue de personne. Ces rumeurs sont tenaces : une faction de la Ligue aurait commandité ces meurtres.

Cela devenait un cercle vicieux. La violence éclatait parce que les réformes ne venaient pas assez vite et les politiciens respectables refusaient de les consentir afin de ne pas sembler récompenser des criminels, ce qui aurait détourné leurs électeurs.

— Si vous ne concédez rien à Parnell, les éléments plus radicaux reprendront la lutte armée.

— Madame, la lutte armée n'a pas cessé. Les bombes explosent dans notre pays depuis trois ans.

— Depuis trois ans, Parnell a réussi à faire tenir la trêve. Le Clan-na-Gaël a renoncé au terrorisme pour donner une chance au Parti parlementaire…

De la main, en esquissant un sourire, Gladstone fit comprendre à la jeune femme que la situation en Amérique lui était familière. Les services secrets le tenaient au courant de toutes les péripéties.

— Je sais que les attentats sont commandités par Jeremiah O'Donovan Rossa. Mais vous conviendrez avec moi qu'au moment où les meurtriers courent dans la nature et que les bombes explosent sur notre territoire, les électeurs et les membres de mon Parti ne comprendraient pas que je fasse un signe de bienveillance au Parti parlementaire.

— … Si vous abrogiez au moins la loi coercitive, dit la jeune femme avec minauderie.

Cette loi permettait aux autorités d'enfermer quelqu'un pour «incitation à la violence». Ainsi, dans le cas où un individu, lors d'un discours ou par écrit, invitait ses compatriotes au désordre, il pouvait immédiatement se retrouver en prison.

— Au préalable, le calme doit revenir en Irlande. Quand nous n'entendrons plus de discours incendiaires, nous pourrons nous passer de cette loi.

Sur ces derniers mots, Gladstone avait décollé son dos du dossier de son fauteuil. Attentive à tout et soucieuse de cultiver la sympathie du vieillard, Katherine comprit qu'il valait mieux mettre fin à la discussion:

— Je me rends compte que j'ai abusé de votre temps.

Elle se leva. Poli, le politicien fit de même en la rassurant:

— Pas du tout, vous rencontrer est toujours un plaisir.

Tout de même, il la raccompagna jusqu'à la porte d'entrée. Au moment de lui tendre la main, Katherine affirma encore:

— Je vous remercie infiniment de m'avoir reçue ainsi.

— Vous et moi partageons le même objectif: amener un peu de paix à notre pays. Voulez-vous que je demande que l'on vous reconduise?

— Non, ce n'est pas nécessaire. J'avais demandé au cocher de m'attendre.

— Dans ce cas, il ne me reste plus qu'à vous souhaiter un agréable Noël.

Elle répéta encore une fois ses remerciements quand la porte fut ouverte, puis s'engagea dans la nuit. Comme par magie, au bruit du pêne dans la serrure, le maître d'hôtel se retrouva auprès de son employeur.

— Monsieur, prendrez-vous un verre de porto ?

— Non, Jenkins. À l'heure qu'il est, mieux vaut regagner mon lit.

❧

Charles Parnell avait patienté dans le fiacre pendant tout ce temps. Il reçut Katherine avec un sourire, l'aida à monter, puis frappa sur le toit de la voiture pour signaler au cocher de se mettre en route.

— Le vieux voudra-t-il faire quelque chose ?

— Non. L'assassinat de son neveu paraît lui être resté en travers de la gorge. Puis des attentats ont toujours lieu.

— Si je pouvais trouver ces meurtriers, je serais prêt à les pendre moi-même. Ces gens-là ruinent tous nos efforts.

La jeune femme ferait un compte rendu détaillé de la conversation le lendemain. La froide soirée de décembre passée dans un fiacre avait pesé sur son compagnon. La route jusqu'à la maison serait fort longue et ses mains se faisaient envahissantes. Après tout, l'intimité de cette voiture bien close et le bruit des roues cerclées de métal sur les pavés leur fournissaient plus de discrétion que n'importe quelle chambre à coucher, chez elle ou chez lui.

Au moment où des mains passaient des mollets aux cuisses de la jeune femme, William Ewart Gladstone, en chemise de nuit, se tenait agenouillé près de son grand lit. Il utilisait un fouet composé d'un court manche de bois et d'une lanière de cuir pour se flageller le dos. Ses coups demeuraient mesurés et ne ressemblaient en rien à ceux de ses jeunes années où, pour faire disparaître une érection inopportune, il lui fallait se mettre le dos en sang. À 73 ans, les boucles brunes et les mines aguichantes de madame O'Shea, la maîtresse du chef irlandais, ne suscitaient chez lui qu'une réaction plutôt molle.

Tout de même, sa peau devint endolorie avant que la silhouette du manchot Michael Davitt ne se substitue à celle de la jeune femme. La loi coercitive demeurait nécessaire à cause d'hommes comme lui. Le vieux chef devrait toutefois faire un geste de rapprochement avant les prochaines élections. Ce serait l'élargissement du droit de vote dans les campagnes. En permettant à plus de paysans catholiques de participer au scrutin, plus de candidats du Parti parlementaire seraient élus, plus l'alliance que les libéraux formaient avec eux accroîtrait sa majorité, plus il pourrait proposer ensuite un réaménagement des institutions politiques.

Chez lui, la concupiscence politique effaçait toujours celle des sens. Plutôt que de rêver aux seins d'une jeune femme adultère, Gladstone compterait des sièges à la Chambre des communes une bonne partie de la nuit. De toute façon, les premiers se trouvaient en ce moment même soigneusement pris en main par Charles Parnell.

❧

Londres, lundi 25 décembre 1882

Les fêtes de Noël fournissaient une occasion rêvée pour les réunions familiales, même quand il fallait parcourir une longue distance. Samuel Anderson était venu de Dublin afin de partager une oie grasse avec son frère Robert, son épouse et ses deux garçons.

Après le repas, les deux hommes se retrouvèrent dans la bibliothèque un porto à la main, pour parler boutique.

— Ton adorable patron rend toujours des services aussi mystérieux qu'essentiels au gouverneur ? dit Robert avec un sourire ironique.

— Je suppose que oui. Tout le monde s'interroge sur ses nouvelles fonctions.

Samuel agissait depuis plusieurs mois à titre d'adjoint d'Edward Jenkinson au service de police de Dublin.

— De nouvelles fonctions? Son rôle n'est-il pas de combattre le crime?

— Bien sûr que si, mais depuis quelque temps des gens l'appellent le maître espion… Cette habitude semble avoir commencé à la résidence vice-royale. Depuis, les ragots des domestiques ont fait en sorte que tout le monde fait de même.

— Maître espion! Ce bellâtre usurpe mon titre. Il y a vingt ans que je m'occupe d'espionnage, l'Irlande est mon fief.

Robert avait commencé sa carrière au château de Dublin au moment où les nationalistes irlandais se préparaient à lancer le grand soulèvement républicain de 1865. Depuis, la lutte au mouvement révolutionnaire l'avait conduit au ministère de l'Intérieur, dans la capitale. Une armée d'informateurs, au Royaume-Uni comme aux États-Unis, rédigeaient des rapports ou des confessions qui aboutissaient régulièrement sur son bureau.

— Tu sais que tu n'as jamais été le seul, remarqua son cadet.

Bien sûr, le ministère des Affaires extérieures comptait sur son propre réseau d'espionnage, de même que l'état-major de l'armée, sans doute. Tout de même, les invasions du Canada, les événements de Manchester, l'attentat sanglant de Clerckenwell avec sa vingtaine de victimes, lui avaient permis de s'imposer parmi ses collègues.

— Les rumeurs disent-elles en quoi ce maître espion s'illustre en particulier?

— Si nous le savions, personne ne parlerait de lui avec un ton admiratif. Il a tout de même un certain talent pour cultiver le secret, admit Samuel.

— Comme tu le vois tous les jours, tu dois bien avoir ta petite idée.

Le jeune fonctionnaire hésita un moment entre la fidélité à l'égard de son directeur et celle due à un membre de la famille. Il maudit le statut de frère cadet qui, depuis toujours, le plaçait dans un rapport de dépendance, pour confier enfin :

— Il est vraiment discret... La semaine dernière, il a disparu pendant quelques jours, sans dire quoi que ce soit sur sa destination.

— Une escapade amoureuse, peut-être...

— Si c'est le cas, il ne s'agissait pas d'un endroit très romantique, à moins que je connaisse très mal Liverpool. J'ai trouvé sur son bureau un horaire des traversiers avec cette destination encerclée en rouge.

— La ville où arrivent tous les jours des navires venus d'Amérique, sans compter son abondante population irlandaise, murmura Robert.

— ... Susceptible de fournir quelques informateurs.

Si les émigrants irlandais les plus chanceux mettaient le cap sur l'Amérique ou l'Australie, des centaines de milliers d'autres envahissaient les villes industrielles du Royaume-Uni. L'est de Londres en recevait, mais aussi Manchester, Newcastle ou Liverpool. Même à Glasgow, en Écosse, des taudis étaient peuplés de ces misérables.

— Si tu peux tendre l'oreille...

— Cela pourrait me coûter mon emploi.

— Ou t'en gagner un autre ici, avec moi.

Samuel risquait de se retrouver à la rue. Mais son grand frère avait l'habitude de commander et lui, d'obéir.

— Et comment progresse l'enquête sur le meurtre de Phoenix Park ? Aucun traître tombé du ciel pour révéler les coupables ? poursuivit ce dernier.

— Jenkinson paraît compter là-dessus, mais le directeur Conàn Mallon demeure convaincu de réussir sans recourir à ces tactiques. Il privilégie l'enquête policière classique.

— C'est-à-dire mettre des agents en civil dans des pubs pendant des semaines, au risque de leur ruiner la santé, pour entendre des délires alcooliques.

Robert ne lésinait pas avec la morale. Sur les étagères qui encombraient sa pièce de travail, tous les livres parlaient de théologie ; une bible aux pages écornées trônait au milieu de son pupitre.

— Dans ce cas précis, la stratégie paraît porter fruit.

— Il a des coupables ? questionna le frère aîné, surpris.

— Des suspects, à tout le moins.

— Liés à la Ligue pour les terres, comme je le soupçonne depuis le début ?

Charles Parnell et Michael Davitt suggéraient que des propriétaires terriens pouvaient très bien être les auteurs du double meurtre. Chez les forces de l'ordre, les soupçons portaient plutôt sur la Ligue qui se livrait à des centaines d'« outrages » contre la population irlandaise. Que des militants aient voulu viser le principal représentant de l'État britannique dans le pays paraissait tout à fait plausible.

— Je ne suis pas dans les secrets de Jenkinson ni dans ceux de Mallon.

— Voyons, le service de police loge dans une maison à peine plus grande que celle-ci.

D'un geste, Robert désigna la bibliothèque, mais son commentaire visait l'ensemble de la demeure.

— Tout ce que je peux te dire, c'est que les policiers parlent d'une demi-douzaine de travailleurs, des Dublinois connus pour leurs sympathies républicaines, sans plus. Cela peut être n'importe qui, les trois quarts des Irlandais partagent ces sympathies.

— Quand arrêtera-t-il ces gens ?

— Actuellement, Mallon essaie de trouver lequel de ces suspects pourra être convaincu de se mettre à table pour incriminer les autres.

— Ses preuves ne seraient donc pas suffisantes pour entraîner seules un verdict de culpabilité, murmura Robert, déçu.

Obtenir que l'un des coupables se confesse signifiait accorder l'impunité à un meurtrier qui, en plus, bénéficierait d'une pension et d'un transfert dans un endroit lointain. Cela ne revenait-il pas à récompenser quelqu'un d'avoir commis un crime odieux et de s'être déshonoré ensuite en trahissant?

— D'un autre côté, rappela Samuel qui suivait le cours des pensées de son frère, l'effet sur les Irlandais est terriblement démoralisant. Quoi qu'ils entreprennent, quelqu'un finit toujours par nous donner des informations.

Vue sous cet angle, la recherche de traîtres pouvait effectivement se révéler plus rentable que la condamnation en bloc de tous les conspirateurs. Après un moment de réflexion, Robert se leva de son fauteuil en disant:

— Allons rejoindre les autres, c'est Noël après tout. Essaie de savoir ce que fabrique Jenkinson. L'idée qu'il se trouve deux maîtres en espionnage dans le pays me déplaît souverainement.

5

— Sir Mortimer, je vous adresse mes plus sincères félicitations !

David Langevin levait son verre de vin, Édith fit de même. Depuis le matin, Edward Mortimer Archibald portait le titre de chevalier... et se trouvait à la fois retraité et sans domicile. William Robert Hoare occupait le poste de consul du gouvernement du Royaume-Uni à New York et la maison de pierres brunes sur la 4e Rue Ouest.

Son nouveau statut ne signifiait pas la misère pour autant : le vieil homme avait invité sa fille et son gendre à souper dans le meilleur restaurant de New York, le *Delmonico*, au 57 de la rue William.

— Mon cher gendre, j'ai un petit présent pour vous... dont ma fille se réjouira sans doute elle aussi.

Archibald tira de sa poche un bout de papier soigneusement plié en deux en précisant :

— C'est arrivé hier à mon ancien domicile, mon successeur l'a fait porter cet après-midi à l'hôtel.

Au premier coup d'œil, David constata qu'il s'agissait d'un télégramme. Il lut à mi-voix afin que sa femme entende : « Devlin se présentera à Edward Jenkinson, à Dublin, afin de suivre le dénouement de PP pour la presse. Il pourra ensuite se rapporter au MI ». Près de lui, Édith étouffa un joyeux « Oh ! » soucieuse de s'assurer d'abord que son mari partage au moins un peu son enthousiasme.

L'espion sentit un moment le plancher se dérober sous ses pieds et demanda après avoir repris son souffle :

— Je ne suis pas sûr de comprendre : le dénouement de PP, c'est pour Phoenix Park ?

— Il semble que des arrestations soient sur le point d'avoir lieu. Je n'en sais pas plus.

— Je devrai rendre compte de cela dans la presse ? Dans la *Gazette* ? Cela ne fait pas sérieux, ce journal n'a aucun correspondant au Royaume-Uni.

Le consul commença par échanger un regard soucieux avec sa fille, puis expliqua :

— Je crois que le gouvernement fera en sorte de diffuser l'histoire dans tous les *dominions*, pour l'édification des Irlandais. Représenter la *Gazette* ne paraîtra pas si étonnant. Mais je dois confesser que j'ai un peu joué le rôle de votre agent ces derniers jours. Le *Tribune* est prêt à vous publier à nouveau. Vous toucherez quelques sous de la ligne, comme au début de votre collaboration avec eux.

— ... Donc, je dois me pointer en Irlande en tant que journaliste.

— Comme dans le bon vieux temps.

Le bon vieux temps du consul. À cette époque, il avait la mi-cinquantaine et se trouvait à la tête d'un réseau d'espionnage remarquable. Son principal souci était alors de mettre fin à l'idylle qui naissait entre sa fille et un subalterne irlandais et catholique.

— Et pour la suite de ce télégramme ? Dois-je comprendre qu'une fois réglée l'enquête à Dublin, je regagnerai Londres ?

— Oui, et Robert Anderson, un fonctionnaire du ministère de l'Intérieur, accepte de vous rattacher à la section spéciale irlandaise. Ce sera une mise à l'essai cependant : ces gens-là veulent voir comment vous cadrerez dans les services de police.

Au moment des grands désordres des années 1860, une section spéciale avait été mise sur pied au sein de la police métropolitaine, plus connue sous le nom de Scotland Yard, pour s'occuper de la menace terroriste. Ce service était devenu inactif pendant les années 1870, pour renaître au moment des premiers dynamitages au tournant des années 1880.

— Si tu préfères rester à Ottawa, cela me convient, murmura Édith. Je ne veux pas te forcer la main. Mais ne serait-ce que pour te permettre de relancer ta carrière de journaliste, ce changement d'air te serait profitable.

Juste au ton de sa voix, David devinait que sa femme n'accepterait pas de si bonne grâce un retour à Ottawa, mais le fait qu'elle en évoque la possibilité le soulagea un peu.

— Je ferai de mon mieux à Londres, mais comme l'a fait remarquer ton père, je ne connais rien au travail de policier.

En guise de réponse, sa femme lui sauta au cou pour l'embrasser avec fougue, et ensuite beau-papa lui serra la main. Quand tout le monde eut retrouvé sa chaise, l'espion commença à réaliser toutes les difficultés qui se dressaient devant lui :

— Si des arrestations sont sur le point de survenir, je suis mieux de me presser pour regagner Dublin.

— C'est aussi ce que j'ai compris, convint l'ex-consul.

— Mais je dois auparavant me rendre à Ottawa pour prendre des dispositions. Louer la maison, régler les factures, emballer les choses…

— Cette semaine, Édith et moi avons acquis une certaine expérience en la matière. Je propose donc de rentrer au Canada avec elle et de l'aider à tout régler. Pendant ce temps, vous prendrez les devants. Nous vous rejoindrons… enfin, Édith vous rejoindra le plus tôt possible. Vous serez séparés pendant deux semaines, trois tout au plus.

Les événements s'enchaînaient à une vitesse folle, autant se laisser porter par eux. David vida son verre de vin pour se donner une contenance. À la fin, il déclara :

— Ce sera plus long que cela, si je dois attendre le dénouement d'un procès. Même si les preuves sont solides, des semaines, sinon quelques mois s'écouleront sans doute.

— Sauf que je ne serai pas loin, le rassura Édith en caressant son bras de sa main. Nous pourrons nous ménager des rendez-vous. Ce sera bien moins pire qu'au moment de ton voyage dans les Prairies avec le gouverneur général.

À la fin, David versa une nouvelle rasade de beaujolais dans les trois verres, puis leva le sien en disant :

— Santé à nous trois… et à nous le Royaume-Uni.

New York, jeudi 4 janvier 1883

De nombreuses compagnies maritimes permettaient de traverser de l'Amérique au Royaume-Uni, mais la Cunard offrait le service le plus régulier. Aussi, David se retrouva sur la passerelle du *Etruria* dans la matinée du 4 janvier, Édith accrochée à son bras. Elle tenait à l'accompagner jusqu'à sa cabine, alors que le consul Archibald demeurait sur le quai.

— Si tu préfères revenir au Canada, cela me conviendra, répéta-t-elle pour la dixième fois au moins au cours des trois derniers jours.

— Tu sais, je commence à croire que c'est toi qui as changé d'avis. Si c'est le cas, je peux me faire une raison et renoncer à ce projet.

— Ce n'est pas cela… commença la jeune femme avec précipitation avant de comprendre qu'il la taquinait.

Le couple arrivait sur le pont du navire, encombré de nombreux passagers et des personnes venues leur faire leurs adieux. David adressa un sourire à son épouse prise au piège avant de lui expliquer :

— Bien sûr ce déménagement me préoccupe, mais cela vaut la peine de tenter ma chance. Cependant, nous conserverons la maison d'Ottawa, ce sera plus prudent si les choses tournent au plus mal.

— … Je la louerai, comme nous avons prévu. Cela ne devrait pas être trop long, la population de la capitale s'accroît. Il devrait bien s'y trouver un député fatigué de vivre à l'hôtel.

Quelques minutes plus tard, après une longue étreinte, ils se séparaient pour quelques semaines.

❧

Dublin, lundi 15 janvier 1883

En plein hiver, l'Atlantique Nord n'avait rien de reposant. Après une traversée de neuf jours plutôt mouvementée, David se répéta une nouvelle fois que les personnes sédentaires avaient bien de la chance. De plus, il lui fallait encore prendre un autre bâtiment pour couvrir la distance entre Liverpool et Dublin. Le 14 janvier, il dénichait une pension sur la rue Dame, dans la capitale irlandaise, à peu de distance des locaux des services de police. La chambre exiguë, meublée d'un lit, d'une chaise et d'une table étroite, lui fit regretter son confort d'Ottawa.

À neuf heures le lendemain matin, le journaliste se présenta devant Edward Jenkinson, le responsable des services de police en Irlande. La veille, il avait pris la précaution d'envoyer sa carte professionnelle au fonctionnaire, accompagnée d'un mot annonçant sa venue. Aussi ce dernier l'attendait en compagnie du directeur, Conàn Mallon.

Après les poignées de main et les salutations plutôt froides, Jenkinson dit à l'intention du policier :

— On m'a convaincu de la nécessité d'inonder le Nouveau Monde d'articles soigneusement concoctés pour décourager l'engouement révolutionnaire des Irlandais qui habitent là-bas. Monsieur Devlin possède à la fois une longue expérience de journaliste et d'espion : il se chargera de cette mission pour nous.

À son ton, l'incrédulité de Jenkinson ne faisait pas de doute. David n'essaya pas de combattre la franche antipathie qui s'emparait de lui ; il avait l'étrange impression de se retrouver devant un double du colonel Cosgrove, l'aide de camp d'Ottawa. L'histoire se répétait dans ce qu'elle avait de plus désagréable, un océan ne l'avait pas délivré des esthètes.

— Si vous croyez que cela peut-être utile... ajouta le policier d'un ton moins arrogant peut-être, mais tout aussi sceptique.

— Je ne crois rien, quelqu'un s'en est chargé pour moi. Cela signifie que vous devez laisser notre ami s'attacher à vos pas, afin d'alimenter ses travaux d'écriture.

Edward Jenkinson fit ensuite le geste de chasser une mouche, mouvement que ses visiteurs interprétèrent comme un congé. Aussi, avec toute l'ironie dont il était capable et en s'inclinant très bas, David déclara :

— Monsieur, je vous suis très reconnaissant de votre accueil et de vos bons soins.

Sans mal, il arrivait à calquer l'accent de son interlocuteur, celui que cultivaient les jeunes anglais dans leurs écoles privées. Un moment plus tard, dans l'escalier, il enchaînait à l'intention du policier :

— Quel personnage exquis, votre patron.

Le journaliste avait retrouvé son accent américain, celui que devait affecter un employé du *Tribune*.

— On s'y fait, à la longue. Sans partager son mépris, je ne suis tout de même pas convaincu de la pertinence de votre rôle auprès de moi.

— Pensez-vous que le mouvement révolutionnaire aurait une aussi grande ampleur sans l'argent et les dynamiteurs venus d'Amérique ?

Après un moment d'hésitation, le directeur de police déclara :

— Ma foi, je suppose que l'Irlande deviendrait plus calme sans eux.

— Dans ce cas, vous devriez vous intéresser un peu plus à ce qui se publie dans les journaux américains. Des révolutionnaires libérés de vos prisons ont été reçus par le président à la Maison Blanche. Les Irlandais qui habitent les États-Unis en concluent que soutenir des terroristes s'avère tout à fait légitime.

Mallon avait marché jusqu'à son bureau. Au moment d'entrer, il fit signe à un jeune sergent de venir les rejoindre en expliquant:

— Je vous semblerai sans doute aussi malpoli que le patron, mais je dois éplucher des douzaines de rapports. Collins, que voici, vous fera visiter les lieux... Vous le conduirez où il voudra, ajouta-t-il à l'intention du policier.

Le directeur entra dans son bureau et referma la porte derrière son dos, de façon à n'entendre aucune protestation. David se trouva pris d'une nostalgie soudaine pour les rigueurs de l'hiver canadien, alors qu'un jeune blondinet sanglé dans son uniforme noir de policier l'attendait au garde-à-vous.

— Je suppose que vous pouvez m'accompagner sur les lieux du crime? maugréa le journaliste.

— Le crime? Lequel?

— Celui de Phoenix Park, que diable. J'ai traversé l'Atlantique pour cela!

— Mais... c'est loin.

— Alors louons un fiacre.

David s'engagea dans l'escalier pour regagner le rez-de-chaussée, le jeune sergent sur les talons. Dans la cour du château de Dublin, il fit un tour sur lui-même, à la recherche d'une voiture. Les divers bâtiments administratifs formaient un carré autour de lui. Plusieurs dizaines de personnes s'y occupaient des affaires de l'Irlande. Une solide garnison rappelait qu'il s'agissait d'un pays conquis et pas très heureux de cette situation. Quelques geôles en sous-sol recevaient des gens suspectés de se livrer à des activités révolutionnaires.

— Nous trouverons un fiacre sur la rue Exchange, au coin de Parliament, proposa le sergent.

Peu après, dans une voiture, les deux hommes traversaient la rivière Liffey, puis longeaient les quais en direction de l'ouest.

— Vous étiez là le 6 mai dernier ?

— Bien sûr. Tous les policiers étaient en service.

— Racontez.

— Tout ?

— Absolument tout. Comme si j'étais votre vieil oncle un peu gâteux de retour après un long séjour en Amérique. Je dois écrire une belle histoire dans les journaux.

Les journaux du Royaume-Uni et d'Amérique du Nord avaient déjà rendu compte des assassinats de lord Frederick Cavendish, ministre au cabinet britannique responsable de l'Irlande, et de Thomas Henri Burke, sous-ministre responsable de l'administration de l'île au jour le jour. Toutefois, si des arrestations survenaient bientôt, le rappel des événements nécessiterait une bonne demi-page.

— Au moment de la sortie de prison de Charles Parnell, de Michael Davitt et de leurs camarades, au début de mai dernier, le gouverneur et le ministre ont tous les deux donné leur démission.

— Pourquoi ?

— … Ils ne pouvaient supporter de voir le premier ministre Gladstone s'entendre avec les dirigeants de la Ligue pour les terres.

Pendant les quelques mois de son emprisonnement pour avoir encouragé la Ligue, Parnell avait convenu avec le premier ministre de donner une chance à une loi permettant aux paysans de contester le niveau des loyers fonciers devant les tribunaux. Le chef nationaliste avait en quelque sorte accepté de taire son scepticisme, alors que les premiers procès, pour mettre cette politique à l'épreuve, se déroulaient.

— Quand les nouveaux titulaires de ces postes sont arrivés à Dublin, il y a eu une longue parade dans les rues de la ville. Le gouverneur, John Poyntz, le cinquième lord Spencer, chevauchait devant, sa tignasse rouge au vent. Le ministre Cavendish suivait dans une voiture découverte.

— Avec tout un régiment pour les protéger, je suppose ?

— Non, pas du tout. Pourquoi cette précaution, alors que toute la population de Dublin les acclamait le long de la route?

Certainement pas toute, songea David, à moins que les assassins aient pris plaisir à voir défiler leurs futures victimes.

— Après un après-midi de travail au château de Dublin, Cavendish a pris un fiacre pour rentrer à la résidence vice-royale. Le gouverneur Spencer avait pris les devants. Le ministre est descendu de voiture à l'entrée du parc, tenez, à peu près ici, pour faire le reste du trajet à pied.

— Alors descendons, nous aussi.

Le fiacre les avait amenés à Phoenix Park, une vaste étendue de verdure, plusieurs fois grande comme Central Park, à New York. Sur la gauche du chemin se dressait le monument Wellington, destiné à rendre hommage au vainqueur de Waterloo.

— Cavendish se rendait à la résidence vice-royale, que vous voyez là-bas, à travers les arbres dénudés.

Du doigt, le policier montrait la grande bâtisse située un peu plus loin, au nord.

— Il a rencontré Burke qui se rendait aussi chez le gouverneur. Je suppose qu'il voulait bien se faire voir de ses nouveaux patrons en allant faire sa cour dès le premier jour. Ils ont marché ensemble, je présume.

— Suivons le même chemin.

Le policier fit signe au cocher de les suivre. Un froid humide s'appesantissait sur Dublin, mais même à la mi-janvier l'herbe demeurait d'un vert très vif. Pendant quelques minutes, les deux hommes progressèrent vers la résidence. Tout autour, des bosquets dénudés montraient des branches noires, lugubres.

— En mai, avec les feuilles aux arbustes, des dizaines d'assassins pouvaient se dissimuler tout autour, commenta le journaliste.

— D'après les traces, ils étaient une demi-douzaine. Deux voitures les attendaient. Ici à peu près, ils ont attaqué.

— À coups de couteau?

— Oui, des coups nombreux, comme s'ils voulaient les faire mourir au bout de leur sang, au lieu de viser un organe vital. Tout de même, à la fin, ils leur ont tranché la gorge.

Les deux hommes s'étaient immobilisés sous un bouquet d'arbres, tout près du chemin couvert de gravier. La résidence vice-royale se trouvait à mille pieds, peut-être.

— Cela a dû faire tout un vacarme, des hommes saignés à blanc. Aucun passant n'a entendu quoi que ce soit?

— La nuit tombée, personne ne se trouvait dehors. Mais le gouverneur a dit avoir perçu des cris. Il se trouvait près d'une fenêtre.

Voyant qu'il était si près de la majestueuse bâtisse de pierre grise, David décida de continuer son chemin, curieux. À une centaine de pieds de l'immeuble, il aperçut une dame d'âge mûr, qui semblait très élégante d'après ce qu'il pouvait voir, monter dans une voiture dont les portières s'ornaient d'un blason.

— La maîtresse des lieux? questionna-t-il.

— Oui, Charlotte Seymour, lady Spencer, la reine des fées, expliqua le policier.

— Pardon?

— Oh! C'est le surnom que lui donne son mari. Jeune, elle était éblouissante, dit-on. Même aujourd'hui, je ne dirais pas non.

Rêver des riches et des puissants, personne n'y échappait. David trouvait amusante l'infatuation d'un jeune sergent de police pour une aristocrate qui faisait au moins deux fois son âge. En souriant, il murmura :

— Chut! Ne répétez pas cela devant le mari.

— Je doute que cela le dérange beaucoup.

— Que voulez-vous dire?

L'autre prit un air entendu, d'homme à homme, pour expliquer :

— Selon ce qu'on dit, lord Spencer préfère fouiller la merde des messieurs avec sa queue. Depuis son arrivée, les

militants irlandais appellent la résidence vice-royale la
«Sodome de Dublin». En vingt-cinq ans de mariage, il n'a
pas réussi à faire un enfant à sa femme.

— Je n'ai pas d'enfant non plus. Voulez-vous dire que moi
aussi…

Incapable de saisir l'humour dans le ton de son interlocuteur, le sergent rougit et s'empressa de répondre :

— Non, non! Après une pause, il continua : Nous repre-
nons le fiacre pour rentrer ?

⁂

À huit heures, David se trouvait déjà étendu sur son lit,
un livre à la main. En cette saison, la nuit tombait très tôt
sur Dublin. Pour lire, il lui avait fallu mettre la lampe à
pétrole sur la chaise, près de la couche. Sa quiétude ne dura
pas, des coups frappés à la porte attirèrent son attention, puis
une voix :

— Monsieur Devlin, un policier veut vous parler.

Le journaliste refit passer ses bretelles sur ses épaules et
enfila sa veste avant d'ouvrir. Le sergent Collins se trouvait
en compagnie d'un employé de la maison de chambres.

— Mais à quelle heure finissez-vous votre journée ? demanda
David.

— Quand le directeur me dit que je peux rentrer. Mallon
vous invite à vous joindre à lui.

— Que se passe-t-il ?

— Juste la routine : un cadavre.

David attacha ses souliers, enfila un paletot puis emboîta
le pas au policier, son chapeau melon à la main. Une voiture
de la police les attendait devant la porte. Dès que les deux
hommes eurent refermé sur eux les portières, le cocher
fouetta son cheval.

— Où allons-nous ?

— Près du quai Eden, pas très loin de l'embouchure de la
rivière Liffey. Un garçon nous a apporté un message et le

directeur a demandé que je passe vous prendre. Je n'en sais pas plus.

Une demi-heure plus tard, la voiture s'arrêta près d'une impasse bordée de maisons misérables, s'ouvrant sur la rue Talbot. La rivière, les navires amarrés à moins de cent pieds et les entrepôts répandaient la puanteur habituelle : l'odeur du bois et des cordages pourris, du goudron et des vivres depuis trop longtemps oubliés. Tout près, un pub laissait entendre le bruit de voix multiples, un bourdonnement rompu régulièrement par des cris avinés.

Entre des maisons, dans un espace large d'environ cinq pieds, trois hommes s'affairaient, dont deux en uniforme. Celui en civil se retourna vers les nouveaux venus et prononça en guise de mot de bienvenue :

— Devlin, venez vous familiariser avec les mœurs locales. Que faites-vous de cela ?

« Sans cesse, quelqu'un me soumet à un test, pour vérifier si ma présence est légitime », pensa le journaliste. Il fit signe à l'un des policiers de lui passer sa lampe, orienta le faible faisceau tremblant de lumière vers la forme étendue sur le sol en s'accroupissant.

— Un homme avec la gorge tranchée, un poignard encore fiché dans la poitrine, commenta-t-il. Une vingtaine d'années tout au plus, visiblement un ouvrier manuel à en juger par ses vêtements et surtout par ses ongles sales et brisés.

Une grande mare de sang s'étendait sans doute sous la tête du cadavre, mais dans l'obscurité elle se perdait sur les pavés humides. David réalisa qu'il devrait songer à nettoyer ses semelles avant de regagner sa chambre.

— Regardez sur sa poitrine.

Le couteau servait à épingler un bout de papier. En se penchant dangereusement sur le corps, il put lire, traduisant du gaélique :

— « Ainsi finissent les traîtres. Capitaine Clair-de-lune »... Cet homme a vraiment trahi ?

— Je m'informerai. Tellement de gens viennent nous offrir une bribe d'information contre une rémunération. Les plus timides se contentent du prix d'une bière, les plus ambitieux réclament une livre.

Une somme qui représentait tout de même trois ou quatre jours de travail pour l'homme étendu devant lui. Dans une ville où le chômage affectait très régulièrement la moitié de la population en âge de travailler, la tentation devait être constante.

— Vous m'avez fait venir pour cela? J'ai déjà vu des cadavres.

— Tout de même, il faut vous familiariser avec la façon de travailler de la Ligue pour les terres, commenta Mallon.

— Vous connaissez les coupables?

— Vous le voyez, le crime est signé.

L'obscurité dissimulait le sourire ironique de David. En se relevant, il déclara:

— Monsieur le Directeur, n'importe qui peut écrire une note comme celle-là. Tenez, ce type a pu coucher avec la femme d'un ami, qui lui a réglé son compte et a imaginé cette petite mise en scène pour orienter l'enquête de police dans une autre direction.

— … Je demanderai que l'on vérifie si cet homme était un informateur. Vous direz sans doute que la même personne peut à la fois trahir la révolution et rendre l'un de ses amis cocu, ce qui ne nous avance pas vraiment.

Au ton du policier, David devina que celui-ci devait avoir autant d'humour qu'un bouledogue. Il se risqua tout de même à remarquer:

— En visitant les lieux du crime, cet après-midi, je me suis posé une question stupide. Je vais tout de même vous la répéter. Jeremiah O'Donovan Rossa a formé la Société du Phénix à Cork dans les années 1860. Se peut-il que cet esprit tordu ait fomenté cet assassinat à Phoenix Park pour vous faire un clin d'œil?

— Pour être tout à fait franc avec vous, je me suis aussi posé cette question stupide. Le meurtre a eu lieu dans le parc parce qu'en fin de journée, les lieux sont habituellement déserts, et les fourrés permettraient à tout un régiment de se cacher.

— Cela a certainement plus de sens que ma petite hypothèse, quoique l'une n'exclut pas l'autre. Une autre question me tarabuste : comment diable votre régiment de conspirateurs a-t-il su que lord Cavendish, le jour de son arrivée en Irlande, ferait une petite marche de santé dans ce parc ? Jamais je ne croirai que les assassins se trouvaient là tous les soirs, dans l'attente d'une occasion de passer à l'action.

Malgré l'obscurité, David se rendit compte que Mallon souriait à belles dents, ce qui était plutôt rare.

— Mais monsieur Devlin, qui vous fait croire que Cavendish était la cible des conspirateurs ?

— ... Vous voulez dire que Burke ?

— En tant que responsable de l'exécutif, cet homme a cultivé bien des haines. Des centaines de personnes se sont retrouvées en prison à cause de lui, certaines pour leur vie entière. Puis il était aussi responsable de quelques pendaisons.

— Il ne faisait qu'appliquer les lois. Les députés, encore plus les ministres, portent une responsabilité bien plus grande quant aux mesures de répression.

— Mais ces gens sont loin, l'oppression vient naturellement à ces grands personnages, comme le fait de mordre pour un chien. Burke cependant, un Irlandais catholique, exécutait leurs ordres en sacrifiant ses frères. Pouvez-vous imaginer un pire crime ?

Le directeur de police laissa David à ses réflexions, le temps d'indiquer à ses hommes de chercher un brancard, ou mieux une brouette pour amener le corps à la morgue. Quand il eut terminé, le journaliste demanda :

— La présence de Burke dans le parc était prévisible ?

— Un certain nombre de ses employés devaient savoir qu'il irait chez le gouverneur. Nous ne sommes pas les seuls à recueillir des informations, les révolutionnaires le font aussi. Une indiscrétion a permis aux assassins de se mettre à l'affût.

— Les journaux ont à peine parlé de lui.

— Bien sûr, il a été éclipsé! Le neveu de Gladstone saigné à blanc le jour de son entrée en fonction, cela a attiré toute l'attention. Mais je suis à peu près certain que le pauvre homme a été victime d'un hasard malheureux. Cavendish a simplement rencontré Burke dans le parc, puis il a fait un bout de chemin en sa compagnie. Les assassins se sont débarrassés d'un témoin gênant.

Évidemment, seule cette interprétation des faits expliquait les circonstances du meurtre. Personne ne pouvait savoir que Cavendish marcherait dans Phoenix Park ce soir-là, mais la présence de Burke n'avait pas échappé à des conspirateurs bien informés.

— Si les circonstances de ce crime vous sont connues, qu'en est-il des rumeurs à propos d'arrestations prochaines?

— Venez à mon bureau demain vers neuf heures. Vous verrez par vous-même où j'en suis.

L'irascible Mallon semblait séduit à l'idée d'un article favorable dans le *Tribune*, au point d'endurer un témoin sur ses pas.

— Comptez sur moi, j'y serai.

❧❧❧

Dublin, mardi 16 janvier 1883

— Cet homme s'appelle James Carey, murmura le directeur de police.

La porte entrouverte laissait une mince fente par laquelle David regardait dans une salle d'attente.

— Que fait-il dans la vie ?

— Il tient une boutique près des quais. Surtout, le bon-homme possède un pâté de maisons entier en location, des taudis. Je le fais venir.

Un moment plus tard, le marchand prenait place sur la chaise placée devant le pupitre de Mallon. Le policier commença :

— Monsieur Carey, mes hommes sont allés vous cueillir parce qu'une rumeur circule dans tous les bars de la ville. Des gens prétendent que vous auriez organisé l'assassinat de Burke et Cavendish.

Déjà nerveux, James Carey devint tout à fait effaré. C'était un petit homme ventru, âgé d'une cinquantaine d'années, aux cheveux blonds marqués de gris.

— Voyons, c'est ridicule... commença-t-il d'une voix blanche.

— Vous savez comment cela se passe, n'est-ce pas ? Les hommes disposés à commettre un meurtre ne sont pas des anges. Tous les soirs on les voit à moitié saouls dans un pub, prêts à gueuler les histoires les plus invraisemblables pour que quelqu'un leur paie un verre. Il s'agit d'avoir un agent sur place pour les écouter.

— Jamais je n'ai approché des révolutionnaires.

— Pourtant, c'est bien votre nom que des hommes répètent.

Le marchand se troublait, cherchait ses mots. Parfois, il tournait la tête afin de surveiller David, assis dans un coin de la pièce. Mallon n'avait pas donné son nom ni expliqué sa présence. Le suspect pouvait soupçonner ce témoin de compter parmi les informateurs du policier.

— ... J'ai des ennemis, vous savez. Dès qu'un Irlandais atteint une certaine prospérité, des jaloux sont prêts à faire circuler les pires bobards.

Mallon esquissa un pâle sourire. Son interlocuteur ne niait même pas qu'une rumeur circulât. Tout au plus cherchait-il à la justifier.

— Racontez-moi tout, murmura-t-il en s'avançant un peu sur sa chaise.

— Je... je n'ai rien à raconter !

— C'est le seul moyen de sauver votre vie. Si votre nom circule, vos amis seront sûrement tentés de vous faire disparaître, pour que vous ne disiez rien à leur sujet.

— Je ne sais rien sur ce meurtre !

James Carey devenait exsangue et David se demanda si celui-ci ne risquait pas de mourir d'une syncope.

— Le pire, si je vous laisse sortir d'ici, c'est que vos complices risquent de penser que vous les avez déjà trahis. Dans ce cas, ils voudront vous éliminer comme ils l'ont fait pour tous les traîtres. Ne préféreriez-vous pas rester en prison, pour votre protection ? Vous pouvez occuper la cellule de Charles Parnell. Nous l'avons placé dans le logement de la matrone de la prison, l'an dernier. Bien nourri, assis dans un excellent fauteuil près d'un feu de cheminée, un livre à la main, son séjour lui a permis de se reposer.

— Je n'ai rien à voir avec cette histoire.

— Bien sûr, si vous acceptez de nous parler, aucune accusation ne sera portée contre vous. Le gouvernement vous assurera une vie confortable dans un pays sûr, bien loin de l'Irlande et de ses révolutionnaires.

— Je veux partir. Tout de suite.

Mallon laissa échapper un long soupir, comme si tant d'imprudence le navrait. Il fit remarquer après un moment, feignant la tristesse :

— Franchement, je voudrais vous aider. Maintenant, votre vie est menacée. Je regrette que vous refusiez de collaborer. Mais je ne vous retiens pas...

De la main, le directeur fit signe à son interlocuteur qu'il pouvait s'en aller. Carey, tremblant, se leva pour regagner la porte. La main sur la poignée, il hésita, se retourna pour regarder Mallon, puis sortit.

David quitta son coin pour venir occuper la chaise abandonnée par le suspect.

— Vous avez vraiment entendu son nom dans les débits de boisson ?

— Oui, le sien et celui de ses complices. Ou alors les gens qui les ont entendus sont venus nous les répéter.

— Comme le cadavre d'hier soir ?

Le policier fit un signe de tête affirmatif.

— Pourquoi ne pas les arrêter tous, alors ? Vous pourriez mettre fin aux règlements de compte.

— Jenkinson me dit exactement la même chose. Mais devant un jury, les indiscrétions de piliers de bar ne tiendraient pas. C'est pour cela que je tiens à recevoir une confession.

— Celle de James Carey. Pourquoi ?

— Un homme relativement prospère, conseiller municipal et marguillier, fréquentant régulièrement l'église, craignant Dieu et aimant son prochain. J'ai pensé qu'il aura plus de mal que ses complices à faire bonne figure quand le bourreau lui passera la corde au cou ou que l'un de ses complices lui plantera une lame entre les côtes. Voilà tout l'art du policier, trouver le maillon le plus faible dans une chaîne de conspirateurs.

Ce suspect ne se distinguait certainement pas par son sang-froid. Son imagination repasserait tous les pires scénarios et la terreur le tenaillerait bien vite.

— Ce que vous venez de lui dire n'avait rien de rassurant. Des révolutionnaires peuvent le faire disparaître pour l'empêcher de révéler des secrets, réels ou imaginaires.

— Et je continuerai de tout tenter pour l'en convaincre. Quand il aura suffisamment mariné, il racontera tout.

Coincés entre le Capitaine Clair-de-lune et le directeur Mallon, les Irlandais n'avaient aucune raison de dormir tranquille.

❦

Dublin, mercredi 17 janvier 1883

David partageait le fiacre de Mallon. Le trajet se déroulait dans un complet silence. Le directeur, déçu de constater que James Carey n'était pas encore venu lui murmurer une confession complète, entendait exercer un peu de pression.

Sur la rue Lower, les deux hommes pénétrèrent dans une masure basse après avoir frappé violemment sur la porte. Devant eux, un homme très grand et très maigre, lugubre, les regardait d'un œil mauvais. Le bain hebdomadaire ne s'imposait que dans les classes moyennes. À l'odeur de celui-là, on devinait que ses ablutions devaient être annuelles, au mieux.

— Monsieur Fitzharris, charretier ? demanda le policier, imitant l'air menaçant de son interlocuteur.

— Qui veut lui parler ?

— Conàn Mallon.

Le nom sonnait comme une calamité. L'autre fit mine de refermer la porte, mais le commissaire ne broncha pas d'un pouce quand l'huis le frappa sur l'épaule.

— J'ai entendu dire que vous en savez beaucoup sur les meurtres de Phoenix Park.

— Si vous n'avez pas de mandat d'arrêt, sortez de chez moi !

Les sociétés révolutionnaires enseignaient quelques notions de droit à leurs membres. Celui-là savait être souverain dans son foyer, comme un roi dans son royaume. Visiblement, Mallon ne paraissait pas disposé à s'en tenir à la lettre de la loi.

— Le meilleur moyen de vous protéger serait de tout me dire. Nous prendrons soin de vous.

— Sale cochon, sort de chez moi.

— Comme vous voulez, monsieur Fitzharris ! Dans ce cas, j'écouterai votre complice, Carey.

Sur ces mots, le directeur de police tourna les talons, suivi de David. Dans le fiacre qui détalait au petit galop dans ces rues où tout le monde regardait les forces de l'ordre avec des yeux chargés de haine, le journaliste murmura, troublé :

— Vous venez de condamner James Carey à mort.

— Je viens seulement de mettre un peu de pression sur lui. Le sergent Collins, votre guide du premier jour, est allé lui offrir la protection de la police. Deux hommes en uniforme passeront la journée devant la porte de son commerce.

— Ce qui est une autre façon de faire de lui une cible de choix pour tous les révolutionnaires de la ville. Il ne survivra pas une semaine.

Une sourde colère montait chez Devlin. Le policier jouait avec la vie de cet homme, qui demeurait un innocent aussi longtemps qu'un tribunal n'en avait pas décidé autrement.

— Je vous souhaite la bienvenue dans notre monde cruel, cher monsieur Devlin. James Carey, selon ce que nous savons, dirige une petite équipe d'assassins qui ont égorgé deux notables, dans un parc, et sans doute aussi bien d'autres personnes. Alors si Thomas Fitzharris, ou un autre de la bande, réussit à l'étriper avant qu'il se mette à table, tant pis. J'ai un autre candidat aux confidences qui ne sait pas encore que j'ai jeté mon dévolu sur lui. Un certain Kavagnah.

L'Irlande jouait le jeu du terrorisme aussi durement que l'Amérique, songea David. Des bombes arrachaient les membres d'innocentes victimes au Royaume-Uni et personne ne faisait dans la dentelle.

☙❧

Dublin, jeudi 18 janvier 1883

Les locaux de la police s'avéraient bien exigus. Cependant, le jeu des portes ouvertes et des portes fermées ne tenait pas qu'au hasard. Quand un James Carey aux abois se présenta le lendemain à la porte des services de sécurité, Mallon le fit attendre pendant deux bonnes heures dans un réduit sans fenêtre du rez-de-chaussée, avec une petite chandelle pour l'éclairer.

Le commerçant avait passé une journée et une nuit épouvantables. À cause des deux policiers debout de part et d'autre de la porte de son commerce, aucun client ne s'était présenté. Cela lui avait laissé tout le loisir de surveiller la rue à la dérobée, derrière une petite fenêtre. Quand Thomas Fitzharris était passé sous ses yeux, juché sur sa charrette, Carey avait supplié les policiers de poster aussi quelqu'un devant la porte arrière de son établissement.

Après une nuit avec ses anges gardiens, n'y tenant plus, il avait demandé au sergent Collins de le conduire au poste de police.

Vers dix heures, le directeur Mallon amena Carey à l'étage, en le tenant amicalement par le bras. Au moment d'arriver sur le palier, il lui glissa d'une voix affable :

— Comme vous le voyez, votre petit complot est éventé. Vos camarades se précipitent pour me parler. Les plus prudents s'en tireront le mieux.

Des yeux, le policier lui désigna une pièce voisine de son bureau où un homme patientait assis sur une chaise.

— Je vous ai fait attendre, car je discutais avec ce type.

Carey reconnut Kavagnah, l'un de ses complices. À compter de ce moment, sa résolution devint irrévocable : n'étant pas le premier à se mettre à table, il se ferait le plus bavard des conspirateurs.

En réalité, Mallon avait demandé que son client demeure seul au rez-de-chaussée, le temps requis pour qu'une équipe de policiers aille cueillir le charretier Kavagnah. Une porte laissée ouverte au moment opportun avait complété la mise en scène.

6

Londres, vendredi 19 janvier 1883

Le parlement de Westminster offrait son allure habituelle de ruche bourdonnante. Quelques centaines de députés, un nombre au moins égal de fonctionnaires et une foule sans cesse renouvelée de visiteurs se trouvaient sur les lieux.

Michael Davitt n'avait pas remis les pieds dans le bureau de Charles Parnell depuis leur petite algarade sur les dangers que sa relation avec Katherine O'Shea faisait peser sur le Parti parlementaire. Seuls de grands événements pouvaient le ramener en ces lieux.

— Vous savez comment ils procèdent, clama le député manchot. Les policiers choisissent quelqu'un et font circuler auprès de nos amis la rumeur qu'il va trahir. À la fin, le type trahit pour ne pas être assassiné.

— Mais vos amis, car ce ne sont certainement pas les miens, n'auraient pas la moindre envie de faire subir un mauvais sort à l'infortuné, si celui-ci n'avait rien à dénoncer. Je suppose donc que la personne dont vous redoutez tant les indiscrétions en a lourd sur la conscience.

— … Vous savez bien que tous les Irlandais finissent par posséder des informations ayant une certaine valeur stratégique.

Parnell posa les coudes sur son bureau, s'avança un peu vers l'avant et soigna particulièrement bien son débit pour être mieux compris :

— Je suis sans doute un peu moins bien informé que vous sur ce qui se passe à Dublin, mais ne présumez pas de mon ignorance. Les policiers s'apprêtent à arrêter les meurtriers de Phoenix Park. S'ils ont un moyen de faire pression sur quelqu'un pour obtenir des informations, je leur donne ma bénédiction. Quand j'ai condamné ce crime en mai dernier, j'étais sincère. Ces gens risquent de faire avorter tous mes efforts des dernières années.

— Tout de même, ce sont nos frères. Peut-être que cette action a été malheureuse, mais elle a amené nos ennemis à constater que nous étions sérieux. Nous ne pouvons abandonner ces hommes à leur sort.

— Alors, je crois qu'il existe un malentendu entre nous. Je vais essayer d'être très clair. Les meurtriers de Cavendish et de Burke ne sont pas mes frères, ce sont mes ennemis. Les victimes de cette triste affaire, de même que Gladstone et ses ministres, pour faire bonne mesure, ne sont pas mes ennemis. Au pire, ce sont des adversaires politiques. Mais dans le cas présent, c'étaient et j'espère que ce sont encore des partisans d'un gouvernement autonome en Irlande.

Davitt se déplaça sur sa chaise et s'assura de bien se faire comprendre lui aussi :

— Aucune personne, parmi celles que vous venez d'évoquer, ne s'est prononcée publiquement en faveur de ce projet.

— Et ce n'est certes pas en égorgeant son neveu que les Irlandais vont faire en sorte que Gladstone se commette dans un futur rapproché !

Une nouvelle fois, Davitt mesurait la distance qui le séparait de Parnell. Lui était prêt à lutter pour sauver la vie des plus féroces partisans de la souveraineté de l'Irlande, si la répression britannique menaçait de s'abattre sur eux. Même ceux dont les mains étaient ensanglantées. Au fond, il doutait que la stratégie mise de l'avant par le Parti parlementaire finisse par porter fruit. Aussi se refusait-il à condamner ceux qui privilégiaient la lutte armée.

Parnell, quant à lui, entendait amener l'Irlande à plus d'autonomie par des voies légales et pacifiques. Sans doute préférerait-il renoncer à ce projet, si le chemin pour y parvenir passait par la mort d'innocents. Aussi élégante et humaniste qu'elle soit, cette stratégie risquait toutefois de demeurer tout à fait insuffisante.

— Nous risquons d'assister à une demi-douzaine de pendaisons, murmura le député. Cela non plus ne nous rapprochera pas de notre objectif.

— Voilà un terrain où nous divergeons encore d'opinion, répondit le chef politique sur le même ton. Une très large majorité d'Irlandais ont été écœurés par cette boucherie. Nos compatriotes aspirent d'abord à la sécurité et à la paix. Quand les condamnations seront prononcées, je vais m'en réjouir publiquement et nos journaux féliciteront les forces de police pour leur beau travail.

Davitt secoua la tête avant de prononcer :

— Ne comptez pas sur moi pour écrire des articles de ce genre. J'envisage plutôt de condamner les méthodes d'enquête.

— Si vous le faites, je vous désavouerai. Je doute que vous puissiez demeurer au sein du Parti après cela. Voyez-vous, je serais prêt à passer moi-même la corde autour du cou de ces meurtriers, pour bien indiquer à tous, en Irlande comme au Royaume-Uni, que leur action barbare me répugne.

— Vous ne pouvez tout de même pas empêcher tous les membres du Parti de penser, d'écrire ou d'agir.

Parnell laissa échapper un soupir avant de répondre :

— Je ne peux empêcher personne de penser. Mais les membres du Parti parlementaire s'engagent à rechercher l'autonomie de l'Irlande par des voix légales, respectueuses et légitimes. Au gré des événements, chacun doit décider pour lui-même si ces règles lui conviennent toujours, et agir en conséquence.

— Sinon, le Parti décidera pour lui, glissa Davitt.

Parnell lui adressa un regard désolé, puis enchaîna :

— Je comprends et j'apprécie à leur juste valeur les relations que vous entretenez avec les éléments les plus... impatients de la population irlandaise. Pour les conserver, peut-être accepterez-vous d'être placé dans une situation d'impuissance momentanée, que personne ne vous reprochera chez vos amis ?

— ... J'ai peur de mal vous suivre. Vous voulez dire que...

— Vous pourriez vous trouver pensionnaire de Notre Gracieuse Majesté pendant quelques mois, depuis les mises en accusation jusqu'à l'exécution des sentences. Selon les informations que je possède, les preuves sont telles que les choses ne traîneront pas.

— J'ai goûté déjà à l'hospitalité de Vicky, dans des conditions plus difficiles que les vôtres. Je ne sais pas si je veux renouer avec cela. Puis, on n'entre pas dans cette maison selon son bon vouloir, pas plus qu'on n'en sort d'ailleurs.

D'un côté, Davitt découvrait, un peu horrifié, l'étendue des compromissions que l'on attendait de lui, de l'autre, il se navrait de son inclination à les accepter.

— Vos discours sur les évictions de paysans et vos articles sur le même sujet ont cent fois donné à Edward Jenkinson un motif de vous arrêter pour incitation à la violence. Quant aux conditions d'existence dans votre logis temporaire, les libéraux comprennent de mieux en mieux qu'ils n'ont rien à gagner en nous rendant la vie insupportable. Bien sûr, je ne peux pas vous promettre que vous logerez dans l'appartement de la matrone d'une prison. Surtout que l'endroit a déjà été promis à quelqu'un !

❧

Dublin, vendredi 19 janvier 1883

À part le fait que les matériaux utilisés à sa construction étaient d'une solidité rare et que la portière située à l'arrière portait de lourds barreaux, le fourgon de police ressemblait fort à une petite voiture de livraison.

David suivait dans un fiacre. Déjà, un long article reprenant les événements du 6 mai dernier, de même que les principales péripéties de l'enquête, avait été envoyé au *Tribune* par télégraphe. Dans une heure, les trente ou quarante dernières lignes suivraient la même voie, à temps pour que le retour du journaliste irlandais dans les pages du grand quotidien new-yorkais soit souligné de belle manière. La moitié de la première page lui appartiendrait, le reste de l'article logerait plus loin dans l'édition du soir du samedi 20 janvier. Après cela, ce serait une pitié s'il n'arrivait pas à placer au moins une demi-page, deux, ou peut-être trois fois par semaine, dans le périodique américain et autant dans la *Gazette*.

Cette fois, le fourgon des policiers s'était arrêté près d'un chantier de construction de la rue George. Les agents, au nombre d'une demi-douzaine, armés de mousquetons avec un journaliste sur les talons, s'approchèrent du contremaître.

— Joe Kelly, demanda le sergent Collins.

L'autre lui désigna du doigt un colosse blond, puis cracha par terre de dépit. Le jet de salive atterrit en partie sur le bout de la chaussure de Collins. Les policiers firent mine de pointer leur arme. Le sergent essuya son godillot sur la jambe du pantalon du contremaître en le fixant droit dans les yeux.

Un moment plus tard, le petit peloton entourait Joseph Kelly, un tailleur de pierres. Cet homme faisant plus de six pieds, avait des épaules si larges que n'importe quelle chemise semblait trop étroite pour son corps. Son visage rose, souriant et imberbe, sous une tignasse blonde emmêlée, lui donnait l'air d'un chérubin. Au fond, il offrait l'allure d'un enfant doté d'une stature de géant, heureux, inoffensif.

Cette dernière impression disparaissait cependant quand on regardait ses énormes mains, rugueuses d'avoir manipulé tant de pierres, et d'une force telle qu'un simple geste lui aurait permis de rompre le cou d'un homme.

— Joseph Kelly? demanda Collins pour la forme.

— Oui, c'est moi.

— Vous êtes en état d'arrestation. Suivez-nous.

— ... Mais mon travail n'est pas terminé.

Le corps d'un homme démesuré, l'esprit d'un enfant pas trop vif, se dit le journaliste. Alors que les autres tenaient leurs armes à moitié levées, deux policiers s'accrochèrent aux bras de Kelly pour lui passer des menottes. Le tailleur de pierres grimaça quand les bracelets d'acier mordirent un peu dans la chair, car ils n'avaient pas été conçus pour des poignets de cette taille.

Kelly gardait son sourire niais, s'abandonnant à ces hommes. Les policiers commençaient à s'inquiéter de la menace que représentaient les autres travailleurs. Chacun tenait un marteau ou un ciseau d'acier. Au fond, la docilité du prisonnier les sauva, car s'il avait fait mine de se révolter, les autres se seraient joints à la mêlée.

Ce fut sans coup férir que le petit peloton rejoignit le fourgon cellulaire et y fit pénétrer sa dernière prise. Six hommes prenaient ainsi le chemin de la prison de Kilmainham, située à l'ouest de Dublin, au sud de la rivière Liffey. L'éloignement des quartiers populaires, tout comme la proximité d'une importante garnison de soldats britanniques, participerait à la paix d'esprit des autorités.

꒰❀꒱

Glasgow, vendredi 19 janvier 1883

À la fin du XIXe siècle, les pauvres vivaient dans l'obscurité, ou alors se contentaient d'un bout de chandelle. Chez les gens juste un peu mieux nantis, les lampes à pétrole permettaient de voir suffisamment bien pour lire ou jouer aux cartes. Les très riches et très excentriques s'aventuraient du côté des ampoules électriques mises au point par Thomas Edison. Le parlement de Westminster était peut-être le seul édifice public à profiter déjà de ce mode d'éclairage.

Au sein des classes moyennes des villes, la lumière au gaz était la norme. Pour cela, des usines transformaient le charbon en gaz d'éclairage, que des réseaux de tuyaux de cuivre acheminaient dans les demeures des consommateurs. Bien sûr, quand un incendie se déclarait dans une entreprise de ce genre, la conflagration menaçait de prendre des dimensions effroyables.

— Tu crois que cela sera suffisant ? murmura l'un des deux hommes venus de Cork afin de donner un coup de main.

— Cinq livres de dynamite devraient percer ce mur, répondit Peter Quingley sur le même ton.

La nuit obscure empêchait les trois hommes de bien voir ce qu'ils faisaient. Un faux mouvement pouvait les déchiqueter. L'un des Irlandais avait apporté la dynamite dans un petit sac semblable à ceux qu'utilisent les médecins pour leurs visites à domicile. L'autre était arrivé avec le mécanisme de mise à feu. La possession de l'un ou l'autre de ces produits pouvait leur valoir des années de prison, en vertu d'une loi adoptée plus tôt, au moment des premiers attentats terroristes.

Quingley avait préféré assembler sur place la machine infernale, alors que ses compagnons regardaient tout autour, la main serrée sur la crosse de leur revolver, pour parer aux mauvaises surprises. Sans aucune lumière, ce n'était pas une mince affaire. Le mécanisme de mise à feu se composait d'un gros réveil américain, des appareils qui portaient deux cloches sur le dessus. Un ressort circulaire provoquait la sonnerie, amenant la clé pour le remonter à tourner sur elle-même. Un fil d'acier y était fixé de façon à s'enrouler sur l'axe de la clé. L'autre extrémité du fil se trouvait accrochée à la détente d'un petit pistolet.

— Comment cela doit-il fonctionner? demanda à nouveau l'un de ses complices.

Le moment et le lieu paraissaient bien mal choisis pour reprendre encore une fois cette explication, mais Quingley consentit à préciser d'une voix impatiente:

— À dix heures, quand la sonnerie retentira, le fil de fer actionnera la détente de l'arme. L'impact de la balle va déclencher l'explosion de la dynamite.

Contrairement à la poudre noire, la dynamite n'explosait pas au contact d'une flamme. Puis, même si elle se composait de nitroglycérine mélangée à de la terre glaise, un petit choc ne suffisait pas à déclencher la déflagration. Un grand coup de marteau ou le tir d'une balle avec un petit pistolet était nécessaire. Bien sûr, le réveil et l'arme se trouvaient fixés solidement à une planchette, pour qu'ils restent bien en place, de façon à ce que l'impact se fasse au bon endroit.

Quand, à dix heures du soir, les cinq livres d'explosif percèrent le mur de l'usine de gaz de la rue Lylibank, le trio se trouvait près du mur du dépôt de charbon de la gare de la rue Buchanan. La seconde explosion, cette fois celle d'une bombe incendiaire composée de dynamite, de sucre et d'engrais chimique, retentit un peu après onze heures. À ce moment-là, tous les pompiers se trouvaient occupés à combattre la première conflagration. L'objectif était de causer le plus de dommages possible.

✿✿✿

Londres, vendredi 19 janvier 1883

Encore une fois, Charles Parnell était venu avec Katherine O'Shea jusqu'à la majestueuse maison de Belgravia Square. L'homme se tassa dans un coin de la voiture et la laissa descendre seule. Moins d'un mois après sa première visite, la jeune femme se trouva à nouveau dans le petit salon luxueux du premier ministre Gladstone. Après les salutations d'usage et les informations données et reçues sur la santé de chacun, elle commença :

— Ma démarche vous surprendra peut-être. Pourriez-vous faire arrêter Michael Davitt, pour incitation à la violence ?

— Compte tenu des rapports de police que je reçois, je le peux certainement... Dois-je comprendre qu'une scission menace le Parti parlementaire ?

— Au contraire, ma démarche vise à éviter que cela se produise.

Le vieux politicien, songeur, passa sa main droite sur sa joue, là où la peau laissait voir une petite décoloration. À la fin il confessa :

— J'ai peur de ne pas bien saisir la logique de notre ami Parnell. Pouvez-vous m'expliquer ?

— Avec les arrestations qui ont eu lieu ce matin à Dublin, nous allons tout droit vers plusieurs peines capitales. Michael Davitt permet au Parti parlementaire de rester en contact avec les éléments les plus radicaux de la population irlandaise. Je ne parle pas ici des terroristes, bien sûr. Disons les plus excitables.

— Je comprends. Continuez, je vous prie.

Comme chez les libéraux, le Parti parlementaire était une fédération de groupements mal définis, dont il convenait de garder ensemble les éléments. La jeune femme prit le temps d'avaler une gorgée de sherry. Cette fois, la conversation prenait une allure moins guindée que lors de leur première rencontre.

— Michael Davitt ne pourra s'empêcher de monter sur une tribune pour condamner l'oppression anglaise en Irlande. Personne, chez ses alliés, ne comprendrait qu'il ne le fasse pas.

— Ce que vous me dites est conforme au personnage. D'un autre côté, aucun Irlandais ne se surprendra de voir Parnell condamner les assassins à toutes les occasions.

— Dans ces conditions, nous avons pensé que le mieux serait de placer Davitt dans une situation où il ne pourra ni écrire ni discourir, jusqu'à ce que la poussière soit retombée.

— Vous voulez dire après les exécutions.

Le vieux politicien adressa un sourire entendu à la jeune femme avant de remarquer :

— Ce sort fera grandir encore un peu l'auréole de martyr de Michael Davitt. Monsieur Parnell ne craint-il pas d'être un jour dépassé par cet énergumène qui prend des allures de martyr ?

— Au contraire : il représentera plus encore la voix de la raison, surtout qu'au passage, il accusera tout de même les services de police de brimer le droit de parole de son fidèle lieutenant.

— Mais sans jamais aller jusqu'à accuser le premier ministre de rompre avec les principes sacrés du Parti libéral.

— Cela va sans dire. Tout au plus parlera-t-il de fonctionnaires trop zélés.

Gladstone se répéta que cette jolie dame ferait un politicien redoutable. Quelques minutes plus tard, elle prenait congé de son hôte.

❦❦❦

Glasgow, samedi 20 janvier 1883

Tous les pompiers et tous les policiers de la ville se trouvaient mobilisés par les deux incendies gigantesques provoqués par les explosions. Des soldats continuaient cependant de patrouiller le long des chemins de fer et des canaux, afin d'éviter qu'une attaque ne paralyse les moyens de communication.

À une heure du matin, un jeune militaire interrompit sa marche le long du canal, le temps de chercher au-dessus des toits des entrepôts à moitié couverts par la mousse les lueurs des incendies. Un moment plus tard, il reprenait sa ronde pour s'arrêter près du pont Fossil. Au milieu de celui-ci, il aperçut une boîte de bois qui ne s'y trouvait pas une heure plus tôt.

Même si cela ne servait à rien — l'immerger ne la neutraliserait pas —, le jeune soldat se précipita sur la boîte et la souleva pour la jeter dans le canal. Le mouvement brusque eut pour effet de déplacer le mécanisme de mise à feu et le coup de revolver retentit, un son masqué un millième de seconde plus tard par une déflagration plus forte.

Peut-être parce que la réserve de dynamite des militants de Cork avait séjourné pendant deux ans dans une cave, à demi enfouie dans la terre humide, seule une petite partie de la charge explosa, atomisant la moitié de la boîte.

Hébété, le visage lacéré par des éclats de bois, mais les yeux miraculeusement intacts, le jeune homme regardait son poignet droit, réduit à l'état de pulpe sanglante. Sa main avait disparu. Après un moment, son cri retentit dans la nuit.

❦❦❦

Birkenhead, dimanche 21 janvier 1883

— Vous ne deviez pas faire de victime, rappela Edward Jenkinson.

Encore une fois, le responsable des services de sécurité d'Irlande avait fait tout le trajet de Dublin à Birkenhead, la ville voisine de Liverpool, pour rencontrer James McDermott, alias Peter Quingley, dans le même hôtel que lors de leur première rencontre. Dans une chambre misérable, ils paraissaient rejouer la scène, le fonctionnaire sur la chaise, le terroriste affalé sur le lit.

— Un simple accident... Comment pouvais-je deviner que ces idiots mettraient la bombe sur le pont, et non pas en dessous comme je le leur avais dit? Elle n'a fait aucun dégât.

— Des cibles symboliques, cela peut aller, mais un estropié...

— Écoutez, n'importe laquelle des trois bombes aurait pu tuer des passants. Nous ne pouvons pas les poser, pour ensuite diriger les gens afin de les éloigner de la dynamite. Ce type a été malchanceux, c'est tout.

Jenkinson poussa un soupir, forcé d'admettre que le terrorisme était un sport dangereux où personne ne pouvait contrôler totalement les événements.

— Que ferez-vous maintenant?

— Mes hommes sont allés se mettre au vert après leurs grands exploits. Je vais devoir former une nouvelle équipe avant de passer à une autre étape.

— Ces gens de Cork laissent-ils des traces derrière eux? Assez pour que des policiers puissent accumuler des preuves?

— Ils abandonnent des emplois pendant quelques jours, louent des chambres dans une ville inconnue... Personne ne peut se déplacer sans jamais être remarqué.

Jenkinson se leva de son siège et tendit la main vers la poignée de la porte. Avant de sortir, il se retourna pour murmurer:

— Soyez prudent.

❧❧❧

Glasgow, le même jour

Pendant une bonne heure, David se promena autour de l'usine de la rue Lylibank, ou plutôt autour des quelques pans de murs noircis qui subsistaient encore. Le trajet depuis Dublin lui avait pris toute la journée de la veille et une partie de la nuit. Son premier contact avec la ville écossaise lui avait permis de voir les dégâts provoqués par la seconde bombe, puisqu'il était descendu à la gare de la rue Buchanan. L'entrepôt de charbon brûlait encore, des pâtés de maisons entiers s'étaient envolés en fumée, jetant à la rue des dizaines de familles. Ironie du destin, la plupart d'entre elles venaient d'Irlande.

Mais autour de l'usine de gaz, les dommages paraissaient encore pires. L'abondance du combustible avait permis aux flammes de s'étendre sur une grande surface. Cela tenait du miracle si personne n'avait été tué ! Même le soldat qui avait découvert le troisième engin explosif vivait encore. À la fin de l'après-midi, le journaliste le retrouvait à l'hôpital militaire de la ville.

— C'était certainement votre journée chanceuse, remarqua David.

Contre un shilling donné au planton de service à l'entrée et un autre au soldat blessé, il avait pu se rendre jusqu'à la couchette de ce dernier, pour l'interroger. L'homme se trouvait dans une longue salle commune, mais les lits voisins étaient vides.

— Chanceux ? protesta le militaire en plaçant son moignon dissimulé par des couches superposées de bandage sous le nez de son visiteur. Voulez-vous changer de main droite avec moi ?

— Je voulais dire que si tout l'explosif présent dans la boîte avait sauté, quelqu'un aurait retrouvé votre tête en Laponie.

Le blessé grommela un moment dans sa moustache blonde, David comprit quelque chose à propos des «enculés d'Irlandais».

— Maintenant, l'armée va s'occuper de vous? questionna-t-il.

— Quand les journaux n'en parleront plus, je me retrouverai sans doute à vendre des lacets à la gare ou à la sortie des pubs.

Une foule de miséreux, souvent des anciens militaires plus ou moins estropiés, vendaient de menus objets dans les rues: des lacets, des aiguilles ou des boutons. En réalité, la transaction ne servait qu'à dissimuler l'appel à la charité publique.

— Le mieux serait de les aligner contre un mur et de les fusiller tous!

— Pardon?

— Les Irlandais! On n'aura jamais la paix avec eux. Autant s'en débarrasser définitivement.

Ce sentiment devait être très répandu chez tous les bons Écossais qui avaient vu leur logis, ou leur emploi, partir en fumée, tout comme chez ceux qui s'étaient trouvés mobilisés pour combattre les flammes.

— Vous ne croyez pas que c'est un peu expéditif, les fusiller tous? Ils ne posent pas tous des bombes, murmura David.

— Ils sont tous complices... Du moins, qu'ils foutent le camp de mon pays.

— Mais vous savez qu'ils réclament la même chose?

Le jeune soldat lui jeta un regard intrigué. Le journaliste se résolut à expliquer:

— Les Irlandais veulent que tous les Anglais et les Écossais quittent leur pays. Vous savez, ils ne vous ont jamais invités à aller chez eux.

David, plus pauvre de deux oboles, préféra quitter les lieux. Son petit article sur la seule victime de la nuit infernale ne présenterait aucun intérêt. Au fond, Jeremiah O'Donovan

Rossa atteignait son objectif: susciter une haine si intense entre les populations qu'aucun retour en arrière ne serait plus possible.

❧❧❧

Dublin, lundi 22 janvier 1883

Les expéditions à Birkenhead avaient le tort de lui coûter des heures de déplacement, pendant lesquelles le travail s'accumulait. De retour dans la matinée, Edward Jenkinson passa beaucoup de temps à écouter son assistant Samuel Anderson faire le point sur tous les dossiers. Les arrestations de la semaine précédente faisaient monter la fièvre dans la ville et quelqu'un risquait de tenter une action d'éclat.

— Vous croyez que les explosions à Glasgow sont liées à ces arrestations? Une façon pour les révolutionnaires de se venger de nous? demanda le jeune fonctionnaire.

— … Je ne sais pas, peut-être. Désolé, mais je dois regarder ces dossiers.

Son supérieur avait pris une liasse de documents sur le bureau, Anderson s'esquiva. À l'heure du lunch, il aurait tout juste le temps de se rendre au service du télégraphe afin d'envoyer un message codé à son frère, au ministère de l'Intérieur.

En soirée, après des heures exténuantes, Jenkinson, vêtu d'un peignoir de soie, buvait un whisky à petites gorgées, Le gouverneur John Poyntz, comte de Spencer, dans la même tenue, se trouvait affalé à l'autre bout du sofa. Une jambe repliée jusqu'à son menton, l'autre allongée, le pied sur le sol, sa posture révélait un sexe flasque perdu au milieu d'une toison du plus beau roux.

— Tu penses qu'en nous débarrassant des tueurs qui habitent ce pays, nous nous approchons d'un gouvernement autonome en Irlande? demanda le gouverneur.

— Nous pouvons l'espérer. C'est notre seul espoir de ramener un peu de paix ici.

— Je ne pensais pas que notre bouledogue de policier réussirait à leur mettre le grappin dessus.

— Moi non plus. Quand un directeur de police n'a, pour toute stratégie d'enquête, que d'écouter les ragots de tous les débits de boisson, difficile de faire preuve d'optimisme.

Le gouverneur allongea la jambe afin de caresser du pied la cuisse de son secrétaire. Sa femme avait eu la délicieuse idée de se rendre à Londres afin de profiter un peu des bals et des pièces de théâtre. Après quelques mois à Dublin, elle ressentait le besoin de changer d'air. Depuis que le damné Alfred Nobel avait donné au monde sa merveilleuse invention une dizaine d'années plus tôt, aucun personnage officiel n'oubliait totalement qu'un bâton de dynamite pouvait à tout moment exploser sous sa voiture.

— Ce foutu pays n'acceptera jamais la domination anglaise, reprit le gouverneur après une longue pause.

Après quelques verres, Spencer devenait redoutablement lucide et franc. Il continua :

— La seule chose que nous pouvons décider, c'est la façon de partir. Ce sera dans un bain de sang, ou en douceur, en quelques décennies. Un gouvernement local d'abord... et après un certain temps nous leur foutons la paix.

— Malheureusement, au moment où nos compatriotes rêvent d'apporter la civilisation à leurs semblables en Afrique et en Asie, ils ne peuvent tolérer qu'une bande de papistes ignorants ne les accueillent pas à bras ouverts.

— Maudit Empire ! Ce que tu fais ici doit ressembler à ce que tu as connu aux Indes ?

— Exactement la même chose : des sociétés secrètes qui tuent des gens et rêvent de voir partir les Britanniques. Sauf que là-bas, ils préféraient les couteaux. Ici, c'est la dynamite. Puis leurs déesses avaient parfois plusieurs bras...

Jenkinson avait passé des années dans la moiteur humide du continent indien, à tenter de convaincre des millions de personnes de se réjouir de la venue des occupants. Dublin représentait une promotion pour lui. Surtout, il se rapprochait de la maison, Londres.

❧❧❧

Dublin, samedi 3 février 1883

Le palais de justice de Kilmainham se trouvait près de la prison du même nom. Tout naturellement, les autorités avaient décidé d'y tenir le procès afin d'éviter de transporter les accusés à travers Dublin. Un cordon de militaires entourait le vaste édifice de pierre grise. À plusieurs reprises avant d'arriver dans le prétoire, David dut décliner son identité et montrer le laissez-passer consenti par Edward Jenkinson.

En réalité, devait convenir le journaliste, en se trouvant dans une salle bondée, ses accointances avec les services secrets servaient puissamment sa réputation auprès du *Tribune*. Aucun collègue américain n'arrivait à obtenir un pareil accès aux prisonniers ou aux enquêteurs. Seuls les gratte-papiers du *Times* de Londres, un périodique conservateur qui prétendait être la publication officielle du gouvernement britannique, même quand les libéraux se trouvaient au pouvoir, rivalisaient avec lui.

L'affluence au palais de justice tenait à la présence dans ces lieux des accusés des meurtres de Phoenix Park. Ils devaient subir leur enquête préliminaire. Cette étape des procédures permettrait d'établir si les preuves disponibles semblaient suffisantes pour conduire les suspects à leur procès.

Après une longue attente, le juge fit son entrée, coiffé de sa perruque et vêtu de la robe caractéristique de ses fonctions. Quand il se fut assis sur son siège, un greffier nomma les sept accusés des meurtres de Cavendish et Burke. James Carey ne figurait pas parmi eux, bien qu'il fût là, chargé de chaînes. Si ce dernier, marchand et propriétaire, jouissait d'une prospérité relative, ses complices étaient des travailleurs manuels:

un tailleur de pierres, un maçon, un cordonnier, un charretier, un charpentier, un cocher et un fabricant de voitures. Après avoir passé plusieurs jours en prison, sales, hirsutes et vêtus d'uniformes gris frappés d'une ridicule flèche dans le dos, les accusés ne payaient pas de mine. Tout participait à leur donner un air sinistre.

— Votre Honneur, j'aimerais appeler James Carey à la barre, commença le procureur.

L'existence d'un témoin « repenti », complice du meurtre, permettait de couper court à toutes les présentations des preuves circonstancielles. Aucune de celles-ci ne pesait bien lourd à côté de quelqu'un qui affirmait : « J'étais là, j'ai tout vu. »

Le marchand se leva et se dirigea vers le banc des témoins dans un bruit de chaînes. Comme pour tous les autres, on lui avait entravé les jambes et les mains. Quand l'homme eut prêté serment sur la Bible, le procureur demanda :

— Vous avez participé aux meurtres de Phoenix Park.

— … Oui.

Un murmure parcourut l'assistance, même si tous les spectateurs savaient à quoi s'attendre. Le témoin présentait un air effaré, sa voix était à peine audible ; et ses complices lui adressaient des regards assassins en grommelant des menaces.

— Parlez plus fort, ordonna le juge. Chacun doit vous entendre.

Le procureur répéta sa question, l'autre répondit avec plus d'assurance :

— Oui. Je dirigeais l'attaque.

— Comment les choses se sont-elles passées ?

— Nous savions que Burke devait se rendre chez le gouverneur. Je me tenais à l'entrée du parc, les hommes se trouvaient dans deux fiacres qui attendaient dans la rue. Fitzharris conduisait l'un, Kavagnah, l'autre. Dès que je l'ai vu, j'ai fait signe aux autres d'aller se poster à l'endroit convenu.

L'hypothèse de Conàn Mallon se vérifiait, songea David. Les nombreuses décisions de Burke, le chef de l'exécutif, pour appliquer les lois coercitives lui avaient mérité des haines mortelles.

— Quel était cet endroit? enchaînait le procureur.

— Comme il se rendait à la résidence vice-royale, nous savions quel chemin il prendrait. Nous avons repéré un espace avec des arbres susceptibles de nous dissimuler.

— Vous visiez seulement Burke?

— Bien sûr, personne ne connaissait Cavendish, nous n'avions aucune raison de lui en vouloir.

«Ce qui ne lui a pas sauvé la vie», pensa le journaliste.

— Alors, que s'est-il passé?

— Je marchais derrière Burke, à peu de distance. J'ai fait signe aux hommes de lui régler son compte. Joe Kelly s'est précipité sur lui pour le poignarder. Il criait comme un désespéré. Cavendish est apparu soudainement et s'est précipité au secours de la victime.

David jeta un œil du côté du tailleur de pierres. Le géant blond paraissait absent, comme s'il n'avait rien à voir avec les événements qui se déroulaient dans le tribunal. Comment croire que ce chérubin étripait quelqu'un sur un claquement de doigts?

Cavendish méritait l'auréole de héros. Entendre des cris, se précipiter à la défense de la victime d'une demi-douzaine d'assaillants, c'était aussi admirable que stupide. En prenant ses jambes à son cou, cet homme se serait rendu jusqu'à la résidence vice-royale, sans doute.

— Kelly l'a tué aussi?

— … Non, Caffrey lui a porté le premier coup.

— Seulement deux hommes ont participé à l'attaque?

— Tout le monde a donné des coups de couteau… sauf moi.

Un murmure chargé de scepticisme parcourut l'assistance. Si cela était vrai, la responsabilité du témoin ne s'en trouvait pas réduite pour autant: il avait donné l'ordre de passer à l'action. Le procureur n'allait pas le laisser l'oublier:

— Vous étiez leur chef, vous donniez les ordres?

— ... Oui.

La rage et la terreur se dessinaient sur le visage des accusés, sauf sur celui de Kelly, perdu dans la contemplation des boiseries de chêne. Le commandant du petit peloton d'assassins les impliquait tous dans le meurtre. Les autopsies avaient révélé un grand nombre de blessures. Que les premiers coups aient été mortels ou non, chacun avait tenu à participer.

Une hypothèse plus lugubre circulait depuis des mois. Les assaillants auraient utilisé des instruments chirurgicaux, aux lames courtes et très tranchantes, pour infliger le maximum de souffrances, sans chercher à atteindre les organes vitaux. Finalement, les gorges tranchées faisaient office de coup de grâce.

James Carey fut invité à regagner sa place. Kavagnah lui succéda à la barre, pour répéter avec très peu de variantes le premier récit.

Sans surprise, les avocats de la défense ne trouvèrent rien à dire, les sept hommes furent envoyés à leur procès.

Dublin, mercredi 7 février 1883

Un mur de pierre haut de douze pieds entourait la prison de Kilmainham. À des intervalles réguliers se dressaient des postes de garde. Les révolutionnaires irlandais avaient déjà fait exploser des pans de mur afin de libérer les leurs d'une geôle anglaise. Seule une surveillance attentive permettait d'être sûr que cela ne se produirait pas une nouvelle fois.

La prison elle-même, immense et aussi construite de pierre, pouvait accueillir des centaines de détenus dans des cellules exiguës, fermées de lourdes portes de fer. Sept assassins attendaient là la suite des procédures.

Comme on le lui avait promis, James Carey avait toutefois obtenu un traitement de faveur. Une section de la prison recevait des prisonnières et la morale exigeait que des femmes s'occupent d'elles. Tout comme le gouverneur de la prison, la responsable des matrones avait son logement sur les lieux. Elle avait dû laisser celui-ci à Charles Parnell pendant quelques mois l'année précédente. Cette fois, ce remarquable privilège revenait à un traître.

David constata que les dessins représentant les lieux, publiés dans les journaux, s'avéraient réalistes. Une petite chambre abritait un lit et une commode. Une pièce plus grande servait à la fois de salle à manger et de séjour. Une table et quelques chaises occupaient une extrémité de la salle, des fauteuils voisinaient une cheminée à l'autre bout. Un feu de charbon répandait une confortable chaleur et faisait disparaître l'humidité.

— Quelles promesses les autorités policières vous ont-elles faites pour vous convaincre de parler ?

Le journaliste se tenait dans un grand fauteuil, un carnet à la main. Carey en occupait un autre, une tasse de thé sur un petit guéridon placé tout près. Au fond, sa vie se révélait aussi confortable que celle dont il bénéficiait autrefois dans le petit appartement situé à l'étage de son commerce.

— … La vie sauve, admit-il.

— Avec un revenu régulier et une résidence dans un pays lointain, et cela pour le reste de votre existence ?

— Je ne peux plus vivre ici. Tout ce que j'ai, le commerce, les logis à louer, tout cela est perdu, plaida le petit homme.

Surtout, ce témoin ne survivrait jamais plus de vingt-quatre heures en Irlande. Si la plupart des habitants du pays condamnaient les meurtres de Phoenix Park, un traître leur paraissait mille fois plus répugnant qu'un assassin.

— Où irez-vous ?

— C'est un secret.

Depuis son retour à Dublin, David mesurait combien son statut mettait tout le monde mal à l'aise. Journaliste du *Tribune*, parlant anglais avec l'accent de New York et le gaélique comme s'il n'avait jamais quitté cette île, toujours sur les talons des policiers, mais disant appartenir au Clan-na-Gaël, tout cela faisait que chacun se méfiait de lui. Même un traître ne lui révélerait pas ses secrets, de peur d'être trahi.

— Vous dirigiez vraiment ce petit groupe d'assassins ?

— Oui, mais seulement pour accomplir une mission précise.

— Que voulez-vous dire ?

— Je n'ai pas décidé de tuer Burke. Le Numéro Un me l'a ordonné. Mais j'ai préparé le coup, cherché les exécuteurs.

Depuis le deuxième jour des procédures, tout le monde s'interrogeait sur l'identité de ce donneur d'ordre, ce Numéro Un dont Carey affirmait ne pas connaître l'identité réelle. D'un côté, commettre un meurtre à la demande d'un parfait inconnu paraissait saugrenu. De l'autre, l'organisation révolutionnaire adoptait une structure décentralisée, avec des cellules étanches et des « spécialistes » qui ne posaient pas de question au moment d'effectuer les tâches les plus horribles. Si les policiers investissaient l'une d'elles, les autres s'en tiraient.

Tout de même, David se demanda un moment si ce traître exemplaire, prêt à donner tous les détails, à s'incriminer lui-même, entendait malgré tout sauver son chef.

— Mais vous lui avez parlé ?

— …Oui, quelquefois.

— D'où venait-il ?… Devant le silence de son interlocuteur, le journaliste demanda : Avait-il des vêtements, un accent américains ?

— Non. C'était un Irlandais, peut-être de Cork.

La ville de Jeremiah O'Donovan Rossa. « Curieux, ce nom me vient spontanément à l'esprit », songea le journaliste. Il continua :

— Pourquoi avez-vous accepté de commettre de pareilles actions ?

— … Pour la liberté de l'Irlande.

— Alors, expliquez-moi comment taillader deux hommes à mort a pu rapprocher le pays de son indépendance.

— Plus aucun Irlandais catholique n'acceptera d'appliquer des lois injustes.

— En conséquence, vous avez voulu infliger une mort horrible à Burke, le saigner comme un cochon, afin d'avoir un plus grand effet. Un coup de feu aurait été trop charitable.

Carey se perdit un moment dans la contemplation des braises rougeoyantes du foyer.

— Et maintenant, pourquoi décidez-vous de tout confesser ?

— … Vous vous moquez de moi ?

— Je veux dire à part le désir de sauver votre misérable peau de la corde du bourreau.

— C'était mal. Je veux me rapprocher de Dieu, assurer mon salut.

Même au moment où cet homme fomentait des meurtres, il fréquentait l'église avec régularité et affichait sa piété. À cette époque, sa foi semblait très bien s'accommoder de sa vie révolutionnaire. Son chemin de Damas s'appelait Conàn Mallon.

— À part Burke et Cavendish, qui avez-vous assassiné ? demanda le journaliste en se penchant un peu vers l'avant.

— … Personne, absolument personne.

— Soyez sérieux, les cadavres pleuvent en Irlande. Le Capitaine Clair-de-lune se manifeste tous les jours. Vos commanditaires n'ont pas formé une équipe de tueurs pour une seule mission.

— Personne d'autre, je vous l'assure.

Prétendre obtenir une information nouvelle, alors que le directeur de police passait ses journées sur le dos de cet homme avec une ténacité de bouledogue, était apparu présomptueux à David, qui ferma son carnet et le rangea dans la poche intérieure de sa veste. Au moment où il se levait pour quitter les lieux, Carey demanda, soucieux :

— Demandez au gouverneur de la prison de me permettre d'aller à la chapelle. C'est le mercredi des Cendres.

Décidément, cet homme entendait renouer avec son Dieu.

7

De Liverpool à Londres,
samedi 10 février 1883

Le mois de célibat de David Langevin se termina sur les quais de Liverpool trois jours plus tard. Une longue étreinte marqua les retrouvailles des époux, alors que l'ex-consul Archibald se tenait un peu à l'écart, près des malles.

— Tout est réglé là-bas? demanda-t-il en s'éloignant un peu de sa compagne.

— Oui, la maison est louée à un député conservateur de la région de Québec. Il a pris notre cuisinière à son service.

— Et la femme de chambre?

— Comme convenu, je lui ai offert de m'accompagner à Londres. Elle a levé les yeux vers le ciel et a failli s'évanouir. Elle doit maintenant se trouver chez ses parents et attendre de rencontrer un bon parti. Je lui ai remis un cadeau de « mariage » en la quittant.

Si les domestiques sacrifiaient leur vie pour un salaire de misère, en revanche celles et ceux qui tombaient sur des employeurs respectables pouvaient compter sur un paternalisme de bon aloi. Édith avait dû s'occuper non seulement de louer leur domicile, mais aussi d'assurer le futur des employés de la maisonnée.

— Sir Mortimer, fit enfin le journaliste à l'intention de son beau-père, la retraite semble bien vous aller. Vous paraissez un bon... quelques mois plus jeune que lorsque je vous ai quitté à New York.

165

— La traversée de l'Atlantique Nord en plein hiver n'a rien pour rajeunir un voyageur, maugréa le vieil homme.

— Je suis bien d'accord avec vous. Quand je suis descendu ici, le mois dernier, je faisais dix ans de plus que mon âge.

En réalité, seul le chemin de fer convenait à David. Les chevaux lui paraissaient être des animaux imprévisibles, et les navires affichaient une fâcheuse tendance à se secouer dans tous les sens, puis à sombrer au moment le plus inattendu.

— J'ai fait les réservations. Hâtons-nous, le train doit partir très bientôt.

Le journaliste fit signe à un porteur muni d'un chariot de s'occuper des malles, puis lui donna le numéro du quai d'embarquement et celui du wagon de première classe où ils monteraient. La gare était située à proximité du débarcadère de la compagnie Cunard. La majorité des passagers des transatlantiques devaient prendre le train pour rejoindre leur destination finale.

Plusieurs minutes plus tard, le trio s'installait dans un compartiment confortable. La dernière place resta vide. Une fois la porte fermée, ils purent converser dans la plus parfaite intimité.

— Remarquables vos articles dans le *Tribune*, dit le consul Archibald. Le rédacteur en chef m'a exprimé sa grande satisfaction. Encore quelques bons coups comme celui-là et vous pourrez prétendre au statut de correspondant au Royaume-Uni.

— Ce serait certainement plus avantageux que d'être payé à la ligne. Sauf que je n'aurai pas toujours une aussi belle histoire que celle de l'arrestation des Invincibles à me mettre sous la dent.

— Il se passe toujours quelque chose dans la capitale de l'Empire !

Après un coup de sifflet, le train s'était mis en branle. Des deux côtés de la voie ferrée s'élevaient des entrepôts ou des manufactures aux murs de briques noircis par la fumée grasse du charbon. Le charme de l'Angleterre ne serait perceptible que dans la campagne : les villes vivaient sous une pellicule tenace de crasse sombre.

— L'excitation doit être à son comble à Dublin, commenta Édith.

Elle avait pris place sur le siège voisin de celui de son mari, son corps lové contre le sien.

— Comme le crime n'a pas obtenu la sympathie des Irlandais, la colère engendrée par les arrestations n'est pas si grande. En réalité, celle-ci est destinée au traître plutôt qu'aux autorités policières.

— Et cet homme, Carey, témoigne pour la couronne ? intervint Archibald.

Embarqués sur le bateau le premier février, le père et la fille n'avaient pas lu les derniers articles de David sur l'enquête préliminaire. Ils ne savaient rien des derniers développements.

— Oh ! Il confesse sans retenue tous les détails du meurtre de Phoenix Park. Mais il ne dit pas un mot sur ceux qui ont ordonné son exécution.

En quelques minutes, le journaliste leur raconta sa visite à la prison de Kilmainham : la réticence de Carey à donner des informations sur le Numéro Un ou à évoquer les autres crimes commis par ses hommes.

— Sans doute craint-il de devoir répondre à d'autres accusations, commenta le consul à la retraite. Son entente avec les policiers ne doit concerner que les événements de Phoenix Park.

— Tu penses qu'il y en a d'autres ? demanda Édith.

— Les exécuteurs de Cavendish et de Burke n'en étaient pas à leur coup d'essai, commenta David. Je présume qu'ils ont eu l'occasion de se faire la main avec des victimes d'un rang social plus modeste avant mai dernier.

— Il y a quelques mois, j'ai signalé l'existence d'un groupe d'assassins au ministère des Affaires étrangères, rappela Archibald.

Le vieil homme secoua la tête à ce souvenir. Son rapport ne semblait pas avoir été reçu avec grand sérieux.

— D'où venait votre information sur cette confrérie d'assassins ? demanda David.

— Je ne sais pas si je dois… commença le vieil homme.

Que l'un de ses agents soit devenu son gendre ne facilitait pas la vie du retraité. Son devoir était de taire ses sources d'information, surtout devant un employé subalterne. Mais comment risquer de se mettre à dos la seule famille qui lui restait ?

— Un homme qui fréquente le *J. P. Ryan Saloon*.

— Le lieu de travail habituel de Jeremiah O'Donovan Rossa. Vous me dites le nom de cet homme, ou je dois deviner ?

Édith fixait son père avec des yeux qui clamaient que mieux valait répondre, sinon elle reprendrait le premier navire pour l'Amérique. Déjà dans le passé, elle avait mis un océan entre eux.

— James McDermott, consentit-il enfin.

— … Le gars qui servait de secrétaire à John O'Mahony, dans le bon vieux temps de la Fraternité fénienne ?

— Oui, c'est lui.

— Il vous donne des informations depuis combien de temps ?

— Aussi longtemps que vous…

David ferma les yeux à demi et laissa échapper un long soupir.

— À la fin, existe-t-il un seul révolutionnaire irlandais qui ne vend pas, ou n'a pas déjà vendu, des informations au gouvernement britannique ?

— Il en existe certainement. Mais je n'ai jamais fait la chasse aux informateurs : ils ont paradé chez moi sans désemparer pendant vingt-cinq ans.

Ce fut finalement Édith qui formula la seule conclusion logique à cette information :

— Selon toute probabilité, ce Rossa est le Numéro Un. Ces assassins ont agi sous ses ordres.

— Rossa est probablement le commanditaire du crime, admit David. Mais James Carey faisait allusion à l'homme qui l'a invité à passer à l'action. Son représentant sur les lieux, en quelque sorte. Le grand révolutionnaire évite soigneusement de se présenter de ce côté-ci de l'Atlantique.

— S'il se pointait en Irlande, jamais il ne quitterait sa geôle, sauf peut-être pour monter sur un échafaud, glissa le diplomate.

— En conséquence, quelqu'un d'autre transmettait les ordres aux Dublinois, décréta le journaliste.

Au moment de sa libération de prison des années auparavant, Jeremiah O'Donovan Rossa avait été condamné à ne jamais remettre les pieds au Royaume-Uni. Ce colosse roux ne pourrait passer les douanes sans être reconnu, malgré tous ses efforts pour se déguiser.

— Mais quel peut être son but ? demanda Édith.

— Empêcher que Parnell s'entende avec Gladstone sur la création d'un gouvernement autonome en Irlande, répondit le consul.

— Mais c'est absurde. Les Irlandais ne rêvent que de cela, murmura la jeune femme.

— Rossa ne rêve que d'une république indépendante, corrigea l'époux, pas d'un gouvernement anémique placé sous le joug du Royaume-Uni.

Dans le bar de New York, le révolutionnaire avait été très explicite à ce sujet. Après un moment de réflexion, David continua :

— En réalité, ses prétentions sont des conneries. Rossa n'aurait plus aucune raison de vivre, ni aucun moyen d'assurer sa subsistance, si l'Irlande accédait à un régime politique satisfaisant une majorité de sa population. Seuls la haine, la misère et les meurtres lui permettent d'aller chercher les dix cents hebdomadaires d'une armée de pauvres immigrants, et de se présenter comme leur chef omniscient. Alors, il prend les grands moyens pour maintenir bien vivants la haine, la misère et les meurtres.

— C'est le candidat idéal, quand on cherche le commanditaire de ces assassinats. Personnellement, je ne donnerais pas l'absolution si vite aux vieux révolutionnaires de la Fraternité républicaine irlandaise… glissa Archibald.

— Vous voulez dire les quelques personnes qui ont passé les quinze dernières années à Paris ? questionna David.

Le vieil homme fit un signe d'assentiment. Trois ou quatre vétérans du mouvement révolutionnaire de 1867, réfugiés dans la capitale française, continuaient de clamer que les Irlandais devaient refuser toute négociation avec le Royaume-Uni, si elles ne conduisaient pas à la création immédiate d'une république. Parmi eux se trouvaient les auteurs de l'attentat de Clerckenwell, à Londres, qui avait fait une vingtaine de morts.

— Nous voilà donc avec plusieurs coupables potentiels… conclut le journaliste.

Enfin, le train roulait dans une plaine verdoyante, bien que l'on fût en février. Ici et là, des arbres dénudés accueillaient des corbeaux. Des villages sans âge, situés au creux de vallons, semblaient sortir tout droit de romans anciens.

— Je suppose que tu n'as pas eu le temps de chercher une maison à Londres, murmura Édith après un long silence.

— Je me suis limité à correspondre avec un agent immobilier.

❧❧❧

Londres, lundi 12 février 1883

Près de la gare Euston, plusieurs hôtels recevaient des voyageurs. David avait choisi un établissement respectable situé à peu de distance d'un parc, un endroit où Édith se sentirait à son aise, sans vider les goussets de la famille.

À la première heure le lundi matin, le couple se trouvait dans les bureaux d'une petite agence immobilière. Un employé prit une bonne demi-heure à leur expliquer que les logements disponibles se raréfiaient dans la capitale, à cause de l'affluence des nouveaux venus. En conséquence, les prix s'élevaient sans cesse. À la fin Langevin n'y tint plus :

— Si vous n'avez pas trouvé quelque chose qui pourrait nous satisfaire, dites-le tout de suite. Nous nous adresserons ailleurs.

— Non, non, ce n'est pas cela. Au prix que vous avez évoqué dans votre lettre, je peux vous montrer de nombreuses demeures situées à quelques milles de la ville.

Le sujet avait occupé de longues conversations à New York, avant que David ne s'embarque pour l'Irlande. Le mari penchait pour une petite localité tranquille où son épouse pourrait couler des jours paisibles entre ses travaux d'aiguille et sa tasse de thé, alors que lui traquerait les révolutionnaires dans la grande ville. Ce point de vue n'avait pas prévalu, à la fin.

— Nous préférons vivre à Londres, précisa Édith.

— Vous savez, les chemins de fer permettent d'entrer et de sortir facilement de Londres. À une demi-heure du centre, vous trouverez une maison moins chère de trente pour cent. À une heure, c'est la moitié.

Surtout, pensa David, cet homme devait recevoir une meilleure commission des promoteurs qui créaient une agglomération en pleine campagne, tout en exerçant toutes les pressions imaginables pour qu'une entreprise ferroviaire rende leur petite entreprise rentable en y construisant une gare. Les excellents transports en commun de Londres permettaient la naissance d'une nouvelle race d'hommes, les *commuters*.

— Montrez-nous ce que vous avez à Londres, rétorqua David, impatient. Nous jugerons par nous-mêmes.

Le petit employé moustachu jugea que les Américains avaient une façon un peu malpolie de faire des affaires. Il s'empara d'un trousseau de clés dans le premier tiroir de son bureau et se leva en disant :

— Ce sera comme vous le désirez. Si vous voulez bien m'accompagner...

Quelques minutes plus tard, le couple montait dans un fiacre en compagnie de l'agent d'immeuble. Celui-ci les amena d'abord dans des quartiers hors de prix, situés à l'ouest de la ville. David jetait un regard effaré sur Édith. Heureusement, celle-ci se souvenait des moyens de son époux, et du souci de celui-ci de se garder une marge de manœuvre financière.

— Vous n'avez rien de plus central... et de plus modeste, demanda-t-elle un peu après midi, alors que le trio sortait d'un café où David avait ressenti un nouveau serrement au cœur face à la navrante gastronomie anglaise.

— Peut-être... une maison en terrasse, pas très loin du British Museum.

C'est-à-dire exactement le genre de résidence auquel le journaliste avait fait allusion dans sa lettre, dans la section de la ville qu'il avait lui-même suggéré. Ce type venait de leur faire perdre une demi-journée, sans doute pour le seul bénéfice de se faire payer un repas.

Une heure plus tard, dans le quartier de Bloomsbury, ils entraient dans une maison de la rue Malet un peu semblable à celle qu'ils occupaient à Ottawa, au milieu d'une rangée de demeures absolument identiques, couvertes de briques, avec une *bay window* en façade. Un petit rectangle de pelouse longeait le trottoir, deux marches donnaient accès à la porte d'entrée.

Au rez-de-chaussée, un salon et une salle à manger s'ouvraient sur un corridor. Le papier peint trop sombre et le tapis usé jusqu'à la corde devraient être changés, nota David mentalement. Cependant, les fauteuils et le sofa du salon, la table et les chaises dans la salle à manger, bien que lourds et démodés, feraient l'affaire pendant quelque temps.

Au bout du corridor se trouvait la cuisine, une petite pièce encombrée d'étagères, avec une table de travail poussée contre un mur pour faire un peu de place. Le gros poêle au charbon semblait en bon état. Une porte s'ouvrait sur une cour minuscule où le précédent locataire s'était entêté à faire pousser des choux. David imagina l'endroit avec quelques rosiers et deux chaises confortables.

— La salle d'eau se trouve là, précisa l'agent immobilier.

Au fond de la cuisine se découpaient deux portes. La première s'ouvrait sur un garde-manger, la seconde sur une petite pièce où se trouvaient un évier et un cabinet surmonté d'un réservoir. David activa la chasse d'eau et regarda avec satisfaction le liquide tourbillonner dans la cuvette de porcelaine. Dans ce pays qui avait inventé le tout-à-l'égout, jamais il n'aurait accepté de vivre dans une maison privée de sanitaires modernes.

— Est-ce que nous montons? questionna l'agent.

— Bien sûr, maintenant que vous nous montrez une demeure qui nous convient!

Édith adressa un sourire vaguement contrit à l'agent immobilier, comme pour excuser la rudesse de son conjoint. Un instant plus tard, ils pénétraient dans la chambre principale bien éclairée par la *bay window*. Une petite pièce attenante permettait de ranger les vêtements, et même de se vêtir, ou se dévêtir. Cela était d'humeur à satisfaire la pudeur des conjoints.

Une deuxième chambre de taille convenable se trouvait tout à côté, et une troisième au fond était située juste au-dessus de la cuisine.

— Comme j'ai compris que vous n'avez pas d'enfant, cette dernière chambre pourrait servir de bibliothèque, suggéra l'agent qui lentement se faisait à l'idée qu'il devrait se contenter de la commission modeste consentie par le propriétaire de cette maison.

— Je mettrais plutôt la bibliothèque à côté, et la chambre d'ami ici, suggéra David en adressant un sourire amusé à sa femme.

Les joues d'Édith rosirent un peu. Comme le seul «ami» qui risquait de coucher chez eux était son père, il serait peut-être opportun de ne pas le faire dormir juste à côté de la chambre conjugale.

Entre ces deux pièces, un réduit accueillait une salle de bain équipée, elle aussi, d'un sanitaire en bon état. Cela signifiait que les maîtres de la maison ne partageaient pas cet équipement avec les domestiques. La baignoire en tôle de cuivre, longue et étroite, représentait un véritable luxe. Un minuscule chauffe-eau au charbon ajoutait une dernière touche de modernité : personne ne s'éreinterait dans l'escalier avec des chaudières d'eau amenées à une température conve-nable sur le poêle.

— Et au deuxième… commença la jeune femme.

— … se trouve l'étage des domestiques, compléta l'agent. Ou celui des enfants.

Un escalier étroit conduisait sous les combles, à l'étage «servile». Les planchers étaient nus et les murs affichaient une peinture grise plutôt lugubre. Deux chambres contenant chacune un lit étroit et une commode bon marché pouvaient recevoir autant de domestiques. On s'y tenait tout droit près de la porte, mais ensuite le plafond empruntait la pente aiguë du toit de la maison.

Le trio descendit en silence. Au rez-de-chaussée, David déclara :

— J'aimerais parler un moment avec ma femme.

— Je vous attends dans le fiacre.

Peu après avoir retourné les coussins des fauteuils afin de protéger leurs vêtements de la poussière accumulée, David commenta :

— Ce n'est pas très élégant, mais tout de même confor-table. Des cheminées au charbon dans trois pièces, l'éclairage au gaz…

— Cela me convient parfaitement, glissa Édith.

— Surtout, c'est très bien situé. Le parc Russell et le British Museum se trouvent à deux pas, sans compter la rue

Oxford et ses grands magasins, également très proches. Je pense même que les théâtres se trouvent tout au plus à une demi-heure.

— Je dirais plutôt une grosse heure, pour une femme engoncée dans un corset, commenta Édith qui avait passé la soirée précédente à étudier un plan de la ville. Je te le répète, la maison me convient parfaitement. Bien sûr, il faudra rafraîchir un peu tout cela…

David poussa un soupir de soulagement. Pour un peu moins du quart de son annuité, trouver à se loger confortablement dans un quartier respectable de Londres ne s'avérait pas facile. Époux de la petite fille riche, il avait sans cesse l'impression de la forcer à vivre en deçà de ses aspirations.

— Alors, nous pouvons dire à ce petit moustachu que nous prenons la maison?

— Tu peux lui dire que je veux emménager demain matin. Je convertirai chacune des nuits d'hôtel économisées en petits bibelots pour égayer cette demeure.

Le petit moustachu demanda une signature et le paiement des six premiers mois de loyer sur-le-champ, puis leur tendit la clé. La transaction fut réglée en cinq minutes. David commençait à apprécier celui-ci au moment de le quitter.

❧

Londres, mardi 13 février 1883

Trouver une maison était une chose, choisir des domestiques en était une autre. Deux personnes vivraient dans l'intimité du couple: faire un mauvais choix pouvait se révéler très vite désagréable. L'embauche de ces personnes revenait à la maîtresse de maison, aussi naturellement que la responsabilité d'aller voter incombait aux hommes. David avait cependant donné une directive: ne pas choisir des Irlandaises. Les réseaux révolutionnaires devaient profiter de renseignements innombrables, juste en écoutant les babillages des domestiques.

L'opération se trouvait d'autant plus délicate que les candidates arrivaient avec leurs propres attentes. Les plus expérimentées ne rêvaient que de grandes maisons riches de quinze employés, de préférence nobles, dans l'ouest de la ville. Au Royaume-Uni, les préjugés sociaux étaient présents dans toutes les classes. Les premières personnes envoyées par l'agence de placement dans la maison de la rue Malet jugeaient de haut cette femme venue des colonies, au nom étranger en plus, et cette maison un peu trop sombre.

Après avoir vu trois ou quatre femmes d'âge moyen, Édith jeta son dévolu sur une cuisinière née au pays de Galles. La dame exprima sa déception à l'idée de ne pas avoir une fille de cuisine pour l'aider. Sa future patronne lui promit que quelqu'un viendrait faire les travaux exigeants du ménage, puis entreprit de mettre en évidence le caractère limité des connaissances culinaires de la candidate. Très vite, l'autre accepta ses conditions.

— Cela veut dire que je vais manger anglais! pesta David, le soir venu, quand sa femme lui décrivit les compétences de sa recrue. Des rognons et du mouton bouilli! Tu lui as dit que j'étais français?

— Elle a répondu que jamais des cuisses de grenouilles n'entreraient dans notre demeure de son vivant.

— Et comment se prénomme cette protectrice du bon goût culinaire?

— Graziella! fit Édith dans un sourire.

David leva les yeux au plafond — pour constater qu'il faudrait penser à le repeindre — avant de déclarer:

— La preuve qu'il existe une justice divine. Un prénom de putain pour un dragon des fourneaux. Arrange-toi pour lui faire savoir subtilement que le mouton accompagné de sauce à la menthe suscite chez moi des désirs de meurtre.

— L'usage veut que l'on s'adresse à une cuisinière en utilisant son nom de famille. Ce sera Jones, ou madame Jones pour les jours fastes.

Comme la cuisinière devait acheter les victuailles de la maisonnée et les préparer, elle serait bien placée pour veiller à sa santé et nuire à celle de son patron, si les choses s'envenimaient.

La recherche d'une femme de chambre commença le lendemain. Édith voulait une jeune fille capable d'entretenir la maison. Le sort tomba sur une gamine mal nourrie, aux cheveux blonds, de l'est de Londres. Comme ses consœurs, elle portait un nom de fleur : Violet. Rien n'indiquait que ce fut le sien.

Le vendredi 16 février, les arrangements domestiques complétés, David montait dans un train à destination de Liverpool.

— Tout se passe à Dublin, ces jours-ci, glissa-t-il à l'oreille d'Édith au moment de l'embrasser. Mais je vais revenir aussitôt que possible. Tu ne t'ennuieras pas trop ?

— Pendant quelques jours, je vais aller à Brighton chercher une maison avec mon père. J'ai de l'expérience, maintenant. Avec un peu de chance, ce sera réglé aussi rapidement qu'ici. Mais reviens vite.

— Promis.

Un moment plus tard, le train s'ébranlait dans un nuage de vapeur.

❧❀❧

Dublin, samedi 17 février 1883

— Ne me faites plus jamais ce coup-là ! grommela Jenkinson dès que l'homme au crâne rasé monta dans le fiacre.

— Je devais vous parler. Jamais personne ne le saura.

Quingley avait envoyé un télégramme signalant sa présence à Dublin, et son désir d'une entrevue secrète. Le chef des services de sécurité n'avait pas trouvé mieux que de lui suggérer de se tenir à l'entrée de Phoenix Park à sept heures précises. Au moment convenu, il passerait en voiture et le ferait monter.

— Qu'y a-t-il de si urgent?

— Une rumeur alimentée par mes complices de Cork. Depuis les confessions de Carey, ils ne cessent d'affirmer que le Numéro Un est un homme bien placé dans la Ligue pour les terres…

— Michael Davitt?

— Ils ne nomment personne et prennent des airs entendus. Après tout, je suis un Américain. Ils sont prêts à poser des bombes avec moi, pas à partager tous leurs secrets.

Jenkinson se souvenait d'avoir pris connaissance d'un rapport venant de New York sur l'existence d'une confrérie d'assassins:

— Vous avez vous-même signalé au consul Archibald l'existence d'une équipe de tueurs au service de Rossa. Pouvez-vous relier l'équipe de Carey à ce vieux fou?

— Non. À l'annonce du meurtre de Phoenix Park, il a célébré l'événement, mais cela ne veut rien dire. Si un volcan faisait disparaître Londres, il prétendrait être le responsable de la catastrophe.

— A-t-il déjà évoqué Davitt?

— Évidemment, pour dire qu'il n'aurait jamais dû pactiser avec le diable.

Quingley voulait dire avec Charles Parnell. Un millier d'idées se bousculaient dans la tête de Jenkinson. Les mesures prises par le gouvernement de Gladstone pour soulager les paysans menacés d'éviction ne pouvaient satisfaire le député manchot. Rien d'autre que la distribution des terres à ceux qui les cultivaient ne lui agréerait.

Pouvait-il aller aussi loin que fomenter des meurtres pour tout faire échouer?

— Que va-t-il se passer maintenant avec votre équipe de dynamiteurs? questionna le fonctionnaire.

— Les héros de Glasgow sont retournés à Cork. Je suppose que mon camarade Matthew O'Brien se trouve en

mesure d'agir. Nous le saurons bientôt : cela fera un grand
« BOUM ! »

Jenkinson grimaça devant l'humour douteux.

— Vous n'entretenez aucun contact avec lui ? Jeremiah
O'Donovan Rossa vous a dépêchés ensemble pour cette
mission.

— Mais une fois sur place, nous nous perdons de vue.
L'idée est de conserver les cellules étanches. Sinon, en cas
d'arrestation, on y passerait tous.

La voiture faisait le tour de Phoenix Park. Bientôt, elle
passerait à nouveau devant l'entrée. Le fonctionnaire passa à
un autre sujet :

— Vous connaissez Michael Davitt ?

— Comme tout le monde. Quand il est venu aux États-
Unis, nous avons tous participé à ses grandes campagnes de
financement au profit de la Ligue pour les terres.

— Que diriez-vous d'aller le visiter, afin de l'interroger
sur ses projets ?

— À la prison de Portland ? Ce genre d'endroit ne vaut
rien pour la santé.

Quingley sauta de la voiture en marche au moment où elle
passait devant l'entrée du parc, pour se perdre dans la nuit.

꧁❀꧂

Prison de Portland, mardi 20 février 1883

Quingley avait raison : le régime d'une prison n'améliorait
en rien la santé de ses pensionnaires. Pourtant, au moment
où il entra dans la petite salle réservée aux conciliabules entre
les avocats et les accusés, Michael Davitt présentait le visage
d'un homme bien reposé.

— Monsieur McDermott, commença-t-il en s'asseyant,
voilà une demi-heure que j'essaie de me rappeler si je connais
un journaliste appelé Peter Quingley. Le mystère s'explique :
vous avez changé à la fois de nom et de métier.

— Cela m'a semblé le meilleur moyen d'obtenir la permission de vous voir.

En réalité, le privilège de recevoir ce visiteur venait de deux hauts personnages disposés à tirer des ficelles. D'un côté, le ministre de l'Intérieur avait ordonné au gouverneur de la prison d'éviter tout désagrément à son nouveau locataire ; de l'autre, le responsable de la sécurité en Irlande recommandait de réserver un bon accueil à un journaliste américain inconnu de tous.

— Vous croyez que cet homme peut nous comprendre ? murmura le visiteur en gaélique.

Il voulait dire le gardien planté debout devant la porte du petit local.

— D'abord, comme rien de ce qui se dit entre un prisonnier et son défenseur ne doit transpirer, je tiens pour acquis que cette porte est étanche à tous les sons. Surtout, je ne crois pas que les gens nés à Newcastle maîtrisent notre langue.

— Tout de même, autant parler à voix basse. Comment se fait-il que vous sachiez au premier coup d'œil qui je suis ? Je croyais que mon déguisement pouvait tromper tout le monde.

Se faire interpeller d'entrée de jeu par son véritable nom l'avait laissé un moment interdit.

— Je n'oublie jamais personne. Et puis même en vous rasant les cheveux au point de ressembler à un œuf, il y a toujours les cils et les sourcils. Vous n'avez certainement pas oublié notre rencontre dans l'antre de Rossa, moi non plus. Comment se porte ce méchant diable ?

— Sans doute très bien. Il y a plusieurs mois que je ne l'ai pas vu. Je suis en mission dans ce pays. Vous avez accès aux journaux, ici ?

— Je dois à mon statut de député de profiter de ce privilège.

— J'ai visité Glasgow.

Les yeux de Davitt devinrent une mince fente. Cet imbécile venait de confier un secret à un tiers. Les imprudences de ce genre se payaient habituellement par une gorge tranchée. Aussi gronda-t-il :

— Taisez-vous, malheureux !

— Nous sommes entre nous, plaida l'autre. Puis vous affirmez que le gardien ne comprend rien.

— Et vous me faites confiance ! La moitié des Irlandais trahit l'autre moitié.

Quingley se recula sur sa chaise, contempla un moment les murs de briques peints à la chaux de la petite pièce. Même en plein jour, la seule lumière venait d'une lampe au gaz pendue au plafond.

— Rossa m'a laissé entendre que je pouvais compter sur vous. Ma première équipe a dû regagner ses foyers, avant d'attirer l'attention. Je veux être mis en contact avec des hommes fiables.

— Pour poser d'autres bombes ?

— C'est pour ça que le patron m'a envoyé ici.

Davitt eut un bref sourire avant de demander :

— Qu'est-ce qui vous fait croire que je peux vous aider dans une entreprise pareille ?

— Tout le monde prétend que vous dirigez les Invincibles.

— Tout le monde ?

Le sourire ne disparut pas, mais ses yeux exprimaient une dureté nouvelle.

— Enfin, parmi nos amis, bien sûr.

— Je serais donc le Numéro Un ?

La voix du manchot devenait ténue, il fallait toute l'attention de son interlocuteur pour entendre ses paroles.

— Enfin, c'est ce qu'on dit.

— Vous savez ce que je pense ? Vous êtes un autre de ces traîtres qui gangrènent notre mouvement, et assez stupide pour croire que je me confierais à vous. Soyez certain que je ferai en sorte que tout le monde le sache. Je fais confiance à notre ami Rossa pour tirer tout cela au clair, et prendre les mesures qui s'imposent.

Sur ces mots, Davitt se leva de sa chaise pour aller frapper violemment à la porte. Le gardien ouvrit.

— Conduisez-moi à ma cellule, et ne laissez plus jamais cet homme s'approcher de moi, sinon, tout infirme que je sois, je vais lui régler son compte !

Le gardien jeta un regard amusé à Quingley, puis fit ce que le prisonnier demandait. Quelques minutes plus tard, après avoir parcouru un demi-mille de couloirs lugubres, fermés çà et là par des grilles de fer, le visiteur regagnait l'air libre. La prison de Portland se trouvait sur une presqu'île de la Manche, à peu de distance de l'île de Wight, où la reine Victoria passait au moins la moitié de l'année. Il lui faudrait une journée complète pour retourner à Dublin.

❧❦❧

Dublin, vendredi 23 février 1883

Partout en Irlande, un homme pouvait trouver une bière brune poisseuse dans un bar appelé le *Shamrock*, aussi nommé *Seamróg*, en gaélique. Et dans tous les débits de boisson, les patriotes partageaient les lieux avec des informateurs de police, ou simplement des gens pour qui la violence ne présentait pas l'instrument politique le plus efficace.

— Je vous le dis, clamait Quingley, avec eux un seul moyen peut fonctionner : une lame dans la gorge ou une balle dans la tête.

La cible de ce prosélytisme agressif était un petit comptable venu manger un morceau de mouton dans son pub favori. L'argument tonitruant de l'homme à la table voisine venait répondre à une toute petite remarque : entre deux bouchées de son souper, le client avait émis l'opinion que le Parti parlementaire de Charles Parnell donnait enfin un espoir aux Irlandais.

— Ce foutu politicien protestant n'est là que pour jeter de la poudre aux yeux. Ce sont les Invincibles qui nous libéreront de la domination anglaise, continuait l'homme au crâne rasé en gesticulant.

Au nom honni de l'association, le tenancier du pub commença à s'agiter nerveusement, alors qu'un client posait sa chope, essuyait sa moustache et quittait les lieux précipitamment. Trop vite en fait pour être le bienvenu lors de sa prochaine visite.

Un moment plus tard, deux policiers entraient dans l'établissement. Le revolver qu'ils tenaient à la main contredisait l'opinion générale que les agents de police du Royaume-Uni ne portaient jamais d'arme. Quand ils prévoyaient se retrouver devant un individu difficile, ils savaient se tourner vers des arguments convaincants.

— Monsieur, vous allez nous suivre sans faire de grabuge, commanda l'un des policiers.

— Voulez-vous bien me dire pourquoi ? beugla Quingley, attirant l'attention de toutes les personnes présentes.

— Pour avoir incité à la violence.

L'agent tendit son poing armé vers la grosse tête chauve et son compagnon se tenait en retrait afin de pouvoir intervenir si jamais un client faisait mine de se montrer agressif.

Quingley parut un moment se demander s'il allait obtempérer ou se lancer à l'attaque des représentants de l'autorité. À la fin, un peu de raison lui revint et il se leva pour les suivre.

Les policiers n'avaient aucun désir de parcourir les rues de Dublin avec un revolver à la main et accrochés aux basques d'un excité qui se réclamait des Invincibles. L'un d'eux héla un fiacre et donna l'ordre au cocher de se diriger vers le « château ». Puis ils montèrent dans le véhicule.

Alors que celui-ci se déplaçait sur les pavés, l'un des agents prit l'arme de son compagnon, alors que l'autre entreprit de fouiller Quingley.

— Oh là ! Tu as l'air d'y prendre plaisir, clama le prisonnier pendant qu'une main brusque passait entre ses jambes.

Un moment plus tard, le policier reprit sa place sur la banquette, retrouva son arme et commenta pour son compagnon :

— Pas d'arme, pas de queue non plus d'après ce que j'ai tâté.

L'autre grommela un chapelet d'insultes où il était question de la mère de l'agent. À part cela, le trajet se déroula en silence. Au moment de descendre au château de Dublin, Quingley donna son nom aux policiers, ajoutant :

— Si vous voulez être bien vus du patron, faites dire à Jenkinson que je suis ici.

Toutefois, aucun des policiers présents dans les quartiers généraux ne voulut prendre le risque de se rendre à la résidence vice-royale parce qu'un Américain mal embouché souhaitait voir le fonctionnaire.

Au matin, un Quingley éprouvé par une nuit sur une paillasse infestée de punaises se fit recevoir par des mots peu amènes :

— Êtes-vous devenu fou ? Des déclarations comme celle d'hier peuvent vous conduire en prison pour six mois.

— Je me terre depuis deux jours. Être arrêté m'a semblé le moyen le plus prudent pour vous parler au plus vite. De plus, cela me permet de me refaire une petite réputation.

— … Que voulez-vous dire ?

— Davitt. Quand je l'ai quitté, il m'a menacé de faire savoir partout que je travaille pour vous.

Jenkinson se perdit un moment dans ses pensées. Quel naïf il avait été. L'homme qui devait amener le manchot à se trahir se trouvait mis à nu.

— Je ne sais pas comment il communique avec l'extérieur, mais au moment où son mot d'ordre atteindra Dublin, je serai condamné à mort. J'ai préféré passer une nuit sur la paille pourrie de vos cachots plutôt que dehors avec les égorgeurs du Capitaine Clair-de-lune à mes trousses.

— Vous ne pouvez plus rester ici. Je vais demander qu'on vous amène au port sous bonne garde. Avec un peu de chance, il se trouvera bien un navire en partance vers un pays du continent européen. Mes hommes surveilleront la porte de votre cabine jusqu'au moment de l'appareillage.

— Comment vais-je acheter le billet et subsister là-bas ?

Les aspirations financières du révolutionnaire s'exprimaient bien mal à propos. Son employeur ne se sentait plus très bien disposé à son égard :

— À moins d'avoir mené une vie de débauche, vous avez certainement encore la majeure partie de l'argent que je vous ai donné, et la totalité de ce que Jeremiah O'Donovan Rossa vous a confié.

— Mais je n'ai pas de quoi vivre indéfiniment !

Jenkinson lui adressa un regard entendu avant de dire :

— Ce ne sera pas nécessaire. Demain, votre réputation de révolutionnaire s'étalera dans les journaux. Vos amis de Cork seront arrêtés au petit matin. Je ferai en sorte que les gratte-papiers parlent de Peter Quingley. Vous pourrez rentrer en Amérique avec la satisfaction du devoir accompli.

L'annonce d'un prochain retour à la maison ne réjouit pas du tout le terroriste. La fréquentation de Rossa pouvait devenir aussi dangereuse que celle d'un Michael Davitt en colère.

— Vous ne m'avez pas dit quand votre compagnon Matthew O'Brien entendait passer à l'action, continua Jenkinson en se levant de son siège pour marcher jusqu'à la porte de son bureau.

— Simplement parce que je ne peux le savoir exactement. Nous n'avons pas eu de contact au cours de ces dernières semaines.

— Alors, je vais vous le dire. Cet homme se trouve présentement à Birmingham où il a trouvé de nombreux amis dans les milieux irlandais. La semaine prochaine, il doit faire transiter une importante quantité d'explosifs vers Londres. C'est dans cette ville que doit avoir lieu sa campagne de dynamitage.

Le révolutionnaire se troubla un moment avant de remarquer :

— Il est si peu discret que les forces de police sont capables de le suivre à la trace… Je lui avais déconseillé ces deux villes : Birmingham et Londres. Trop d'agents s'y trouvent au pied carré pour pouvoir agir avec un minimum de discrétion.

— Visiblement, ce monsieur fait preuve de plus d'audace que vous. Frapper au cœur de l'Empire, tout de même, cela prend du culot.

Au ton de son interlocuteur, Quingley devina que le fonctionnaire aurait peut-être préféré transiger avec ce complice. Dans ce cas, mieux valait se faire discret et accepter un petit voyage vers le continent. Avec un peu de chance, la destination serait Paris !

❧❦❧

Cork, samedi 24 février 1883

Bien avant le lever du soleil, un peloton de constables, appuyés chacun de deux soldats tenant un mousqueton à la main, se répandirent dans la ville de Cork, le chef-lieu du comté du même nom. Un soleil pâle se levait à peine alors que des coups violents, portés contre les portes d'une dizaine de logis, réveillaient les habitants. Sous les cris de femmes et d'enfants terrorisés, policiers et militaires se précipitaient dans des portes à peine entrouvertes et cherchaient les maîtres de maison pour leur passer des fers aux poignets sans ménagement.

À midi, sous bonne garde, dix prisonniers prenaient le chemin de Dublin à bord d'un train spécial réquisitionné pour l'occasion. Une centaine de soldats allaient escorter ces hommes jusqu'à la capitale, où des cellules les attendaient à la prison de Kilmainham.

๛

— Monsieur Devlin, je vous remercie d'être venu me rejoindre aussi tôt.

En réalité, le journaliste se trouvait debout depuis des heures, mais il arrivait à Edward Jenkinson de commencer sa journée bien tard au service de police. La rumeur d'une action importante du côté de Cork laissait penser qu'il avait passé la matinée tout près du télégraphe attenant au bureau du ministre pour l'Irlande.

— C'est toujours un plaisir de vous rencontrer, quelle que soit l'heure.

Les hommes importants savaient ignorer l'ironie chez leurs subalternes, tout en gardant en mémoire le souvenir des impertinents. Jenkinson choisit de continuer sur un ton qui se prétendait amical :

— Il paraît que votre femme est arrivée à Londres. J'ai une bonne nouvelle : vous pouvez la rejoindre tout de suite.

— Mais les procès des meurtriers de Phoenix Park ne sont pas commencés.

— Et ils ne commenceront pas avant quelques semaines. Vous ne pouvez pas perdre tout ce temps à fouiller le passé de ces hommes pour amasser la matière de quelques articles. Bientôt, le Service spécial renaîtra de ses cendres à Londres et vous y serez plus utile.

— Le Service irlandais ?

Les deux expressions servaient à désigner une petite équipe de policiers voués à prévenir les attentats terroristes. Ce service était plus ou moins actif selon que les révolutionnaires se lançaient ou non à l'attaque de la capitale du Royaume-Uni.

— Bien sûr, le Service irlandais ! N'était-ce pas votre intention, ou celle de votre beau-père, de vous joindre à cette équipe ?

L'affirmation ne méritait pas de réponse. Il valait mieux ignorer le mépris dans la voix du fonctionnaire, pour éviter de renouer avec la bonne vieille tradition du duel.

— J'ai reçu une liasse de journaux américains, continua Jenkinson après une pause, dont des numéros du *Tribune*. J'ai été plutôt étonné par votre prose. Vous avez un certain talent...

— Oh! merci, répondit David d'une voix glaciale. Je dois dire que vous m'avez surpris aussi. D'abord l'arrestation des meurtriers de Phoenix Park, quoique à ce sujet le mérite me semble revenir à Conàn Mallon, et aujourd'hui cette rumeur sur les arrestations à Cork. On murmure que ce sont les responsables des attentats de Glasgow.

— J'ai bien peur que vous n'appreniez la suite de cette histoire par les journaux. Robert Anderson vous attendra mardi prochain dans les bureaux du ministère de l'Intérieur. Je vous souhaite un excellent voyage.

Jenkinson s'absorba dans un dossier placé devant lui. David se leva après un moment, adressa ses salutations à l'homme qui fit semblant de ne pas les entendre, puis quitta les lieux.

«Quel affreux petit prétentieux», grommela le fonctionnaire entre ses dents après que la porte se soit refermée. Il se demanda encore une fois quel service avait bien pu rendre cet homme, outre le fait d'épouser la fille d'un consul, pour se valoir le patronage des autorités.

Jenkinson glissa machinalement la main dans la poche de sa veste. Ses doigts rencontrèrent un fragment de papier plié en deux. «Quand ce vieux fou cessera-t-il de glisser des billets doux dans mes poches», maugréa-t-il encore. Bien sûr, comme sa mère et sa femme se trouvaient dans une petite maison de la banlieue de Londres, les manies du gouverneur ne lui vaudraient pas un orage conjugal. Tout de même, un domestique pouvait tomber sur l'un de ces morceaux de papier.

«Mon très cher, comme tu as organisé ces attentats de Glasgow de main de maître! Et maintenant tu vas produire une nouvelle brochette de coupables devant le tribunal. Tu es vraiment le maître de tous les espions. Reviens vite pour que je bourre le cul de mon petit héros! Ton gros Loup rouge.»

Jenkinson fit le geste de jeter le bout de papier à l'autre extrémité de la pièce, en direction de la cheminée où brûlaient de gros morceaux de charbon. Celui-ci voleta comme une feuille morte de l'autre côté du bureau. Avec un juron, le fonctionnaire se leva pour faire le tour du gros meuble, les yeux rivés sur le plancher. Aucun billet ne se trouvait au sol.

«Bon Dieu, où est-il passé maintenant?» Après avoir cherché des yeux, Jenkinson se mit à genoux et pencha son visage jusqu'au plancher afin de voir si le morceau de papier avait glissé sous le bureau ou sous la chaise. Les madriers de chêne du plancher, vieux de plusieurs siècles, avaient un peu rétréci, un espace pouvant aller jusqu'à un quart de pouce séparait certains d'entre eux. Après plusieurs minutes à se promener à quatre pattes, Jenkinson arriva à la conclusion que le billet doux devait être passé dans l'un de ces interstices.

Il était tellement absorbé par sa recherche que les coups discrets frappés à la porte passèrent inaperçus. Les mots, bien que prononcés timidement, provoquèrent un sursaut:

— Monsieur, vous avez perdu quelque chose?

Le fonctionnaire se dressa sur ses genoux pour lancer:

— On ne vous a jamais dit d'attendre qu'on vous y invite avant d'entrer?

— Je vous demande pardon, bafouilla le sergent Collins en faisant mine de sortir.

Jenkinson se releva en disant:

— Non, ce n'est pas nécessaire... J'ai laissé tomber une pièce, mais j'ai bien peur qu'elle ne soit passée sous le plancher. Vous vouliez me parler?

— C'est au sujet de l'homme que nous devions surveiller jusqu'à son départ. Ce matin son bateau a levé l'ancre. Il se dirige vers Le Havre.

— C'est bien, merci. Encore un de ces foutus Yankees qui viennent ici parler de révolution. Quand on les met en prison, le gouvernement américain fait un tapage de tous les diables.

L'exposé de politique internationale laissa le sergent indifférent.

— Pour votre pièce ?... demanda-t-il plutôt.

— Je suppose qu'elle est perdue jusqu'au jour où l'on détruira cette vieille bâtisse. Tant pis !

Demander que l'on soulève l'une de ces vieilles planches pour retrouver une pièce de monnaie, ou même un bout de papier compromettant, ne ferait qu'éveiller les soupçons. Autant l'oublier et insister pour que Son Excellence se tienne loin de son écritoire pendant quelque temps.

8

La maison de la rue Malet offrait un confort certain. Bien sûr, le tapis et le papier peint n'avaient pas encore été changés, mais David devinait qu'une guerre sans merci contre la poussière et les odeurs de moisi s'était déroulée pendant les quelques jours de son absence. Un verre de sherry à portée de la main pour chasser le goût de la nourriture préparée par madame Jones, David passa la soirée dans le salon éclairé par deux lampes à gaz.

— Tu ne retourneras plus à Dublin? demanda Édith pour la troisième fois au moins, tellement contente de revenir à une vie normale.

— J'irai certainement passer quelques jours au moment des procès, puis encore pour assister aux exécutions. Les lecteurs du *Tribune* vont en raffoler.

— Tu es certain que cela se terminera ainsi?

— Les terroristes de Glasgow mériteront sans doute la peine de mort, qui sera commuée en prison à vie puisqu'ils n'ont pas fait de victimes. Les meurtriers de Phoenix Park n'ont aucune chance, sauf les deux types devenus des informateurs.

Édith laissa échapper un soupir. Cela signifiait encore des absences de plusieurs jours. Heureusement, son père se trouvait à une heure de train environ. Devinant le cours de ses pensées, son mari demanda bientôt:

— Sir Mortimer a-t-il trouvé la maison de ses rêves?

— Quelque chose de très semblable à ici, en fait. Un peu plus petit peut-être, mais je n'en suis pas certaine, à une quinzaine de minutes à pied de la plage, une demi-heure tout au plus du pier.

— Avec une vue magnifique ?

— Avec une vue sur des maisons identiques à la sienne. La vue sur la mer est hors de prix. Il a renoncé à l'idée très vite. D'un autre côté, la petite marche pour atteindre un banc près de la rive lui fera le plus grand bien.

David garda pour lui son opinion, et songea que le vieil homme aurait tout aussi bien pu trouver les mêmes avantages dans une petite maison du New Jersey... ou même de la Nouvelle-Écosse, son lieu d'origine. Il est vrai que vivre au cœur de l'Empire le laissait plutôt froid.

— Tu ne vois pas d'inconvénient à ce qu'il vienne ici, où que j'aille là-bas, les semaines où tu seras absent ?

— Même les jours où je suis présent, il est le bienvenu. Je pense que nous sommes tous les trois revenus de nos rancœurs.

Le temps montrait des vertus apaisantes. Au moment où le consul entravait ses projets conjugaux, David arrivait bien difficilement à ne pas inonder le vieil homme de tout le répertoire d'insultes qu'il connaissait. Maîtrisant trois langues, cela aurait pu donner lieu à une très longue diatribe.

— Nous pourrions aller faire l'essai de ce nouveau matelas, dont tu m'as dit tant de bien, proposa l'époux.

La stratégie d'Édith pour combattre l'odeur de moisi comprenait le renouvellement des matelas et couvertures. Sir Mortimer lui avait consenti une rente fort raisonnable le jour même de ses épousailles, pour la mettre à l'abri de la misère où pourrait la plonger un si mauvais mari. En conséquence, David supportait ces préoccupations hygiéniques avec une certaine sérénité.

La couche se révéla accueillante, l'épouse aussi. Cela leur valut de se contenter d'un petit déjeuner un peu refroidi quand ils gagnèrent enfin la salle à manger, le lendemain.

Madame Jones marmonna entre ses dents un «Bien sûr, il faut s'attendre à cela, avec un Français». La bonne dame ne réalisait pas que le gallois ne présentait aucun secret pour un homme qui se flattait de maîtriser toutes les nuances régionales du gaélique.

Quant à Violet, une blonde très pâle aux yeux d'un bleu de porcelaine hollandaise et présentant un corps plutôt enfantin malgré ses seize ans, elle s'affairait à tenir la maison immaculée, comme si sa vie en dépendait. Et en réalité, sa vie dépendait vraiment de cet emploi de domestique : fluette, jamais elle ne serait passée à travers une année dans une manufacture.

Alors qu'elle montait avec des serviettes propres, elle croisa le maître de la maison sur le palier. Spontanément, elle se tourna contre le mur pour le laisser passer.

— Mademoiselle Violet, quand nous nous croiserons à l'avenir, il faudra nous contenter de nous dire bonjour, ou bonsoir, selon le moment de la journée.

— ... À l'agence de placement, on m'a dit que je devais me mettre face au mur.

— Pour que je puisse faire semblant que vous n'existez pas ? Mais nous existons tous les deux, alors inutile de faire semblant. En conséquence : bonjour.

— ... Bonjour, Monsieur.

La gamine continua son chemin, troublée, certaine de se trouver dans une maison de fous. Le maître était français et sa femme écossaise, mais étrangement, quand le couple conversait, le mari parlait souvent en anglais, et l'épouse, en français. Que cela tienne au désir de chacun de bien maîtriser la langue de l'autre lui échappait encore. Puis les employeurs ne disaient pas «Mademoiselle» aux domestiques. Elle allait se méfier.

Quelques minutes plus tard, Édith et David s'engageaient sur la rue Malet, en direction des grands magasins de la rue Oxford. Il lui raconta la petite scène avec la domestique, ce qui la fit rire.

— Tu as sans doute ébranlé plusieurs de ses convictions sociales. Les relations sont moins formelles à Ottawa qu'elles ne le sont ici, je te l'accorde.

— Tu imagines si nous avions demandé à Louise de se mettre face au mur quand elle me croisait dans la maison? Cela aurait provoqué une commotion chez tous les habitants de la rue.

Louise, une jeune fille qui venait de Rivière-du-Loup, s'occupait avec un talent certain, et un sans-gêne illimité, de leur maison à Ottawa.

— Mais Louise était convaincue d'être une vague cousine à toi. Elle m'a affirmé ne pas croire un mot de l'histoire de tes parents irlandais, morts sur le navire qui leur permettait de fuir la Grande Famine, puis ton adoption…

— Je sais. Les curés ont bien raison: la lecture de romans monte à la tête de certaines personnes. Je l'ai entendue marmonner au poissonnier que je devais être un fils illégitime de ma mère adoptive, caché chez les Sauvages pendant les premières années de ma vie.

— …Et tu ne l'as pas mise à la porte sur-le-champ, pour raconter de pareilles sornettes sur ton compte?

— Pourquoi? Elle me donne un point de départ idéal si je veux publier un jour l'histoire de ma vie, en feuilleton dans les journaux.

Le climat de Londres était plutôt frais en cette fin de février. Un vent soutenu chassait le nuage de pollution que généraient les milliers de machines à vapeur d'ateliers et de manufactures, et les millions de feux de cheminée. Cela ne suffisait cependant pas à faire disparaître tout à fait l'odeur tenace du crottin dans les rues. Une ville de plusieurs millions d'habitants rendait continuelle la circulation de voitures, ce qui, de ce fait, se traduisait par une augmentation notable de déjections d'animaux de trait sur le pavé. Une multitude d'employés de la voirie ne suffisaient pas à tout ramasser.

— Tu as entendu l'accent de Violet? continua David.

LA ROSE ET L'IRLANDE

— On n'entend que cela. Le cockney dans son expression la plus pure.

— Je me demande si je pourrais l'imiter…

L'homme se demandait plutôt si les conversations avec elle seraient assez fréquentes pour calquer sa façon de s'exprimer.

Avec une certaine inquiétude, David réalisa que déjà sa conjointe pouvait se rendre aux grands magasins de la rue Oxford les yeux fermés. Cela tenait-il de l'instinct ou d'un apprentissage récent ? Ce jour-là, l'expédition résultait de la nécessité de meubler la bibliothèque. Ensuite, la visite de quelques librairies, dont l'une n'offrait que des titres en français, le rassurerait totalement sur l'intérêt de vivre à Londres.

❧

Londres, mardi 27 février 1883

Si l'accueil consenti par Edward Jenkinson avait été horrible, David put se satisfaire de celui de Robert Anderson. Ce fonctionnaire du ministère de l'Intérieur aux tâches mystérieuses, qui disait seulement « s'occuper de sécurité », le reçut avec une certaine cordialité :

— Je me souviens très bien des premiers rapports du consul Archibald faisant état de vos services. Quel dommage de n'avoir pu vous infiltrer à nouveau chez les révolutionnaires. Vous gravitiez alors tout près du sommet.

— Après mon intervention auprès du prince Arthur, cela aurait été difficile.

— Ce fameux sauvetage a été totalement passé sous silence ici. Dommage pour vous, cela vous aurait valu une grande notoriété.

— J'ai gagné au change, je crois, en obtenant une certaine sécurité matérielle, car ma carrière d'infiltration devait se terminer. J'aurais eu du mal à me présenter au quartier général du mouvement révolutionnaire, à New York, sans expliquer ce qui était advenu du chef du complot. Le mieux pour moi était de me faire discret, de plaider que mes malheurs familiaux m'empêchaient de continuer d'occuper un poste significatif au sein de l'organisation, pour devenir un sympathisant parmi tant d'autres.

Dans le contexte de l'invasion totalement saugrenue du Canada par l'Armée républicaine irlandaise, en 1870, quelques personnes avaient eu l'idée d'une action d'éclat: faire exploser le pont Victoria sous les roues du train qui allait transporter le prince Arthur. Si David avait pu l'arrêter, cela n'avait pas été sans blessure au corps et au cœur. Sa première épouse avait perdu la vie.

— Aujourd'hui, je comprends que si le Canada ne figure plus dans les plans des révolutionnaires, vous ne pouvez plus jouer un rôle central en demeurant dans votre pays.

Anderson avait quarante-deux ans tout juste. Pas très grand, osseux, une barbe de bouc sous le menton, il n'avait jamais vraiment eu d'autre occupation professionnelle que la chasse aux révolutionnaires irlandais. Du château de Dublin, il était passé au ministère de l'Intérieur, à Londres, à la faveur des premières campagnes de dynamitage. Ironiquement, les succès des révolutionnaires sur le terrain servaient l'avancement des personnes chargées de les combattre.

— Ma vie d'agent secret semble tirer à sa fin, conclut David.

— Vous croyez pouvoir vous faire au travail de policier? Il comporte quelque chose de terriblement routinier.

— Celui d'espion aussi, croyez-moi. Je ne demande pas mieux que de me rendre utile. Cependant, je compte continuer d'écrire pour le *Tribune*.

Vingt ans plus tôt, la possibilité d'écrire pour les journaux avait convaincu David, un jeune caporal de l'armée nordiste pris dans la tourmente de la guerre de Sécession, d'aller espionner chez les Sudistes. Ce premier amour ne faiblissait pas.

— Le contrôle de l'information, bien sûr… Votre statut de journaliste fera un drôle d'effet chez vos collègues policiers.

— Je publie ou j'espionne sous le nom de David Devlin. Je vis, et je peux être policier, sous celui de David Langevin.

— Cela ne les intriguera pas moins : un Canadien français parmi eux.

David ne se souciait pas trop de la réaction de ceux-ci. Tout au plus massacreraient-ils la prononciation de son nom.

— Ils devront s'y habituer : c'est le prix à payer pour avoir un vaste empire. Après tout, la reine Victoria elle-même s'entoure d'Indiens.

— Pas à la plus grande satisfaction de tous, j'en ai peur. Enfin, si cela vous dit de tenter l'expérience, je vous avertirai quand la première réunion du Service spécial aura lieu… vous y serez un agent spécial !

Un coup discret résonna contre la porte, un secrétaire l'entrouvrit assez pour passer la tête et dire :

— Je m'excuse de vous déranger. Monsieur Williamson est là. Vous aviez demandé qu'on vous informe de son arrivée.

— Oui, dites-lui d'entrer… Le fonctionnaire se tourna vers David pour expliquer : alors, c'est entendu, nous nous reverrons dans quelques jours, le temps que messieurs les politiciens traduisent leurs promesses en actions. Le Service sera réactivé avec une douzaine d'hommes, dont vous ferez partie.

Anderson s'était levé, à la fois pour signifier à David la fin de son entrevue et pour accueillir le nouveau venu. Il fit les présentations, puis le journaliste se retira. Williamson s'empara de la chaise laissée libre et demanda quand la porte fut refermée :

— Intéressante, cette recrue ?

— Il a déjà excellé dans ses anciennes fonctions. Nous verrons bien. De toute façon, il ne nous coûte rien…

— Oh! L'un de ces détectives amateurs!

Afin de ne pas laisser le policier sous une fausse impression, Anderson résuma en quelques phrases les services passés de David Langevin, puis en vint à la raison de la rencontre:

— Un chimiste de Birmingham nous a envoyé un mot pour signaler l'achat d'une large quantité de glycérine.

— Beaucoup de gens s'en servent pour se nettoyer les oreilles...

— Avec la quantité achetée chez ce type, quelqu'un pourrait nettoyer toutes les oreilles du Royaume-Uni.

La glycérine entrait dans la fabrication de la nitroglycérine, l'élément actif de la dynamite. Une information qu'aucun chimiste digne de ce nom ne pouvait ignorer. Celui-là, bon citoyen, avait eu l'idée non seulement de signaler cet achat, mais encore de dénicher l'adresse où la livraison devait s'effectuer.

— Vous allez vous rendre dans cette ville, demander l'aide des policiers locaux et vous rendre à cet entrepôt.

— Tout de suite?

— Vous devriez être déjà parti.

Williamson s'esquiva. Avec un peu de chance, il serait à Birmingham avant qu'Edward Jenkinson ne puisse intervenir lui-même au Royaume-Uni. Chacun tenait à son territoire.

ᘉ❀ᘊ

Une heure plus tard, un peu rassuré quant à son avenir professionnel, David revenait à sa demeure de la rue Malet. Sa femme le reçut avec son sourire béat des grands jours.

— Je dois aller m'acheter une nouvelle robe. Tu m'accompagnes?

La vraie question était: «Préfères-tu faire un infarctus devant la vendeuse, à la vue du prix, ou alors ici, quand je serai de retour?»

— Je devais ranger ma bibliothèque.

— J'ai été invitée au château Windsor ! révéla-t-elle tout à trac.

— ... Alors là, si tu fréquentes la reine, dans un an, nous serons sur la paille.

David savait très bien que le prix de certaines robes de bal pouvait parfois représenter son revenu annuel additionné à celui de sa femme. Les plus modestes robes, lors des rencontres de l'aristocratie, équivalaient au montant mensuel de son annuité.

— Ne jette pas les domestiques dehors pendant mon absence, dans l'espoir d'économiser. D'abord, je ne suis pas vraiment invitée au château, mais dans une petite maison construite dans le parc Windsor. Ensuite, je n'ai pas été conviée par la reine, mais par lady Florence Dixie. Tu sais, celle qui a écrit le livre sur la Patagonie.

Il se souvenait. Cette dame avait publié le récit de sa chevauchée dans les plaines de la Patagonie, en compagnie de son noble époux et d'une armée de serviteurs. Le livre avait eu un succès appréciable et David avait même songé à publier un récit de sa promenade de 1881 dans les prairies canadiennes. Bien sûr, n'étant ni le fils du septième marquis de Queensbury, mort dans un accident de chasse qui avait les allures d'un meurtre conjugal, ni marié à Alexandre Beaumont «Beau» Churchill, baronnet de Dixie, très vite il avait compris que son succès de librairie aurait été très limité.

— Et comment diable cette noble dame a-t-elle eu connaissance de l'existence de mon épouse adorée ?

— Au moment de quitter Ottawa, j'ai fait connaître la nouvelle de mon départ à toutes les personnes que je fréquentais.

Et probablement aussi à tous les journaux de la capitale. Les carnets mondains soulignaient toujours les départs vers la métropole, et rendaient compte fidèlement des commentaires éblouis de ceux qui en revenaient.

— Parmi la liste, il y avait la princesse Louise. Celle-ci a parlé de moi à lady Florence...

Toute fille de reine qu'elle fût, la princesse Louise, à Ottawa, avait dû se rabattre sur ce que la petite ville d'à peine dix mille habitants comptait de plus respectable, car exiger la présence de personnes de son rang l'aurait condamnée à rester seule. La fille du consul du Royaume-Uni à New York figurait parmi les personnes acceptables, invitées à prendre le thé à la résidence du gouverneur général. Son Altesse Royale devait avoir trouvé la société de la colonie un peu décevante, puisqu'elle avait profité de toutes les occasions pour y écourter son séjour.

— La princesse voyageuse se trouve à Londres ?

— Il semble bien.

— Son époux ne doit pas trop lui manquer… Mais comment se fait-il que cela te vaille une invitation de la part de lady Florence ?

Édith marqua une pause, fit signe à David que mieux valait quitter le petit hall de la maison, où elle était venue l'accueillir pour lui annoncer la bonne nouvelle. Une fois dans le salon, dont elle ferma la porte, elle prit le ton de la conspiration :

— Tu savais qu'elle a écrit un livre sur la Ligue pour les terres ?

— Je sais qu'elle a publié un livre sur le sujet. Ce n'est pas tout à fait la même chose.

— Que veux-tu dire ?

— Selon ce qu'on dit à Dublin, elle a payé un certain Pigott, un journaliste pas très estimé, pour la rédaction du texte. Remarque, elle lui a sans doute inspiré le ton et les idées, mais ce pamphlet ne serait pas de sa plume. Tu sais que le contenu est plutôt explosif ?

Tous les deux avaient pris place dans leurs fauteuils favoris, de part et d'autre de la cheminée où brûlaient quelques morceaux de charbon.

— Elle attaque la Ligue pour les terres ? questionna la jeune femme.

— Elle accuse ses membres d'être des communistes intoxiqués par les écrits de Karl Marx, désireux d'enlever les grands domaines fonciers d'Irlande à leurs propriétaires légitimes, pour les distribuer à des paysans ignorants et superstitieux.

Édith savait que dans la bouche de beaucoup de Britanniques, le mot « superstitieux » était devenu le synonyme habituel de « catholique ».

— Alors, comment se fait-il qu'elle t'invite, outre le fait que Son Altesse Royale lui a certainement vanté ton charme exquis ?

Son épouse grimaça un peu devant l'ironie de David, puis expliqua :

— Dans la lettre, lady Florence explique que la princesse Louise lui a parlé de tes bons et loyaux services de garde du corps. Elle précise vouloir s'entretenir avec moi des affaires irlandaises.

Ce fut au tour de David de présenter un visage préoccupé. Cette dame trouvait sans doute amusant de discourir sur le mouvement révolutionnaire, mais tirer les vers du nez de l'épouse d'un agent secret pouvait devenir dangereux. Sa femme comprit son inquiétude et jugea utile de préciser :

— Tu sais, je peux faire preuve de discernement. Ce ne sera pas la première fois que quelqu'un voudra me faire parler de tes mystérieuses activités... Mais je ne t'ai pas demandé comment avait été la rencontre de ce matin ?

— Plutôt bien. D'agent secret, je deviens agent spécial. J'aurai bientôt des nouvelles de mon nouveau patron. Ton père lui adressait ses rapports dès les années 1860, à ce que j'ai compris.

— Tant mieux. Bon, je vais chercher cette robe. Ne t'inquiète pas, il nous restera encore de quoi manger cette semaine.

À nouveau joyeuse, elle s'esquiva.

᠀᠀᠀᠀

Birmingham, mercredi 28 février 1883

Situé dans les Midlands, Birmingham présentait le paysage sombre et gris des agglomérations industrielles de l'Angleterre. La ville tirait de ses entreprises métallurgiques sa grande prospérité. De la gare, Dolly Williamson prit un fiacre en direction du poste de police. Son véritable prénom, Adolphus, devait demeurer ignoré de tous. À l'homme assis devant la porte, derrière un petit comptoir, il déclara :

— Le commissaire Harris m'attend.

— Oui, bien sûr. Qui dois-je annoncer ?

— Commissaire Williamson, de Scotland Yard.

Le planton conduisit le visiteur au premier étage et revint vers son poste pour faire signe à un gamin de s'approcher. Il s'en trouvait toujours quelques-uns sur les lieux, attendant l'occasion de porter un message en échange d'un penny ou deux.

— Tu vas donner ceci à O'Brien et à personne d'autre. Et si jamais tu dis un mot, gare à toi. Tu ne mettras plus les pieds dans un poste de police, et les agents sauront bien te faire des petites misères.

La ville de Birmingham comptait sa part d'Irlandais qui se tuaient à l'ouvrage dans des usines ou des manufactures, occupant les emplois dont les Anglais, pourtant peu difficiles, ne voulaient pas. Quelques-uns réussissaient à améliorer leur sort, atteignant la sécurité relative d'un emploi dans les services publics. Malgré la méfiance que suscitait leur candidature, certains se trouvaient dans la police.

Grâce à l'un d'eux, Matthew O'Brien apprit qu'un certain Williamson, de Scotland Yard, se trouvait dans la ville. Aucun besoin d'être devin pour savoir que ce patronyme rappelait dangereusement le Service spécial : on avait vu ce nom dans les journaux.

En début de soirée, les commissaires Williamson et Harris se présentaient au 128 de la rue Ledsam avec une douzaine d'agents de police armés. Ce petit entrepôt était situé à proximité d'un canal conduisant à Liverpool, le port d'attache des principaux transatlantiques et des *ferries* faisant la navette avec Dublin. La ville comptait aussi des gares. Les terroristes pouvaient recevoir tout le matériel voulu, et s'égailler ensuite dans le pays, sans attirer l'attention.

Le local paraissait vide. Quelques coups d'épaule suffirent pour enfoncer la porte. Malgré la lumière falote des lampes des agents, il apparut à tous que les lieux avaient abrité un laboratoire artisanal. Des contenants de verre soigneusement protégés par de la paille tressée traînaient çà et là. Surtout, Williamson trouva quelques boîtes de carton ondulé. Il plongea la main dans l'une d'elles, en sortit une petite quantité d'une matière grisâtre qu'il écrasa entre ses doigts.

— Du kieselguhr, murmura-t-il.

— Pardon ? fit son collègue, à côté de lui.

— Du kieselguhr, l'argile à laquelle on mélange la nitro-glycérine pour fabriquer de la dynamite. Fouillons les lieux pour voir si quelque chose peut nous mettre sur la piste des terroristes.

Pendant deux heures, sous le mauvais éclairage de leurs lampes, et encore toute la matinée du lendemain, le local fut passé au peigne fin, les voisins longuement interrogés. Ceux-ci n'avaient rien remarqué. Ou alors ils préféraient s'en tenir à cette réponse par sympathie pour le mouvement révolutionnaire ou par crainte de représailles.

Londres, lundi 5 mars 1883

Les locaux de Scotland Yard, le centre administratif de la police métropolitaine, se trouvaient au numéro 4 de la rue

Whitehall, tout près des différents ministères du gouvernement du Royaume-Uni. Plus de douze mille agents travaillaient dans ses services, dispersés dans de nombreux postes de police.

L'appellation « Scotland Yard » tenait au fait que des siècles plus tôt, les rois d'Écosse avaient possédé un hôtel particulier sur ce terrain. Le service de police logeait dans une succession de bâtiments hétéroclites construits sur ces lieux. Le Service spécial, appelé souvent le Service irlandais, occupait l'étage de l'un d'eux. David se trouvait dans une salle enfumée à cause des pipes, des cigarettes et même d'un ou deux cigares particulièrement malodorants, au milieu d'une douzaine d'agents tous vêtus en civil. Dans leur fonction, le port de l'uniforme aurait été une nuisance.

Assis autour d'une longue table qui avait visiblement connu une première carrière très éprouvante dans un ministère voisin, tous attendaient l'arrivée de Robert Anderson. Celui-ci entra bientôt et se dirigea d'un pas vif et nerveux à l'extrémité de la table pour dire aussitôt :

— Messieurs, nous assistons à la renaissance du Service spécial, après des années de sommeil, grâce à nos bons amis irlandais. Certains d'entre vous étaient déjà là en 1875, d'autres sont de nouvelles recrues. Vous travaillerez sous la direction de Williamson. Ce dernier viendra me faire rapport tous les jours au ministère de l'Intérieur. Dolly, vous poursuivez.

Le commissaire, assis à la droite du fonctionnaire, se tourna à demi pour faire face aux personnes présentes. La cinquantaine, les cheveux grisonnants, un ventre qui empiétait dangereusement sur sa ceinture, il s'agissait certainement d'un ancien militaire. Ses favoris se rejoignaient sous son nez pour former une épaisse moustache.

— Messieurs, votre première mission sera de hanter tous les pubs et les autres mauvais lieux des quartiers irlandais, de même que les gares.

— Par encore les pubs, râla quelqu'un.

— Ce sera au moins la moitié de votre emploi du temps. Avertissez tout de suite vos épouses.

— Et nous chercherons quoi ? demanda un autre.

À la façon dont les choses se passaient, David devinait que les rapports au sein de cette petite équipe n'obéissaient pas aux règles hiérarchiques habituelles. Cela le rassura un peu, car la discipline militaire qu'il avait subie vingt ans plus tôt l'avait très vite lassé.

— Nous cherchons des hommes susceptibles de posséder trois cents livres de dynamite, si j'en juge par la quantité de glycérine qu'ils ont utilisée. Ils se sont envolés de Birmingham juste avant que nous fassions une descente dans leur cachette.

— Donc quelqu'un chez les policiers les a avertis, grommela l'un des hommes.

— Trois cents livres ? répliqua un autre. Cela suffirait pour faire disparaître le parlement de Westminster.

— Vous pensez que ces conspirateurs sont venus à Londres ? intervint un troisième policier.

— Selon les grands bonzes du château de Dublin, leur objectif serait la capitale, admit Anderson, comme à regret.

David devina qu'il faisait allusion à Jenkinson et que l'amour ne régnait pas entre eux. Tout de suite, cela le lui rendit sympathique. Au point qu'il se sentit l'audace de mettre son grain de sel :

— Vous avez un nom ?

— … Matthew O'Brien, répondit le fonctionnaire du ministère de l'Intérieur après une hésitation. Mais cela peut-être un pseudonyme.

— Il y a un homme de ce nom qui traîne chez les féniens depuis une vingtaine d'années, depuis la guerre de Sécession en fait. C'est un vétéran d'à peu près mon âge aux cheveux bruns. Ses yeux sont gris, si je me souviens bien, et il mesure environ cinq pieds et demi. Cela pourrait être le même.

Anderson échangea un regard avec Williamson. Ce dernier enchaîna :

— Retenez ce signalement. Nous chercherons dans les journaux américains si le portrait de ce type a déjà été publié. En passant, si certains se demandent ce que fait monsieur Langevin parmi nous, vous en connaissez maintenant la raison : il n'a raté aucun des congrès des associations irlandaises depuis les années 1860.

Un murmure parcourut la salle, David se sentit rassuré sur son emploi des prochains mois. Williamson sortit une feuille du sac de cuir posé sur la table devant lui, nomma chacune des personnes présentes et leur donna une affectation. David Langevin vint en dernier :

— J'avais pensé à vous pour jouer le rôle du passager qui attend son train pendant des jours et des jours dans l'une ou l'autre des gares de la ville, afin de nous signaler les personnes ressemblant à des conspirateurs. Mais vous venez de me donner la certitude qu'il serait pertinent de consulter les journaux américains conservés au British Museum afin de voir si ce Matthew O'Brien s'est déjà fait tirer le portrait.

Tous les périodiques irlandais des États-Unis étaient familiers au journaliste, ceux-ci rendaient compte avec force détails des activités des associations révolutionnaires et les articles étaient agrémentés de photogravures des personnages les plus éminents.

— Vous êtes libres d'aller vaquer à vos occupations.

Le fonctionnaire et le commissaire quittèrent les lieux ensemble et les hommes s'entre-regardèrent un moment avant que quelqu'un ne propose :

— Nous allons manger un morceau ?

Même si la majorité d'entre eux devraient passer la soirée dans un débit de boisson, tous acquiescèrent à la suggestion. Au bout de la collection de bâtiments formant les locaux de Scotland Yard se trouvait un pub, le *Rising Sun*. En plus d'offrir de la bière et une honnête nourriture à ses clients, cet établissement profitait d'un autre avantage considérable : alors que les locaux de la police en étaient dépourvus, une grande salle à l'arrière alignait une vingtaine d'urinoirs. Ce fut devant l'un d'eux, dans une puanteur qui témoignait de leur usage intensif, que quelqu'un posa à David la question qui brûlait les lèvres de tous ses nouveaux collègues :

— Langevin, c'est un nom français ?

— Oui, mais j'en ai un irlandais aussi.

— Vous parlez très bien anglais.

En vérité, David était sur le point de pouvoir imiter à la perfection l'accent des Londoniens.

— Vous aussi, ironisa le journaliste, en enchaînant en gaélique : comment qualifiez-vous votre accent *gaeilge* ? Si vous voulez passer inaperçu chez les Irlandais, c'est le plus important.

— Oh ! Ne vous inquiétez pas de cela, fit l'autre dans la même langue. La plupart d'entre nous sommes irlandais.

— Catholiques ?

— Protestants surtout… mais pas tous.

En refermant les boutons de sa braguette, David se dit que les catholiques ne devaient pas être si rares dans cette petite équipe d'Irlandais fidèles au gouvernement du Royaume-Uni. Après tout, ils appréciaient assez le pays pour y vivre.

❧❦❧

Windsor, mardi 6 mars 1883

Une gare se trouvait à Windsor, tout près du grand parc entourant le château royal. Même si la distance permettait de faire le trajet à pied, et que la promenade s'avérait sans doute très agréable, Édith préféra prendre un fiacre pour se rendre à *The Fishery*, une maison de pierre élégante et confortable. Depuis qu'elle avait reçu son invitation, elle avait pris ses informations. Sans ressources suffisantes pour mener un train de vie en accord avec son rang, lady Florence Dixie vivait là grâce à la générosité de la reine Victoria qui affectionnait cette jeune femme fantasque et aventurière.

À la domestique qui vint ouvrir, Édith se présenta et posa sa carte au centre d'un petit plateau d'argent. Un moment plus tard, elle fut introduite dans un salon vieillot, aux meubles défraîchis et poussiéreux.

— Votre Altesse Royale...

La visiteuse s'inclina très bas devant la princesse Louise qui se trouvait au centre d'une petite assemblée de cinq femmes.

— Madame Langevin, cessons ces formalités tout de suite, demanda la princesse Louise en lui tendant la main. Je suis heureuse de vous revoir. Comment se porte votre père?

Dès l'arrivée de la princesse à Ottawa avec le marquis de Lorne, le consul Archibald s'était empressé de venir lui présenter ses respects.

— Aussi bien que possible pour un homme qui pensait servir le gouvernement jusqu'à l'âge de cent ans au moins.

— Et votre époux vient poursuivre sa carrière d'agent secret à Londres?

— Si j'ai bien compris, Votre Altesse, il tente de se familiariser avec le métier de policier.

Édith venait d'admettre appartenir à une classe sociale inférieure. Aucune des femmes présentes ne se serait abaissée à lui adresser la parole, sauf en cas d'absolue nécessité, et avec la plus grande condescendance. Mais la princesse, une femme passionnée de peinture et de sculpture, à qui la rumeur prêtait d'ailleurs un amant artiste d'une extraordinaire obésité, venait de lui donner un statut nouveau du simple fait des quelques paroles échangées. Elle la présenta ensuite aux aristocrates occupant chacune un fauteuil démodé. La dernière qui lui fut présentée était Florence Dixie.

Celle-ci, dans la vingtaine, était plutôt petite mais fort vive et jolie, et se distinguait notamment des autres personnes présentes par sa coiffure et ses vêtements. Florence Dixie arborait des cheveux bruns très courts, bouclés, alors que toutes ses contemporaines un peu nanties les portaient longs et arrangés de façon compliquée. Sa robe bleue, toute simple, ne s'encombrait d'aucune tournure sur les fesses. Les mouvements souples de la jeune femme témoignaient de l'absence de tout corset. À ses pieds, des souliers plats ajoutaient à la vivacité de ses déplacements.

Après qu'Édith fut assise et qu'une domestique lui eut apporté du thé et des biscuits, lady Florence continua la conversation amorcée lors de l'arrivée de la nouvelle venue :

— Pouvez-vous me dire quel plaisir vous avez à porter tous ces vêtements compliqués et inconfortables ? Vous avez toutes du mal à vous asseoir, et je parie que votre respiration est difficile….

La jeune femme profitait sans vergogne du confort que lui procurait son propre habit, à demi allongée sur une causeuse. Toutes ses compagnes avaient les fesses sur le bout de leur chaise. Pourtant, leur tournure, amassée derrière elles à la hauteur des reins, était modeste et convenait tout à fait aux circonstances.

— Si vous arrivez à répandre cette mode plus simple, raisonnable dites-vous, je la suivrai avec plaisir, décréta la princesse Louise.

— Mais Votre Altesse, personne ne m'imitera. Vous seule auriez l'autorité pour changer les usages. Une seule présence à un bal officiel sans vous encombrer d'un appendice ridicule sur le derrière suffirait. Vous susciteriez des émules par milliers. Moi, je ferais tout juste jaser.

— Je pense aller aussi loin que possible dans l'originalité sans heurter qui vous savez. Je laisse à d'autres la révolution vestimentaire !

La princesse royale parlait de sa mère. Si celle-ci permettait à sa fille préférée bien des libertés, elle s'attendait certainement en retour à une réserve de bon aloi.

— Alors, je serai seule à faire serment de ne plus porter un affreux corset ? Je promets de brûler tous ceux que je possède encore dès aujourd'hui.

— Bien sûr, vous n'en avez pas besoin, opina quelqu'un du petit clan. Vous pouvez bien prêcher la révolution des vêtements.

Édith se disait justement cela. Florence Dixie, malgré ses grossesses, gardait un corps et une vivacité d'adolescente.

— Madame Langevin, parlant de révolution, avez-vous lu mon petit opuscule sur la Ligue pour les terres ? poursuivit l'hôtesse en se tournant vers la nouvelle venue.

— Malheureusement non. Vous savez, je viens tout juste d'arriver en Angleterre.

— … Je croyais que des exemplaires étaient disponibles au Canada.

Comme tous les auteurs, elle s'imaginait que l'humanité se précipitait sur ses œuvres. À la fin, la jeune femme consentit à expliquer :

— J'y soutiens que cette organisation s'inspire des écrits de Karl Marx. Comme dans le cas des manufactures des villes, il s'agit d'enlever les propriétés terriennes à leurs détenteurs légitimes pour les remettre à de pauvres paysans qui ne sauraient même pas quoi en faire !

Surtout, personne dans la pièce ne pouvait même envisager que l'organisation sociale dont ils tiraient richesses et privilèges puisse devenir différente de ce qu'elle était. Depuis des siècles, leurs fortunes tenaient à des centaines de paysans soumis et exploités. Une vie en Amérique avait donné à Édith des conceptions un peu différentes… qu'elle ne devait exprimer sous aucun prétexte dans cette pièce.

— Comme je ne connais vraiment ni le contexte ni l'auteur auquel vous venez de faire référence, je peux difficilement porter un jugement. Cependant, je crois savoir que devant les intempéries des dernières années, le premier ministre Gladstone, tout comme le chef du Parti conservateur, lord Salisbury, a consenti une remise des loyers aux personnes qui cultivent leurs terres. Le climat a été aussi mauvais en Irlande et les paysans ont besoin d'aide.

Ce genre de réponse aurait fait la fierté de son époux. Lady Florence quant à elle ne montrait aucune satisfaction:

— Ce n'est pas la même chose. En Angleterre, personne ne tue des innocents! La Ligue pour les terres est à l'origine de nombreux meurtres.

— Tous les paysans irlandais ne sont pas des assassins, je ne vois aucune raison de les punir en bloc. Michael Davitt et Charles Parnell, qui dirigent la Ligue, ont d'ailleurs désavoué ces atrocités.

— Mais ce sont des hypocrites. Vous semblez les appuyer… glissa la dame qui, plus tôt dans la conversation, avait réclamé la pérennité des corsets pour dissimuler un embonpoint naissant.

Le rouge monta aux joues d'Édith, un bref instant elle eut envie de se faire républicaine et de lancer sa tasse de thé au visage de l'idiote. La princesse Louise vint à sa rescousse en déclarant d'un ton cassant:

— Je suis toujours vivante grâce à l'époux de madame Langevin. Mon frère, le prince Arthur, doit la vie à l'action combinée de madame et monsieur Langevin.

— Oh! fit la vilaine en rougissant à son tour. Je ne savais pas…

Sous le regard insistant de la princesse, elle bredouilla après une pause:

— Je m'excuse…

Le statut d'Édith venait soudainement de s'améliorer… pour atteindre celui de mercenaire efficace au service des grands de ce monde. Un peu à regret, la conversation revint à la nécessité, pour les femmes, d'adopter des vêtements plus confortables.

❧❦❧

Londres, le mardi 6 mars 1883

Comme son épouse avait soigneusement évité le sujet pendant tout le souper, David devinait que les choses ne s'étaient pas déroulées comme prévu lors de sa visite au parc Windsor. Ce ne fut qu'au moment de boire le digestif qu'il demanda :

— Comment fut la journée ?

— Affreuse !

La colère marquait sa voix. Comme seul le premier mot coûtait, elle résuma sa visite, puis déclara en guise de conclusion :

— Je me demande encore pourquoi on m'a invitée là. J'avais l'air d'un cheveu dans une soupe.

— Pour obtenir des informations juteuses sur la lutte antiterroriste, afin que cette lady livre bientôt un *nouveau pamphlet incendiaire* à la postérité.

— Mais comment pouvait-elle penser que je savais quelque chose ?

— Ces gens-là savent peut-être que ton père a eu l'idée saugrenue de te permettre d'assister en secret à ses conversations avec des informateurs, ou que ton mari a la fâcheuse habitude de te raconter le détail de ses enquêtes.

Le ton moqueur dérida à peine Édith. Quant à David, même si cela le conduisait à des situations comme celle-ci, il préférait maintenant partager ses secrets, car le silence avec sa première épouse lui avait coûté fort cher.

— D'abord, personne ne peut croire que nous parlons espionnage sur l'oreiller. Mais de toute façon, comment cette pimbêche pouvait-elle imaginer que je serais assez sotte pour divulguer des informations secrètes ?

— Sans doute parce que cette femme est sotte elle-même. Mais comment l'histoire s'est-elle terminée ?

— La princesse Louise est venue à mon secours en chantant nos louanges, en particulier les tiennes.

Cette fois, ce fut l'intervention de Son Altesse Royale qui fit l'objet d'un récit détaillé.

— C'était gentil... Elle vient de nous ouvrir quelques salons, et de m'interdire tout travail d'infiltration, car les Irlandais feront très vite le lien entre les patronymes Langevin et Devlin, si ce n'est déjà fait. Pire, ils pourront relier mon nom aux événements de 1870, le seul moment où le prince Arthur a été en danger.

Surtout, pensa le journaliste, un excité pouvait bien avoir envie de régler son compte à un espion de Sa Majesté britannique. Il ne restait qu'à espérer que ces femmes de l'aristocratie, absorbées par leurs perles, leurs diamants et leurs domaines, oublient bien vite avoir un jour entendu son nom.

— Et toi, quel genre de journée as-tu passé?

— L'extase complète, version British Museum. Selon le commis qui m'amenait les liasses de journaux américains, j'étais assis à la table que Karl Marx occupait au moment de se livrer à ses recherches pour écrire *Le Capital*.

— Ne me parle surtout pas de cet Allemand barbu. Décidément, il va gâcher ma journée, celui-là. Tu n'as rien de nouveau sur ton terroriste?

— J'ai lu son nom à quelques reprises, mais aucune gravure encore. Je ne renonce pas cependant, quelqu'un a bien dû immortaliser les traits de cet individu.

Deux jours plus tard, le *Vindicator* lui donnait raison. Trois ans auparavant, Matthew O'Brien, le dirigeant de la section du Clan-na-Gaël à Buffalo, faisait l'objet d'un article pour avoir organisé un pique-nique inoubliable. Une gravure illustrait le texte.

9

Parce que de nombreux imprimeurs y avaient établi leur commerce, un, parfois deux siècles plus tôt, la ville de Londres comptait une ruelle et une place appelées Printing House. Le journal conservateur *Times*, farouche adversaire de Charles Parnell, du Parti parlementaire et de la moindre parcelle d'autonomie pour l'Irlande, avait pignon sur rue dans ce quartier, sur Playhouse Yard.

À huit heures du soir précises, les bureaux du quotidien devaient être réduits en ruine. En réalité, il y eut un bruit sourd et beaucoup de fumée. Le détonateur bourré de poudre noire explosa, mais pas la charge de dynamite.

Si les choses en étaient restées là, le journal aurait pu ironiser sur le pétard mouillé le lendemain en première page. Exactement une heure plus tard, les locaux du Bureau du gouvernement local, sur la rue Charles, se trouvaient secoués par une explosion de très forte intensité. Aucune fenêtre des locaux du ministère de l'Intérieur, situés dans le même édifice, ne résista à l'onde de choc. Comme la Chambre des communes siégeait à ce moment-là, tous les députés entendirent le bruit de la machine infernale et virent les vitraux de la grande salle secoués dans leurs cadres.

Matthew O'Brien venait de porter la guerre au cœur de la capitale de l'Empire britannique. Le lendemain, des militaires montaient la garde devant la plupart des édifices

publics. Les ministres, les députés et certains hauts fonctionnaires ne déambulaient plus seuls dans les rues.

❧❧❧

Windsor, samedi 17 mars 1883

Les postes de police, à travers le Royaume-Uni, se ressemblaient tous : des édifices de brique sombre, des murs gris,
des meubles sans caractère.

Un peu avant huit heures du soir, une femme élégante,
brune, les cheveux bouclés coupés court, se précipita devant
le comptoir pour dire au policier en faction :

— Je veux parler au commissaire. J'ai été agressée.

Une femme à l'accent épuré, vraisemblablement de la
haute société, estima le planton. Son chapeau tenait de guin-
gois sur sa tête. Les traces de terre, d'herbe et de feuilles
séchées visibles sur sa robe tailladée à coups de lame témoignaient de la véracité de son histoire. Mieux valait ne pas
faire attendre ces gens-là, estima l'agent.

— Suivez-moi, articula-t-il de son mieux en se levant.
Vous avez de la chance, le commissaire se trouve encore là.
Qui dois-je annoncer ?

En marchant vers l'escalier, l'homme prit la peine de
passer à deux reprises sa main bien à plat sur le devant de son
uniforme pour faire tomber toutes les miettes de son dernier
repas.

— Lady Florence Dixie.

Un instant plus tard, il frappait à la porte de son supérieur
qui lui répondit d'un ton impatient « Oui, qui est-ce ? »

— Monsieur, lady Dixie désire vous voir.

Sans demander son reste, il se sauva, abandonnant la
distinguée victime au commissaire. Celui-ci se leva poliment,
désigna à la jeune femme la chaise devant son bureau et
attendit qu'elle soit assise avant de se rasseoir.

— Je m'appelle Julian Gwyn. Madame...

— Lady Florence Dixie, répéta-t-elle encore, une pointe d'impatience dans la voix.

— Que puis-je faire pour vous? Vous désirez porter plainte?

— Deux inconnus m'ont attaquée à coups de couteau dans le parc Windsor, plus précisément sur le chemin Slough.

Le policier prit son air le plus compassé pour demander:

— ... Vous êtes blessée? Je peux faire venir un médecin.

— Non, ce n'est pas nécessaire. Mon corset a arrêté les coups.

Le commissaire réprima un demi-sourire, regarda discrètement le tissu bleu de la robe largement tailladée et le sous-vêtement de même couleur, bien visible. Quelle précaution, porter un corset si bien assorti. Les ladies montraient-elles toutes la même prudence, au cas où une attaque surviendrait?

— Racontez-moi ce qui s'est passé.

— Je marchais dans le parc, seule. Deux femmes se sont approchées pour me demander l'heure. L'une a essayé d'immobiliser mes bras en arrière, l'autre m'a donné des coups de couteau. De près, et surtout en sentant sur leur menton une barbe rugueuse, je me suis rendu compte qu'il s'agissait d'hommes déguisés.

— Vous vous êtes défendue?

— Évidemment, je me suis défendue! Qu'est-ce que vous pensez?

— Une femme seule, deux hommes armés.

Un soupçon pointait dans la voix du policier.

— Je ne suis pas incapable de me protéger. J'ai traversé à cheval un continent rempli de dangers, commença-t-elle, sur la défensive.

«Tout de même, pensa le commissaire, elle ne doit pas peser plus de cent livres.»

— Et puis mon chien m'accompagnait, un saint-bernard de grande taille.

— Bien sûr, ce genre d'animal peut effrayer un agresseur. Où se trouve-t-il?

— … Pardon?

— Le chien, où se trouve-t-il maintenant? Vous avez dû venir ici d'une traite, à en juger par l'état de vos vêtements.

— Je suis passée à la maison, pour l'enfermer dans une remise.

Le commissaire n'arrivait pas à cacher son scepticisme. Deux hommes contre une jeune dame de cet âge et de ce poids, toute grande exploratrice qu'elle prétende être, cela laissait plus de traces qu'une robe un peu souillée et déchirée.

— Pourquoi ces individus, déguisés en femme, s'en seraient-ils pris à vous? J'ai du mal à croire que cela tienne au hasard. Le déguisement laisse croire qu'il s'agit d'un acte prémédité.

— C'est une attaque délibérée, cela ne fait pas de doute!

— Alors pourquoi quelqu'un voulait-il s'en prendre à vous? Vous avez des ennemis?

— Vous ne savez pas qui je suis?

La jeune femme semblait avoir vraiment du mal à croire que ce fût possible.

— Est-ce que je devrais? demanda le policier.

— … Lady Florence Dixie. J'ai publié l'an dernier un livre intitulé *L'Irlande et son ombre*, une condamnation de la Ligue pour les terres. Ils ont voulu se venger.

— Je vois.

— Qu'allez-vous faire?

Julian Gwyn se posait justement la même question. Cette histoire paraissait tellement invraisemblable… D'un autre côté, ne rien faire, alors que la présumée victime jouissait d'une indéniable capacité de lui nuire, aurait été imprudent.

— Je vais envoyer des policiers explorer le parc dès à présent, mais je ne crois pas que ces deux hommes seront encore là. Pour la suite des choses, il serait préférable de s'en remettre au Service spécial… Ce sont des habitués de ce genre d'affaires.

— Oui, bien sûr...

Le commissaire se leva, mal à l'aise, soucieux de bien conclure l'entretien :

— Si vous me le permettez, Madame, le mieux serait d'aller tout de suite dans le parc. Vous pourrez me montrer l'endroit exact, puis la voiture de police vous reconduira chez vous.

❧❧❧

Londres, dimanche 18 mars 1883

David avait consenti à accompagner sa femme pour une longue promenade à cheval dans Hyde Park. Un peu après le lunch, des coups contre la porte d'entrée changèrent tous les projets. Après être allé ouvrir, Violet revint pour dire d'une voix inquiète :

— Monsieur, monsieur Dolly Williamson vous demande.

La servante savait reconnaître un policier, et dans le monde d'où elle venait ceux-ci n'apportaient jamais de bonnes nouvelles. Le journaliste abandonna sa tasse de thé pour aller à la porte.

— Je viens vous faire découvrir les joies du métier de policier. Ce sont les terroristes qui déterminent notre horaire de travail. Accompagnez-moi à la gare Euston.

David retourna au salon, embrassa Édith en lui souhaitant de faire une longue chevauchée.

— Ne prends pas cet air désolé, je sais que tu détestes aller à cheval.

Un moment plus tard, David montait dans une voiture de la police avec Williamson.

— Que se passe-t-il ?

— Edward Jenkinson a communiqué avec Robert Anderson. Des terroristes seraient montés dans un train avec deux cent cinquante livres de dynamite. Nous devrions être à la gare à temps pour les voir arriver.

— De quoi faire sauter la ville.

— À tout le moins, le parlement.

Chaque fois que la quantité d'explosif venait sur le tapis, la même crainte habitait les policiers : une attaque contre le lieu où s'exerçait le pouvoir politique.

— Nous allons les arrêter ?

— Certainement pas. Cela laisserait des complices dans la nature capables de poursuivre le travail de destruction. Nous allons plutôt les suivre, pour savoir qui ils contactent, avec l'espoir de capturer toute la cellule impliquée dans cette campagne.

La gare Euston, dans le quartier de Camden, était la première à avoir été construite dans la ville de Londres, en 1837. Elle desservait le chemin de fer de la côte ouest de l'Angleterre, jusqu'à Glasgow, en passant par Birmingham et Liverpool. Les deux hommes y pénétrèrent en passant par un portique classique, flanqué de colonnes doriques, pour accéder à un grand hall, long de cent vingt-cinq pieds et large de soixante, qui se terminait par un escalier monumental. Le plafond était décoré de caissons et les murs, de colonnes. Des dizaines de voyageurs déambulaient dans ces lieux et certains s'arrêtaient sous le grand panneau indiquant les heures d'arrivée et de départ.

David remarqua trois hommes appartenant au Service spécial. Au passage, leurs yeux fixèrent un bref instant ceux du patron, qui continua son chemin. Personne ne devait deviner qu'ils se connaissaient. Séparément, ils accédèrent aux quais, protégés par une grande construction de fonte et de verre : un immense temple dédié à la technologie de l'ère industrielle.

Dans les minutes suivantes, le train de Birmingham entra en gare. À l'ouverture des portières, des dizaines de personnes se répandirent sur le quai. Les enquêteurs se trouvaient près de la section où les wagons de deuxième classe s'étaient arrêtés. Williamson, planté un peu à l'écart, examinait les voyageurs un par un, aussi discrètement que possible, comme s'il cherchait à reconnaître un parent éloigné. Chaque fois qu'un homme dans la vingtaine passait près de lui avec une valise visiblement lourde, il tendait l'index vers le sol et l'un de ses hommes se mettait en chasse.

Tout cela tenait de la loterie : la description qu'en avait faite Dublin s'avérait bien vague, mais le poids de la dynamite lui-même devenait un indice. David se fit désigner le quatrième homme. Adoptant un air désinvolte, il le laissa prendre une bonne avance, puis lui emboîta le pas.

Il était très difficile de suivre un individu qui se méfiait. Ce n'était pas le cas de cet homme qui paraissait vouloir rentrer au plus vite à la maison après une longue tournée dans les villes du nord. Chez lui, aucune précaution pour semer quelqu'un et pas une fois il ne se retourna. Une demi-heure plus tard, David se tenait devant la porte d'un immeuble à logement plutôt modeste. En rentrant à la maison, il fit un crochet par les bureaux du Service spécial pour laisser un mot à Williamson, afin de lui faire connaître l'adresse de la personne filée depuis la gare.

⁂

Londres, lundi 19 mars 1883

Le lendemain matin, David se trouvait dans la grande salle de réunion du Service spécial avec tous ses collègues.

— Nous avons les adresses à Londres de cinq suspects, commença Williamson, ainsi que trois noms.

À cette évocation, le journaliste se dit que la prochaine fois il vaudrait mieux avoir le nom de sa cible, s'il entendait se faire bien voir du patron.

— Nous allons nous concentrer sur ces gens, savoir qui ils sont, quelles sont leurs occupations, leurs relations, avec l'espoir que l'une de ces pistes nous conduise aux terroristes.

Dans les minutes suivantes, le commissaire forma des paires et leur donna une adresse et une description. À la fin de l'exercice, alors que David voulait signaler avoir été laissé-pour-compte, Williamson précisa :

— Monsieur Langevin, non, je ne vous ai pas oublié. J'ai reçu un message du poste de police de Windsor. Vous devez vous présenter au château afin de faire une petite enquête. Monsieur Brown se joindra à vous.

— ... Le Monsieur Brown ?

— Le Monsieur Brown. Vous y allez tout de suite. Votre rendez-vous est à une heure, cela vous laissera le temps de passer chez le commissaire Gwyn auparavant.

— Mais pourquoi moi ? Et surtout, que se passe-t-il ?

Autour de lui, les policiers attendaient, afin d'en apprendre un peu plus sur cette histoire. Ce seul motif inspira une certaine discrétion à Williamson :

— Je suis certain que notre collègue de Windsor vous expliquera cela mieux que moi.

❧

David prit le temps de s'arrêter au poste de police de Windsor. Dans son bureau, le commissaire Gwyn lui raconta en peu de mots les événements entourant l'attaque de lady Dixie.

— Vous avez vu quelque chose dans le parc ?

— Aucune trace des agresseurs, ou si vous préférez une multitude de traces de pas, comme on peut s'y attendre dans un endroit public.

— Personne n'a aperçu les suspects ? insista le journaliste.

— Si ce crime a eu lieu, vous pensez bien que les coupables étaient rendus loin au moment où nous sommes arrivés sur les lieux. Depuis, nous avons interrogé une cinquantaine de personnes. Aucune n'a aperçu qui que ce soit de louche, sauf des vieilles dames affligées de quelques poils au menton. Pourtant, deux révolutionnaires irlandais à la barbe drue déguisés en femmes, cela devait attirer l'attention.

David essayait d'imaginer les militants qu'il connaissait accoutrés d'une robe : le résultat aurait été plus ridicule qu'effrayant.

— Vous n'êtes pas certain qu'un crime ait eu lieu ?

— Cette dame l'affirme, je n'ai aucune raison de supposer qu'elle ment. Mais personne n'a entendu de cris. Surtout, je ne peux pas croire que deux hommes armés de couteaux auraient laissé une petite femme comme celle-là sans une seule estafilade.

— Vous m'avez dit que la robe était lacérée…

— Au point de révéler de grands bouts de son corset.

En faisant mine de se lever, David demanda encore :

— Avez-vous la moindre idée de la raison pour laquelle on m'a fait venir ici ?

— Mais n'êtes-vous pas un spécialiste des affaires irlandaises ?

À entendre l'ironie dans la voix du commissaire Gwyn, mieux valait ne pas insister. Un peu plus tard, il se dirigeait vers le parc Windsor. Un marchand ambulant lui vendit un pâté à la viande presque chaud, qu'il avala chemin faisant vers le château. Celui-ci se composait en réalité d'un ensemble d'édifices dont les plus anciens dataient du Moyen Âge. Pendant des siècles, des barques avaient permis de parcourir la distance entre Londres et cette résidence royale. Le chemin de fer s'était imposé depuis quelques décennies.

Même si ses moyens de défense étaient devenus inutiles contre des armes modernes, il s'agissait d'une place forte dotée de murs solides. Le corps d'habitation se trouvait à l'est de l'ensemble. En empruntant la « longue marche », en réalité une allée élégante, David arriva à l'aile sud.

Assez curieusement, en ces temps de crise, alors que quelques jours plus tôt des bombes explosaient au cœur du quartier du gouvernement, les mesures de sécurité paraissaient dérisoires. Un militaire sans arme accueillit le visiteur près de l'entrée pour lui demander ce qu'il désirait. Après avoir évoqué son rendez-vous, David fut laissé seul pendant une quinzaine de minutes sans que personne ne se soucie de lui.

Puis un personnage un peu caricatural apparut, avec son kilt et son calot écossais. John Brown était de taille moyenne, solidement bâti, et arborait une barbe brune qui lui mangeait la moitié du visage.

— Monsieur Langevin, heureux de vous voir, prononça-t-il avec un accent tout aussi écossais que son costume.

— Monsieur Brown.

— Allons-y, fit-il en se mettant en marche.

— Je ne comprends pas encore la raison de ma présence ici.

— Lady Florence a expressément demandé que vous veniez sur les lieux. La reine a trouvé que ce ne serait pas une mauvaise idée que je vous accompagne.

La voix de l'Écossais semblait éraillée, comme s'il souffrait d'une mauvaise grippe. Surtout, après une trentaine de verges, la sueur marquait son front malgré la fraîcheur de mars. Une demi-heure plus tard, alors que la respiration de John Brown se faisait sifflante, les deux hommes atteignaient le chemin Slough.

— Voilà l'endroit, fit l'homme en tournant sur lui-même.

Des arbres majestueux bordaient le chemin. L'endroit rappelait le lieu du crime dans Phoenix Park, à Dublin: quelques arbres regroupés auraient permis à plusieurs attaquants de se tenir en embuscade pour attendre leur proie.

— Malgré votre réponse de tout à l'heure, je vous pose à nouveau la question: pourquoi me faire venir ici? Les policiers ont certainement passé les lieux au peigne fin.

— Vous et moi sommes ici parce que nous sommes de bons serviteurs.

Le qualificatif décrivait certainement bien John Brown. Après un moment de réflexion, David dut convenir que lui aussi cherchait depuis des années à faire son devoir le mieux possible, car il était parfois en butte à des supérieurs indifférents à ses efforts, ou incompétents.

— Elle n'a pas donné une description très précise de ses agresseurs, murmura David après un moment.

— Des hommes vêtus de robes. Il faut convenir qu'à l'heure où c'est arrivé, elle ne devait pas voir grand-chose.

— Monsieur Brown, vous avez un poignard à votre ceinture. Si vous portiez un coup, pensez-vous qu'un corset l'arrêterait?

L'autre lui adressa un sourire entendu. Les deux hommes se tenaient debout dans l'herbe mouillée, sous de grands arbres dénudés, à peu de distance du chemin.

— Je ne connais pas grand-chose aux corsets, mais ce couteau percerait sans doute une bonne épaisseur de cuir.

Cet homme avait déjà protégé la vie de sa souveraine en faisant un rempart de son corps devant un agresseur armé d'un pistolet. David ne doutait pas qu'un poignard dans ses mains devienne une arme mortelle.

— Je connais les corsets de ma femme: rien qui se compare à du cuir.

— Alors qu'est-il arrivé, selon vous? demanda le domestique. Nous voulons justement l'avis d'un expert.

Un peu d'ironie pointait dans la voix de son interlocuteur. Ici, le «nous» désignait Victoria. Les pieds mouillés, soucieux de rejoindre ses collègues pour une enquête importante, David choisit la franchise:

— Cette robe déchirée, ce sont des coups qui ont censément atteint leur cible. Je pense que si lady Florence avait été attaquée comme elle l'affirme, elle serait morte.

— L'intervention providentielle de son chien?

— Vous connaissez les saint-bernards? Les enfants grimpent sur leur dos pour leur tirer les oreilles sans courir le moindre risque. De grosses bêtes inoffensives.

L'autre conservait son sourire un peu moqueur. Il demanda encore:

— Alors d'après vous, que s'est-il passé?

— Rien... Enfin, rien dans ce parc, sauf peut-être une dame qui s'est roulée dans l'herbe. Elle vient de publier un livre dangereux contre les Irlandais. Elle raconte un incident qui ressemble beaucoup aux meurtres de Phoenix Park juste au moment où les procès des accusés vont commencer, quelques jours seulement après l'explosion de bombes à Londres. J'ai vu sa figure en première page d'un magazine samedi dernier. Avec cette histoire, elle peut atteindre deux objectifs : servir la cause politique qu'elle favorise, et vendre des exemplaires de son livre. Vous auriez dû rester au lit cet après-midi pour soigner votre vilaine grippe, et moi continuer mon enquête.

John Brown fit un tour complet sur lui-même, comme pour contempler le magnifique paysage autour d'eux, avant de conclure :

— Monsieur Langevin, je pense que vous êtes un bon policier, puisque nous partageons la même opinion sur cette histoire. Mais nous avons tous les deux fait notre travail aujourd'hui. Je vous souhaite le bonjour et je retourne dans ma chambre. Ma patronne jugera si son amitié va à une personne qui le mérite.

L'homme lui tendit la main, puis tourna les talons pour rentrer au château. David le regarda s'éloigner un moment. John Brown s'était retenu aussi longtemps qu'il avait pu. Maintenant, une toux creuse lui déchirait la poitrine. Dans moins d'une semaine, il serait mort.

Trois heures plus tard, après être passé par les locaux de Scotland Yard, où personne ne se trouvait, David rentra à la maison. Dans le petit salon, Édith lui demanda :

— Tu as vraiment vu John Brown ?

— Vraiment, comme je te vois.

— De quoi a-t-il parlé ?

— Je suis désolé, il n'a fait aucune confidence. Je ne sais pas s'il partage la couche de notre gracieuse souveraine.

— Quel idiot tu fais... parfois !

Sa désinvolture heurtait quelquefois l'enthousiasme monarchiste d'Édith et la passion de celle-ci pour les rumeurs émanant des palais royaux.

— Sois un peu sérieux et raconte-moi de quoi il a été question.

Pendant de longues minutes, le journaliste fit le récit de cette vaine promenade dans le grand parc Windsor. À la fin, sa femme déclara en riant :

— J'ai du mal à croire qu'une personne peut être cynique au point d'inventer une agression pour mousser un livre, mais cette histoire de corset est ridicule. Lady Florence a dit devant moi ne jamais porter cet attirail. Elle a même déclaré avoir l'intention de brûler tous les siens.

La reine Victoria elle-même ne fut pas dupe de cette invention. Surtout, celle-ci se plut à croire que la promenade de John Brown dans le parc, alors qu'il était malade, avait hâté le décès du fidèle serviteur. Lady Florence Dixie perdit la faveur royale et dut bientôt se chercher un autre domicile.

Londres, mardi 20 mars 1883

Dans le corridor, David rendit compte en deux mots de son expédition de la veille au parc Windsor. Au moment de la petite réunion matinale dans la grande salle de la Section spéciale, certains de ses collègues présentaient des airs de vainqueurs. Le commissaire commenta à l'intention de ses hommes réunis :

— Messieurs, parmi les cinq personnes que nous avons suivies dimanche, deux semblent être des terroristes en mission.

— Les autres ? demanda quelqu'un.

— Des gens qui s'adonnaient à transporter une valise un peu lourde. Nous procéderons à l'arrestation d'une personne ce matin, cela devrait rendre l'autre bien nerveuse. Nous surveillerons cet homme très attentivement. Sans doute nous conduira-t-il à ses compagnons. Six hommes vont se charger de le suivre à la trace.

Un tel effectif devait permettre de placer deux personnes à la fois à ses trousses, pendant trois périodes consécutives de huit heures, afin de couvrir toute la journée. L'alternance de deux pisteurs devait simplement éviter que la cible n'ait l'impression de reconnaître un visage trop familier derrière lui.

Williamson nomma les membres de cette équipe de surveillance, puis il ordonna à trois autres policiers de s'accrocher tout de même aux personnages identifiés le dimanche précédent, juste au cas où la conviction de leur innocence serait mal fondée. À la fin, il conclut:

— Les autres viennent avec moi à l'hôtel *Mallard*, dans South Bank, pour cueillir notre client. Deux voitures doivent déjà nous attendre à la porte.

L'hôtel du suspect se trouvait sur la rive sud de la Tamise, sur la rue Broad, dans un quartier dominé par des quais, des manufactures et d'obscures maisons de commerce. Dans cet environnement ouvrier, où la population irlandaise devait être bien représentée, l'établissement affichait un air de respectabilité modeste.

Les cochers de la police avaient l'habitude des opérations délicates et ils s'arrêtèrent à une distance prudente, une intersection plus loin. Williamson désigna deux agents pour monter la garde à l'arrière de l'édifice. Les autres entrèrent dans le hall. Un policier resta près de la porte pendant que le commissaire se rendit au comptoir suivi de David.

— La chambre de Thomas Gallagher? demanda-t-il dans un murmure.

Jamais cet homme ne se présentait comme un policier. Cela n'en valait pas la peine, personne ne doutait de sa fonction. Le commis hésita juste un moment avant de dire:

— Le numéro 34.

— Il est en haut?

— Je suppose. Sa clé est dans le casier.

— Donnez-la-moi.

Encore une fois, une brève hésitation, puis l'autre obtempéra. Les deux hommes montèrent en silence. Devant la porte de la chambre, Williamson regarda un moment la clé au creux de sa main et supputa ses chances de pouvoir ouvrir la porte sans émettre le moindre bruit. À la fin, l'homme secoua la tête, regarda la carrure de son compagnon et grimaça de dépit avant de prendre son revolver dans sa poche.

— Nous allons voir si vos années de service comme agent secret vous ont appris comment arrêter un suspect. Vous entrez sur mes pas et le tenez en joue.

Le commissaire recula jusqu'au mur opposé, puis donna un coup d'épaule dans la porte. Celle-ci céda et s'ouvrit dans un grand bruit. Emporté par son élan, le policier se retrouva au milieu de la pièce. Son petit revolver pointé au bout de son bras droit tendu, David s'approcha du lit pour menacer l'homme éveillé en sursaut :

— Au moindre petit mouvement, je tire. Montre-moi tes mains très lentement.

Un individu d'une trentaine d'années aux cheveux blonds bouclés et portant une épaisse moustache sous le nez regardait fixement le petit bout sombre du canon de l'arme. Une main se trouvait sur le drap, l'autre dessous. Gallagher sortit cette dernière comme on le lui ordonnait.

— Sur le ventre, maintenant.

L'autre obéit. En posant le canon du revolver sur sa nuque, David attrapa la main droite pour la lui replier dans le dos. Williamson avait récupéré ses menottes dans l'une de ses poches. Bientôt, le suspect se trouva les deux mains attachées derrière lui. Les policiers le relevèrent pour l'asseoir sur la chaise qui se trouvait dans un coin de la pièce.

— Monsieur Gallagher, vous devez être rentré très tard, ce matin, pour vous faire surprendre au lit passé dix heures. Vous profitez des plaisirs de la ville ?

Tout en parlant, le commissaire de police avait retrouvé dans un coin le sac de voyage qui avait éveillé ses soupçons deux jours plus tôt, pour constater qu'il était vide.

Revêtu d'un sous-vêtement qui le recouvrait des chevilles au cou, le suspect les regardait encore avec étonnement, comme si le sommeil embrumait toujours son esprit.

— Qui êtes-vous, et que me voulez-vous? grommela-t-il.

— Vous parlez anglais avec un accent du pays, intervint David en gaélique. D'où venez-vous?

— … De Limerick.

— Une bien jolie ville, avec le château du roi Jean. L'une des premières à se révolter en 1848, et encore en 1867, je pense.

— Je ne sais pas de quoi vous parlez. Je ne m'intéresse pas à ces questions.

Williamson avait vérifié le contenu des poches des vêtements du suspect accrochés dans une armoire, sans trouver quoi que ce soit d'incriminant.

— Que faites-vous à Londres? questionna-t-il à son tour.

— Je suis comptable. Je me cherche un emploi.

— Vous avez de l'expérience dans ce domaine?

— J'ai travaillé dans un commerce de Limerick.

Comme il avait marqué une légère hésitation sur le nom de la ville, David continua :

— Mais comment se fait-il que votre accent me fasse penser à celui de Cork?

Il allait à la pêche, son oreille ne pouvait tout de même pas relier un homme à une ville après avoir entendu quelques mots tout au plus. Mais puisque les conspirateurs ayant sévi à Glasgow venaient tous de Cork, il valait la peine de voir la réaction de Gallagher. Celui-ci se troubla en peu avant de répéter encore :

— Je viens de Limerick, vous pouvez vérifier. Je n'ai jamais mis les pieds à Cork.

Williamson continuait de fouiller la petite chambre, jetant la couverture et les draps dans un coin de la pièce afin de palper le matelas, sans succès. Quand il le souleva pour le retourner, un paquet posé contre le mur, enveloppé de toile huilée, se révéla entre les bandes métalliques formant le sommier.

— Monsieur Gallagher, je ne sais pas d'où vous venez, mais ce que je vois là peut vous valoir vingt ans de travaux forcés. Personnellement, je préférerais être pendu.

— … Ce colis n'est pas à moi.

Le commissaire déplaça le lit pour aller récupérer l'emballage de toile solide. Tout au plus pesait-il une douzaine de livres. Sir Jenkinson avait raison, une grande quantité d'explosifs se trouvait toujours dans la nature.

— Nous allons vous aider à mettre votre pantalon et vos chaussures. Notre conversation se poursuivra à Scotland Yard. Elle pourra se prolonger pendant des mois, jusqu'à ce que nous sachions tout de vos petits projets.

Ils firent ce que le commissaire avait annoncé. Sans jamais reprendre la liberté de ses mains, Gallagher se retrouva habillé de son pantalon, muni de bretelles passées sur ses épaules et les pieds nus dans de lourdes chaussures. Bon prince, Williamson lui mit son paletot sur le dos en précisant pour son collègue :

— Vous vous occupez de l'explosif. Nous rentrons à la maison.

Avec la grosse brique de dynamite sous le bras, le journaliste s'engagea dans les escaliers à la suite du commissaire et de son prisonnier. Au rez-de-chaussée, Williamson expliqua à l'agent resté dans le hall :

— Vous récupérez vos collègues de faction dans la ruelle, à l'arrière, et vous fouillez la chambre à nouveau. Questionnez aussi le gars derrière le comptoir afin de savoir qui a rendu visite au suspect. Surtout, vous ouvrez l'œil, au cas où quelqu'un viendrait le voir.

Après avoir reçu ces directives, les policiers poussèrent Gallagher devant eux et rejoignirent l'une des voitures de la police laissée un peu plus loin. Sur le trottoir, tout le monde se retourna sur eux.

౭ఴఴ౯

Londres, mardi 27 mars 1883

Mars jetait sur Londres une pluie incessante et froide. Tous les édifices suintaient un mélange d'eau et de suie grasse. Mieux valait rechercher les activités intérieures.

Depuis des semaines, David négligeait de s'entraîner, trouvant une excuse dans le long séjour à Dublin, puis dans l'excitation liée à l'aménagement d'une nouvelle demeure. Pourtant, dans son métier, cela s'avérait tout aussi nécessaire que faire des gammes pour un pianiste. S'accrocher aux pas d'un suspect pendant toute une journée exigeait un réel effort. Surtout, certains jours, les ruelles sombres de l'est de Londres recelaient des fantômes menaçants. Le mauvais coup qui le ferait passer de vie à trépas risquait d'ailleurs bien plus de venir d'un malfrat désireux de lui faire les poches que d'un terroriste.

Au-dessus d'un pub bruyant de la rue Caroline, à quelques minutes à pied de la résidence de la rue Malet, un exilé français avait ouvert une salle d'entraînement. La rumeur voulait qu'il s'agisse d'un survivant de la Commune, le sou-lèvement de Paris en 1871, ayant échappé de justesse aux exécutions de masse décrétées par le nouveau pouvoir poli-tique. Sa publicité proposait aux *gentlemen* d'apprendre les mystères de la boxe française qui, très différente de la boxe anglaise, autorisait l'usage des pieds. L'étranger proposait aussi l'apprentissage des rudiments de l'escrime à la canne. À une époque où à peu près tous les hommes respectables s'encombraient de cet accessoire sans en avoir besoin pour marcher, chacun comprenait qu'il s'agissait là d'un moyen de défense.

— Vous êtes disposé à me donner des cours privés ? demanda le journaliste en français, toisant le colosse qui se tenait devant lui.

Son interlocuteur portait des cheveux très courts et une petite moustache bien taillée au milieu d'un visage marqué par les traces de nombreux coups reçus.

— Si vous êtes prêt à me payer, pourquoi pas, répondit l'autre un peu surpris de voir quelqu'un s'adresser à lui dans sa langue, mais avec un accent indéfinissable.

Les négociations ne furent pas bien longues : contre une somme raisonnable, à six heures du soir, trois fois par semaine, le nouvel adepte recevrait et tenterait de donner des coups de poing, de pied ou de canne. Des exercices d'assouplissement, grâce à différents appareils rangés le long des murs, en plus d'un effort de musculation, précéderaient chaque fois la leçon proprement dite.

— Nous essayons tout de suite ?

— Que voulez-vous dire ? dit David qui comprenait trop bien.

— J'aimerais savoir ce que vous pouvez faire. Évidemment, en retenant les coups…

Celui qui se présentait sous le nom d'Edgar Morin — un fugitif était susceptible d'avoir plusieurs pseudonymes en réserve — enleva sa veste. Son pantalon de grosse toile, retenu par de solides bretelles, et des souliers plats et souples lui donnaient une entière liberté de mouvement. Après quelques exercices d'assouplissement des bras, il se mit en position au milieu de la grande pièce, les poings levés à la hauteur des épaules.

David laissa tomber sa veste à son tour, desserra sa cravate pour détacher le premier bouton de sa chemise. Heureusement, il ne consentait à porter un col amidonné que les jours de grande sortie, lorsque sa femme le traînait de force au théâtre.

— Vous attaquez car j'ai besoin surtout de savoir me défendre.

L'autre lança son poing gauche dans le vide, alors que son pied droit partait vivement vers l'entrejambe de son adversaire. David réussit à le bloquer en le frappant au tibia de son pied.

— J'ai dit de retenir les coups, fit l'autre en grimaçant.

— Puisque vous êtes encore debout, plutôt que d'être sur le cul à râler pour un os brisé, je me suis retenu.

— Alors retenez-vous un peu plus. Que faites-vous comme travail ?

— Poursuivre les méchants.

Cette réponse suffisamment précise indiquait à l'instructeur que l'on se trouvait entre professionnels. Les coups de poing et de pied se succédèrent ensuite très vite et en nombre suffisant afin que l'élève ne puisse les arrêter tous. Cela le rassura, autrement il serait allé se chercher un maître plus compétent que celui-là. Une demi-heure plus tard, en nage, David rentrait chez lui convaincu de devoir mettre les bouchées doubles pour retrouver la forme.

Londres, jeudi 5 avril 1883

— Comment se nomme ce type ? demanda David à voix basse, même si cette précaution ne servait à rien.

— William Lynch. Voilà trois jours que je passe tout mon temps à être son ombre.

Pendant plusieurs jours, sur la recommandation de Williamson, David s'était occupé à jouer au journaliste. Le commissaire lui avait expliqué que si c'était sa couverture, mieux valait ne pas laisser son nom sombrer dans l'oubli. En réalité, le policier préférait se fier à des professionnels pour un travail de filature. Seules les protestations des agents affectés à cette tâche l'avaient amené à y coller sa nouvelle recrue. À leurs yeux, l'équité voulait que le nouveau se plie à toutes les corvées.

Le compagnon de David, le sergent Thompson, présentait l'image même du policier en civil : un costume de laine mal coupé et de solides chaussures aux pieds, car une journée complète de surveillance pouvait s'écouler sans qu'il puisse poser ses fesses quelque part pour se reposer.

— Cela donne quelque chose ?

— Rien, jusqu'à présent. Notre homme quitte rarement sa maison de chambres. Il pourrait tout aussi bien être en prison, à mener cette vie. Je ne sais trop comment la nouvelle de l'arrestation de Gallagher est parvenue jusqu'à lui, mais il se terre depuis.

— Il n'a rencontré personne ?

— Personne. Depuis quelques jours que je suis là, je le vois sortir le midi et le soir pour aller manger dans un pub du quartier. Sa logeuse doit lui fournir le petit déjeuner. Maintenant, allez à votre poste.

Bien sûr, si le suspect jetait un œil à la fenêtre de sa chambre, deux personnes en conciliabule sur un coin du trottoir pouvaient attirer son attention. Comme convenu, David contourna le pâté de maisons pour aller se poster à une extrémité de la ruelle. L'arrière des immeubles d'habitation présentait toute la décrépitude des quartiers ouvriers. Les environs étaient encombrés de divers déchets que des Londoniens très pauvres jugeaient inutiles et que les regrattiers savaient être invendables.

Toutes les deux heures, les agents changeaient de poste d'observation. Thompson regagnait la ruelle, Langevin allait battre la semelle au coin des rues Leman et Prescott. Au gré de cette alternance, le hasard — ou plutôt le sens de l'organisation du sergent — voulut que celui-ci se trouve devant l'entrée principale au moment où Lynch se décida à aller manger, ce qui permit à Thompson de manger aussi. David en serait quitte pour attendre le repas du soir en grignotant le morceau de pain qu'il avait eu la prudence de glisser dans sa poche en quittant la maison, tôt le matin.

Tout l'après-midi s'écoula dans une attente vaine. Six heures approchaient quand un gamin frappa à la porte de la maison de chambres. Celui-ci entra un moment dans la maison puis en ressortit pour s'éloigner en courant.

— Je veux te parler un instant, déclara David en se campant devant le gamin sur le trottoir. Tu n'aurais pas été porter un message à un type appelé Lynch?

— ... Ce n'est pas de tes affaires.

L'homme fit voler une pièce de deux pence dans les airs, que le gamin attrapa sans mal d'un geste vif.

— C'était bien lui? insista-t-il.

— Oui.

— Si tu peux me répéter ce que contenait ce message, tu en auras une autre.

Morveux, des vêtements déchirés trop petits pour lui, l'enfant avait environ dix ans. La discrétion ne l'aurait jamais empêché de regarder les messages que des inconnus lui demandaient de porter. Les distractions ne devaient pas être nombreuses au point de se priver de jeter un œil dans la vie des autres. Cependant, il pouvait très bien ne pas avoir appris à lire.

— Le papier disait qu'il devait aller au *Crescent* ce soir. C'est dans Whitechapel.

Le journaliste tenait la pièce de monnaie entre deux doigts, soudainement songeur :

— Mais qu'est-ce qui me prouve que tu dis vrai?

— Tu as promis, salaud !

— Tout de suite tu utilises des mots gentils. Si tu mens, je ne le saurai pas avant de me rendre là-bas.

— Donne !

— Décris-moi le type qui t'a confié ce message. Je saurai si c'est bien mon ami que tu as vu.

Le gamin hésita une fraction de seconde, se demandant s'il pouvait faire monter les enchères, puis jeta :

— Un gros gars, les cheveux noirs, une cicatrice ici.

— Pas de barbe, pas de moustache?

— Non. Donne la pièce.

David la lui lança. L'autre décampa sans demander son reste. En parlant d'une cicatrice, l'enfant avait indiqué sa lèvre supérieure. Sans tarder, l'agent spécial regagna la ruelle et raconta à un Thompson surpris les derniers événements. Le sergent sortit sa grosse montre et s'arracha les yeux pour voir l'heure dans la clarté déclinante.

— Dans cinq minutes, la relève sera là, constata-t-il.

— Venez avec moi dans la rue. S'il sort avant l'arrivée des collègues, je le suivrai, vous leur direz où me rejoindre.

— Et s'il utilise la porte arrière pour faire changement?

— L'a-t-il fait une seule fois, jusqu'à aujourd'hui?

Le policier grimaça. Après plusieurs jours d'attente, perdre cette occasion de lever une nouvelle piste mettrait Williamson dans une colère de tous les diables. Au moment même où ils arrivaient au coin de la rue, William Lynch passa devant eux d'un pas rapide. David se mit à ses trousses, son collègue n'avait plus qu'à attendre pour aviser l'équipe de relève de le rejoindre dans Whitechapel.

10

Dès le coin de la rue Prescott, à cent verges tout au plus, le suspect héla un fiacre. Son poursuivant choisit de faire de même, donna l'adresse au cocher et monta dans la voiture.

Après une demi-heure à se faire secouer sur les mauvais pavés, l'agent spécial se retrouva dans Whitechapel, le quartier le plus misérable de Londres, peuplé en bonne partie de nouveaux arrivants, des Irlandais et des Juifs venus d'Europe centrale surtout. On y mourait de faim, littéralement. Aussi aucun commerce permettant de faire un sou, aussi méprisable soit-il, n'échappait à ses habitants.

Le cocher s'arrêta, frappa sur le toit du véhicule pour signifier au passager de descendre.

— La rue Dragon se trouve juste devant vous et le *Crescent* vous sautera aux yeux. Je ne m'aventurerai pas jusque-là, décréta le gros homme du haut de son siège surélevé.

— Pourquoi?

— Vous verrez par vous-même.

L'homme tendit la main pour recevoir son dû. David paya, puis marcha dans la direction qu'on lui avait indiquée. Sur la petite rue, des marchands des deux sexes vendaient de menus objets. La poitrine découverte de certaines femmes ne laissait aucun doute sur la véritable nature de leur commerce. Les « Tu viens, chéri ? » dissimulaient un désespoir sans fond et une absence totale de concupiscence chez elles. La misère les empêchait de bien jouer le jeu.

Des hommes plutôt jeunes, appuyés contre des murs sales, représentaient la plus grande menace. Même si David ne s'engageait jamais dans une journée de filature autrement qu'habillé comme un travailleur manuel, quelque chose dans sa démarche et dans sa façon de tenir la tête trahissait sa véritable identité aux yeux des observateurs les plus avertis. Dans un environnement comme celui-là, il devenait une cible.

Le *Crescent*, au bout de la petite rue étroite, tenait vraisemblablement son nom du croissant de lune posé à l'horizontale au-dessus de l'entrée principale, une grande pièce de bois sculptée et peinte mesurant six pieds de long. Passé la porte, le journaliste retrouva l'univers des débits de boisson des bas-fonds, un mélange d'alcool et de nourriture de mauvaise qualité, de prostituées défraîchies et de mauvais garçons en tout genre.

William Lynch se trouvait seul à une table placée le long du mur, avec une vue parfaite sur la porte d'entrée. Cet homme avait quelques notions de son métier. Instinctivement, David garda les yeux baissés tout en tentant de voûter ses épaules. En passant le pas de la porte, il avait relevé le col de sa vareuse dont le rebord graisseux montait jusqu'à sa nuque. Comme le suspect l'avait vu devant son domicile plus tôt dans la journée, cette toute petite métamorphose devait faire en sorte que celui-ci ne le reconnaisse pas.

Sans éveiller l'attention, le nouveau client réussit à s'asseoir à la table située juste derrière celle de Lynch. En calquant de son mieux l'accent de Violet, David demanda une pinte de bière et un pâté à la viande.

— Comment tu t'appelles ? demanda une voix un instant plus tard.

Absorbé par ce mauvais repas, le premier depuis le matin, le journaliste n'avait pas vu venir la jeune femme qui, sans vergogne, se tenait sur la chaise devant lui.

— Thomas.

Ce prénom de rechange lui venait naturellement à l'esprit, toujours le même dans des occasions de ce genre, comme si l'usage du sien augmentait vraiment les risques d'attirer l'attention.

— Moi c'est Daisy. Tu m'invites à souper ?

Une offrande qui lui vaudrait de pouvoir la baiser dans l'encoignure d'une porte, s'il tenait à lui faire payer ses dettes avant de la quitter.

Deux hommes venaient d'entrer pour se diriger vers la table de Lynch après avoir exploré la grande salle du regard. L'un d'eux, cheveux noirs, plutôt grand, portait une cicatrice au-dessus de la lèvre supérieure. Finalement, le gamin morveux se révélait être un informateur fiable.

Cette brunette trop et mal fardée, avec une dent de niveau supérieur résolue à sortir du rang et un corsage dramatiquement échancré sur des seins trop volumineux pour ne pas sentir tout l'effet de la pesanteur, offrait à David la couverture parfaite : plutôt que de paraître tendre une oreille indiscrète à la conversation à la table devant lui, il devenait le travailleur esseulé prêt à sacrifier une partie de son salaire de la journée pour un peu de compagnie.

— Pourquoi pas, répondit l'homme en levant la main pour attirer l'attention d'une serveuse.

Après quelques instants d'attente, sa fourchette bien en main, elle enchaînait avec les questions habituelles :

— Je ne t'ai jamais vu ici. Tu arrives de loin ?

— L'Amérique, ou le sud de Londres, selon ce que tu préfères…

— Et tu reviens dans ce trou, après en être sorti ?

— Comme mon bateau revient sans cesse au pays, je l'accompagne.

Cela aussi figurait dans son attirail habituel de mensonges. Celui que l'on n'avait jamais vu et dont l'accent demeurait un peu incertain gagnait à être un marin… sinon sa véritable occupation deviendrait l'objet de toutes les conversations.

— Et toi, tu fréquentes souvent cet endroit? demanda David.

Dans le jeu de l'anonymat, mieux valait poser les questions que chercher les mensonges crédibles.

— Tous les soirs...

Sa profession souffrait difficilement un long exposé. Autant se réfugier dans le passé.

— Auparavant, tu faisais quoi?

Plus loin, le trio d'Irlandais discutait ferme, en gaélique. Dans le bruit ambiant, David ne saisissait qu'un mot ici et là, dont «O'Brien» et «Amérique». Ces gens-là figuraient bien dans la petite équipe du terroriste venu de Buffalo.

— Bonne à tout faire... Vraiment à tout faire.

Un rire sarcastique suivit cette confession. David avait déjà deviné son métier: ces prénoms empruntés aux fleurs, on ne les trouvait que chez les domestiques ou les prostituées. Celle-là pouvait tout aussi bien avoir comme véritable prénom Glorianna, ou même Victoria. Comme elle ne trouvait pas souvent une oreille attentive et que son compagnon ne semblait pas vouloir s'engager dans un échange salace, la jeune femme enchaîna:

— La patronne est montée jusqu'à ma chambre. J'avais le bonhomme qui grognait comme un porc étendu sur mon ventre. Je me suis fait traiter de putain et jeter dehors sans aucun mot de recommandation. Tu te rends compte, il faut des références pour aller vider le pot de chambre de ces salauds.

En réalité, les gens aimaient bien savoir quelque chose sur les domestiques qui partageaient leur intimité. Cette histoire devait sans cesse se répéter dans une grande ville comme Londres. Des gamines efflanquées d'un côté — quoique celle-là devait offrir des rondeurs généreuses dès le plus jeune âge —, sachant très bien ce que mourir de faim signifiait, de l'autre des employeurs qui trouvaient plus simple de se satisfaire à l'étage servile de la maison plutôt que de marcher jusqu'au bordel.

De la table voisine, un bout de phrase parvint à ses oreilles, «terminer la mission». Les conspirateurs divergeaient visiblement d'opinion à ce sujet.

— Tu me parles de l'Amérique?

Cela représentait certainement un sujet de conversation plus intéressant que les vicissitudes de l'existence d'une prostituée. David se perdit dans une longue description des beautés de New York, car très vite il constata qu'elle ne voulait rien entendre de la misère des bordels de la rue Bowery, des ateliers où les réfugiés d'Europe se tuaient à la tâche pour quelques cents par jour et des épidémies qui touchaient la ville avec une terrifiante régularité. Dix ans plus tôt, le choléra avait encore fait des ravages. La porte de l'Amérique, pour les immigrants, devait garder son aura de paradis terrestre. Rêver d'y aller un jour rendait le présent plus supportable.

Une quarantaine de minutes après l'arrivée des conspirateurs irlandais, ce fut au tour des deux policiers de l'équipe de surveillance du soir de prendre la relève. Ou Thompson avait eu du mal à les convaincre de venir jusqu'ici — même les policiers préféraient éviter Whitechapel —, ou les policiers étaient venus à pied depuis la rue Leman. Ils entrèrent à cinq minutes d'intervalle, se dirigèrent chacun dans un coin de la salle et se concentrèrent sur leur bière en affichant un visage maussade.

Quand l'un des Irlandais se leva pour quitter les lieux, visiblement en désaccord avec ses camarades sur la suite à donner à la mission, l'un des policiers s'attacha à ses pas. David entendait bien rentrer à la maison ce soir-là, aussi feignit-il d'ignorer ce départ, tout comme celui d'un second conspirateur.

Un peu plus tard, Daisy se demandait comment recevoir quelques pence, peut-être même un shilling supplémentaire de ce bel homme qui savait si bien parler et écouter. Son meilleur sourire ne suffit pas. Après un «À la prochaine» sans conviction, il se leva, lui glissa quelques pièces et quitta les lieux d'un pas rapide.

L'air de la nuit, malgré l'odeur de merde et d'urine qui flottait dans ce quartier, lui parut agréablement frais après avoir humé toute la fumée dans le débit de boisson. La rue Dragon demeurait tout aussi rebutante. Comme il était tard, les marchands s'étaient dispersés et les mauvais garçons, de même que les mauvaises filles, s'étaient eux, multipliés. Tout juste après avoir parcouru une vingtaine de pas, David vit une ombre se détacher du mur et un homme apparaître devant lui en disant:

— Tu as…

Sans doute voulait-il continuer en demandant une allumette. La phrase se termina plutôt par un «ploc» sonore et un cri étouffé. D'instinct, l'agent secret avait décoché son pied droit pour l'atteindre juste sous la rotule. La douleur suffit pour que le malfrat laisse tomber le couteau qu'il tenait à la main. David tenait déjà le petit revolver logé entre ses reins et le pointa sous le nez d'un second agresseur qui arrivait par derrière.

— Pas un geste, où je te brûle la cervelle.

La précision valait la peine d'être formulée à haute voix, car l'obscurité empêchait de voir son arme.

Profitant de son avantage sur ses deux adversaires, l'agent détala comme un lapin, résolu à faire feu si quelqu'un tentait de lui bloquer le passage. Rendu sur le chemin Whitechapel, il choisit d'aller vers l'ouest, en direction de l'intersection de la ruelle Pettycoat. Un fiacre se trouvait là et un moment suffit pour crier l'adresse du British Museum — quelqu'un pouvait écouter, autant ne pas évoquer la rue Malet — et se réfugier dans la voiture.

Courir rapidement, pour protéger sa vie, s'avérait aussi utile que posséder de bons réflexes et des pièces de fer au bout de ses semelles.

— Tu as eu des ennuis? demanda Édith quand son mari pénétra dans la maison passé dix heures du soir. Tu devais rentrer pour souper.

— J'en ai été quitte pour un peu de course à pied. Heureusement que je me suis remis à l'entraînement.

Cette façon de minimiser les risques de son métier visait à garder les inquiétudes de sa femme à un niveau tolérable. Cette prudence ne put lui éviter la remarque habituelle des derniers mois:

— Je suis certaine que dans peu de temps tu pourras obtenir le statut de correspondant du *Tribune* à Londres. Pourquoi ne pas laisser à d'autres la chasse aux féniens? Le soir, au lieu d'aller te faire taper dessus par un ancien révolutionnaire français, quand ce ne sont pas des révolutionnaires irlandais, tu pourrais aller au club pour boire du porto et parler de politique.

Les clubs, au nombre de plusieurs centaines à Londres, visant une clientèle particulière, des amants du grec ancien aux amateurs de navigation sur la Tamise, fournissaient le lieu normal de la sociabilité des *gentlemen* anglais. Plutôt que de rester bien sages à la maison, auprès de leur famille, ils se regroupaient pour boire et discuter politique ou affaires. Des chambres permettaient d'ailleurs à ceux qui avaient trop bu de passer la nuit sur les lieux. Bien sûr, certains époux expliquaient à leur moitié être allés au club, alors qu'en réalité ils se consacraient à des activités moins morales, comme entretenir une jeune maîtresse.

C'est ce que David commença par expliquer à Édith sur un ton badin, puis il conclut:

— Et puis je deviendrais gros et je perdrais l'auréole de héros qui te fait encore perdre la tête.

Cette réponse et toutes les autres du même acabit qu'il lui servait depuis des années, mettaient toujours fin à la discussion. Comme d'habitude, elle déclara dans un soupir:

— Cesse de dire des sottises et montons...

&✿✿&

— Quelle idée saugrenue, commencer un procès un samedi ! maugréa Édith.

— Cette journée en vaut une autre. Je serai de retour plus vite.

— Cela risque d'être très long.

— Pas avec la confession qu'ils ont sous la main.

La jeune femme pestait contre le procès qui débuterait trois jours plus tard à Dublin. Têtue, elle répéta :

— Tu devrais rester ici et continuer ton enquête.

— Ce qui me ferait perdre au moins trois premières pages dans le *Tribune*.

« Et toute chance d'avoir un jour un autre statut que celui de journaliste payé à la ligne », songea Édith. Son mari la serra contre lui, au risque de choquer les très puritains voyageurs qui attendaient aussi de monter dans le train qui faisait le trajet entre la gare Euston et celle de Liverpool. À voix basse, il murmura encore :

— De toute façon, ton père passera la semaine avec toi. Qu'est-ce que manigance ce vieux chenapan ?

— … Il cherche un emploi.

— À soixante-quatorze ans ?

— Rien de bien exigeant, quelques heures par mois, pour se distraire, m'a-t-il écrit. Le beau temps revient, je vais le convaincre de renoncer pour qu'il se contente de marcher tout l'été sur le pier de Brighton en regardant les jolies dames.

— Comment se fait-il qu'il ait droit à ce loisir, et pas moi ?

Édith abandonna sa mine renfrognée pour lui sourire en disant :

— Tu le pourras, après avoir fêté tes soixante-dix ans. Allez, monte dans ce train pour te rendre voir tes meurtriers, et reviens vite.

Après un nouveau baiser, David ramassa son sac de voyage et sauta dans son wagon.

৵৯৶৶

Reprenant son identité de journaliste américain, David renoua aussi avec sa chambre du petit établissement de la rue Dame. Demander un laissez-passer à Edward Jenkinson lui aurait semblé au-dessus de ses forces, mais Conàn Mallon se montra volontiers coopératif: les articles dans le *Tribune* donnaient de lui une image de compétence et de détermination bourrue.

À dix heures le samedi matin, dans la plus grande salle du palais de justice de Kilmainham, le procès proprement dit des sept accusés des meurtres de Phoenix Park commençait. Tout autour du grand édifice classique, des soldats montaient la garde, leur fusil dans les mains, car des Irlandais menaçants à la mine sombre allaient et venaient dans les environs. Le transfert des prisonniers, depuis la geôle voisine, devait s'effectuer sous une très forte escorte.

Comme tous les autres spectateurs, David se leva à l'entrée du juge William Darcy. Sous une perruque de crin d'un gris sale et dans une robe noire trop ample, celui-ci affichait une mine cadavéreuse, un présage lugubre pour les accusés.

Dès le début des procédures, le procureur appela James Carey à la barre des témoins. À cause de l'inactivité, celui-ci avait pris du poids depuis le début de son incarcération. Son allure contrastait avec celle des accusés, amaigris et crasseux. En réalité, seul le chérubin à la stature de géant, Joseph Kelly, gardait son teint frais, blond et rose, et une musculature qui risquait à tout moment de faire éclater les coutures de son uniforme de prisonnier.

À l'entrée du jeune homme, un murmure avait parcouru la salle d'audience, les femmes surtout supputant de l'«impossibilité», pour un homme à l'allure si angélique, de commettre un crime pareil.

En une journée, l'accusation présenta la preuve dont elle disposait, reposant essentiellement sur la confession d'un témoin repenti et quelques informations circonstancielles: l'absence d'alibi pour le soir du meurtre, des confidences indiscrètes lors de beuveries et une longue fréquentation des milieux révolutionnaires.

Toute la journée du lendemain, David écrivit sur ce qu'il venait d'entendre, puis chercha des proches des accusés pour obtenir des renseignements supplémentaires sur ceux-ci. Toutefois, ses relations cordiales avec les policiers, au moment des arrestations, n'avaient échappé à personne: les visages se fermaient devant lui. À la fin, le jeune sergent Collins vint à son secours en acceptant une invitation à souper dans un bon restaurant de la ville.

Après les échanges sur le temps pluvieux à Dublin et les beautés de Londres, le journaliste en vint à la question qui lui brûlait les lèvres:

— Qu'est-ce que ces hommes pourront dire pour essayer de sauver leur peau?

— Rien du tout. Ils vont y passer.

— Tout de même, ils ne resteront pas silencieux.

Le sergent commença par avaler une grande gorgée de sa bière brune, puis consentit à expliquer:

— Les avocats essaieront de recruter des personnes pour témoigner de leur bonne moralité.

— Ce sera possible?

Le ton de David trahissait un profond scepticisme. Le policier répondit en riant:

— Les avocats sont des gens très créatifs. Puis quatre accusés font partie de familles respectables, chrétiennes. Trois ont même des enfants et une épouse. Certains ont déjà

rempli des fonctions honorifiques au sein de l'Église catholique.

— Là, vous faites allusion à Carey : il ne figure pas parmi
les accusés.

— C'est certainement le plus respectable d'entre eux, propriétaire immobilier, marguillier, membre de deux fraternités
religieuses. Ce monsieur se souciait de limiter les ravages de
l'alcool parmi ses coreligionnaires et d'aider les familles
démunies. Mais les autres contribuaient...

Le journaliste fit un signe d'assentiment. Au Canada aussi,
les notables se retrouvaient au sein de sociétés de tempérance
et d'entraide. Non seulement ils venaient en aide à leurs
semblables de cette façon, mais ils affichaient ainsi leur supé-
riorité sociale et morale.

— Attendez le portrait que fera l'avocat de l'angelot
Joseph Kelly. Ce géant servait encore la messe à l'occasion.
Quand il ne se trouvait pas dans le chœur lors de la cérémo-
nie, il fallait le chercher dans la chorale.

— L'allure, et la voix d'un ange ?

— Précisément. Je vous parie qu'au moment du plaidoyer,
l'un de ses voisins de cellule viendra témoigner que ce bel
enfant chante des cantiques toute la journée, dans sa prison.

— Mais comment diable savez-vous tout cela ?

Le policier mangeait d'un bon appétit, heureux de se
régaler pour une fois dans un établissement que la faiblesse
de sa solde de policier rendait inaccessible.

— Le directeur Mallon déteste les mauvaises surprises. Il
tente de savoir à l'avance tout ce qui peut être entendu dans
la salle d'audience.

— Alors Kelly sera présenté comme le parfait catholique.

— Les plus beaux ont tous les avantages, répondit l'autre
en affectant le dépit. Je soupçonne que l'on mettra même en
preuve le fait qu'il soit encore puceau.

— ... L'est-il vraiment ?

David espérait que le sujet vienne devant le prétoire. Les
lecteurs du *Tribune* s'en régaleraient.

— À tout le moins, passé vingt ans, nous n'avons trouvé aucune petite amie, aucune visite dans de mauvais lieux.

— Peut-être partage-t-il les préférences du comte Spencer, votre gouverneur.

— Ce n'est pas non plus un habitué de Phoenix Park.

— … Pardon ?

Le journaliste lui jeta un regard intrigué. Amusé, le sergent expliqua :

— Cet endroit n'abrite pas que des assassins. Le gouverneur doit beaucoup apprécier la localisation de la maison vice-royale : son terrain de jeu se trouve sous ses fenêtres. Ce grand parc, riche en petits bosquets, est très mal fréquenté après le coucher du soleil. Vous risquez moins d'y tomber sur un tueur que sur un notable à la recherche de chair fraîche, ou sur des jeunes hommes, parfois vraiment très jeunes, désireux de vendre leurs services.

— Kelly aurait dû baiser un peu plus : cela l'aurait détourné de son autre loisir, trancher la gorge des gens. Mais vos clients ne sont pas tous des citoyens exemplaires. Je me souviens d'un charretier particulièrement malodorant. Fitzharris, je crois.

— *Skin-the-goat.* Tout un personnage.

Le policier venait de désigner le suspect en utilisant une drôle d'expression : écorcher la chèvre. Devant le visage surpris de son compagnon, il expliqua :

— Celui-là, vos lecteurs le détesteront tout de suite. C'est son surnom. L'homme gardait une chèvre dans la cour arrière de sa maison, pour le lait. On raconte qu'un jour où il ressentait une irrépressible envie de boire, mais n'en avait pas les moyens, il a tué l'animal pour en vendre la peau. Pour se moquer, ses camarades ont commencé à le désigner ainsi.

— Exquis. Vous ne me ferez pas croire que celui-là aussi s'affiche comme le paroissien idéal.

— Non, pas du tout. Cependant, à mes yeux, parmi le lot, lui seul mérite un certain respect. Au moins, il assume la responsabilité de ses actes.

— Il va avouer?

Le sergent Collins commença par s'essuyer la bouche avec sa serviette, puis prit le temps de commander un dessert copieux au serveur venu s'enquérir de leurs désirs. Il précisa ensuite:

— Non, Fitzharris n'ira pas jusque-là. Cependant, il m'a expliqué que le Parti parlementaire perdait son temps. Selon lui, au moment où elle essaie de conquérir le monde, jamais l'Angleterre ne consentira à donner son autonomie à l'Irlande.

— Vous pouvez m'expliquer ce point de vue?

— Vous imaginez la réaction des Indiens ou des Nègres devant nos armées qui viennent les soumettre au Royaume-Uni, si nous devons rendre leur liberté aux Irlandais un peu turbulents? Ils sauront alors que quelques meurtres suffisent à nous faire partir.

Ou ce charretier avait une bonne compréhension de la politique internationale, ou il savait répéter ce que ses chefs affirmaient. David craignait que cette analyse ne se révèle fondée, finalement. Quand un pays avait l'arrogance d'aller soumettre les habitants de contrées situées à l'autre bout du monde, parfois peuplées par des dizaines de millions d'habitants, comment pouvait-il consentir à rendre son autonomie à la petite île voisine, qu'il avait assujettie brutalement deux siècles plus tôt?

Cependant, si ce Fitzharris avait raison, des milliers de personnes perdraient la vie avant le règlement de la situation. Pour chasser ce mauvais présage, David demanda encore:

— Que pouvez-vous m'apprendre de plus sur ce peloton d'assassins?

Pendant deux heures supplémentaires, le sergent, un verre à la main, révéla ce qu'il savait. Au fond, ce repas constituait un excellent investissement. Des articles prenaient forme dans la tête de David, et il se rendait tous les soirs au bureau du télégraphe afin de les acheminer à New York. Le dernier jour, sans surprise, les verdicts tombèrent. Six personnes furent condamnées à mort : les exécutions auraient lieu trois semaines plus tard, si aucune commutation de peine ne survenait. Le cocher Kavagnah, qui avait consenti à confirmer toutes les confessions du traître, reçut une sentence de vingt ans de travaux forcés. On lui avait certainement promis qu'après quelques années, il profiterait d'une libération anticipée.

Quant à James Carey, puisqu'aucune accusation n'avait été portée contre lui, aucune condamnation ne pesait sur sa tête. Le jour où plus personne n'aurait besoin de lui, les autorités verraient à le faire disparaître discrètement.

ペジ❧ペジ

Londres, mardi 24 avril 1883

— Messieurs, après deux semaines sur les talons de nos premiers suspects, nous en avons maintenant repéré cinq. Ces conspirateurs commencent à sortir sans même regarder par-dessus leur épaule. Nous craignons que ce nouveau sentiment de confiance les conduise à reprendre les attentats, commença Williamson.

Pendant quelques minutes, le commissaire relata les détails du travail de police en cours. David attendit qu'il ait terminé avant de demander :

— Vous avez retrouvé la trace de Matthew O'Brien ?

— Non. C'est justement cela qui m'a empêché d'arrêter cette petite équipe dès la semaine dernière. Si nous laissons le chef dans la nature, il pourra former une nouvelle bande de tueurs. D'un autre côté, si nous devons récupérer trois ou quatre cadavres demain parce que nous avons trop attendu, tous les Londoniens nous le reprocheront avec justesse.

Williamson cultivait la candeur auprès de ses hommes, ce qui lui permettait d'obtenir qu'ils ne ménagent jamais leurs efforts. Après une pause, il conclut :

— Nous allons donc les ramasser aujourd'hui.

— Pour O'Brien... commença David.

— Dans les jours à venir, nous surveillerons les gares et les ports avec le portrait que vous avez déniché. S'il se trouve encore dans ce pays, nous mettrons la main dessus. Mais comme nous ne l'avons jamais aperçu ces dernières semaines, je soupçonne qu'il se soit déjà réfugié de l'autre côté de l'Atlantique.

Le journaliste choisit de ne pas livrer le fond de sa pensée en public : comme il se trouvait des centaines de ports au Royaume-Uni, un homme avec un peu d'argent trouverait toujours un propriétaire d'embarcation pour le sortir du pays et le conduire soit en Irlande, soit sur la côte française.

Williamson donna la composition des équipes de travail. Le nombre des suspects à arrêter simultanément rendait nécessaire la mobilisation d'au moins dix policiers ne faisant pas partie du Service spécial. Au total, une dizaine de voitures de police seraient nécessaires pour transporter tous les hommes.

Les membres de la petite équipe de terroristes, qui voulaient éviter d'attirer l'attention avec leur accent, avaient choisi de demeurer dans différents petits hôtels et diverses maisons de chambres situés dans des secteurs de la ville où les Irlandais se trouvaient en assez grand nombre. Leur dispersion dans la ville nuisait aux informations qu'ils devaient se transmettre, notamment pour se signaler un danger. D'un autre côté, ils éviteraient de se faire tous prendre lors d'un seul raid.

Finalement, parce qu'il connaissait déjà un peu les environs, David devait faire équipe avec Thompson et deux policiers en uniforme pour aller cueillir William Lynch à son logis de la rue Leman. Son compagnon, fort de son ancienneté, l'envoya faire le guet dans la ruelle, au cas où le suspect tenterait de se sauver par la porte arrière.

Cette affectation destinée à lui faire jouer un rôle accessoire tourna finalement en faveur du journaliste. Aux aguets, en entendant dans l'escalier les pas de deux personnes, Lynch réussit à se glisser par une fenêtre du premier étage. Il se laissa tomber lourdement parmi les détritus accumulés dans la cour arrière de l'édifice et se blessa à la cheville. Ainsi, ce fut sans trop de mal que David et son compagnon anonyme réussirent à l'immobiliser au sol et à lui passer les menottes.

— Nous allons le conduire à Scotland Yard, lança l'agent spécial à Thompson, qui avait suivi les événements depuis la fenêtre laissée ouverte par le fuyard. Vous pouvez prendre votre temps pour fouiller les lieux.

— Vous ne craignez pas de le perdre ? demanda le sergent, plein de dépit.

— À deux, avec des bracelets d'acier, nous y arriverons certainement.

Avec l'appui du constable, David aida le prisonnier à se remettre debout. Chacun le tenant solidement par un bras, ils l'escortèrent jusqu'à l'un des fiacres de la police stationnés un peu plus bas dans la rue. Le cocher fouetta le cheval dès que la portière se fut refermée sur les passagers.

— Voici la fin d'un long voyage, commenta David en gaélique à l'intention du suspect.

— Va te faire foutre.

— Vous avez lu les journaux, récemment ? La corde, pour les accusés de Phoenix Park.

— … Nous n'avons tué personne.

David se résolut à profiter de l'inquiétude qui pointait dans la voix du prisonnier :

— Cela ne tient qu'à un heureux hasard : la bombe du *Times*, si elle avait explosé, aurait pu tuer les typographes qui se trouvaient juste derrière le mur. Quant à celle qui fut placée dans le quartier des ministères, heureusement que personne ne passait dans un rayon de cent verges.

— Nous avons fait attention pour ne tuer personne.

Cet idiot venait d'avouer. Déjà lors de la rencontre au *Crescent*, dans Whitechapel, les membres de la petite équipe semblaient diverger d'opinion sur la suite à donner aux événements. Le moins résolu du groupe serait le premier à parler.

— Nous vous avons à l'œil depuis un bon moment, indiqua David. Nous n'avons pas vu O'Brien pendant tout ce temps. Il vous a fait faux bond ?

L'autre le regarda, silencieux.

— Ces gars-là arrivent d'Amérique, ils vous embarquent dans une histoire de fou. Quand cela tourne mal, ou ils sont déjà en sécurité dans leur pays, ou alors ils sont libérés après deux ou trois mois parce que le gouvernement des États-Unis intervient en leur faveur. Au fond, ces amis ne sont bons qu'à vous foutre dans la merde.

— On ne l'a pas vu depuis les attentats.

La voiture s'arrêta devant Scotland Yard, sur la rue Whitehall. Des agents vinrent s'occuper de conduire Lynch en cellule. Le journaliste chercha un moment le commissaire Williamson dans tout l'édifice et se retrouva face à lui au moment où il quittait les lieux.

— Mettez un peu de pression sur Lynch. Ce gars-là est à deux doigts de raconter tout ce qu'il sait.

— Oh ! Et comment devrais-je procéder ? demanda le policier, de l'ironie plein la voix.

— Le directeur Mallon utilise un petit jeu de portes ouvertes et fermées. Mettez Gallagher dans un bureau, arrangez-vous pour que Lynch le voie…

— Vous avez eu un véritable professionnel comme maître. Nous allons faire exactement ce que vous venez de dire !

Le ton du commissaire permit à David de mesurer combien il avait été présomptueux. Le patron ne paraissait pas disposé à se faire expliquer comment effectuer son travail. Il lui adressa un salut de la main et regagna son bureau, un sourire aux lèvres. La journée se révéla excellente : tous les suspects, cueillis au nid, se trouvaient en prison, une première fouille de leurs quartiers avait permis de récupérer quelques dizaines de livres de dynamite.

Une seule ombre subsistait : la moitié des explosifs fabriqués à Birmingham demeurait introuvable.

Comme tous les jours, Williamson avait parcouru la courte distance qui séparait les bureaux du Service spécial du siège du ministère de l'Intérieur. Près de la fenêtre, dans une pièce plutôt spacieuse du rez-de-chaussée, Robert Anderson observait le changement de garde. Depuis le dernier attentat, de nouvelles vitres avaient été posées dans toutes les fenêtres de l'édifice. Les soldats demeuraient toujours de faction tout autour.

— Vous avez vu ce torchon? demanda le fonctionnaire en se retournant.

Comment faire autrement? Le dernier numéro du *Times*, grand ouvert, occupait la totalité de la surface du pupitre.

— Une page complète à chanter les louanges d'Edward Jenkinson. Comment ce salaud, un libéral notoire, peut-il recevoir un pareil hommage d'un journal conservateur? continua Anderson en revenant à son siège.

— Ce fonctionnaire a eu la main heureuse. Coup sur coup, les coupables du meurtre de Phoenix Park, puis ceux des attentats de Glasgow. Enfin, c'est lui qui nous a signalé la présence de l'équipe de Matthew O'Brien à Birmingham, puis il nous a donné précisément le moment de leur arrivée à Londres. Sans lui...

Devant le visage rouge de colère de son patron, le commissaire décida d'arrêter là la liste des coups d'éclat de Jenkinson. En peu de mots, il venait de résumer ce que le *Times* mettait six colonnes à expliquer, avec une abondance de superlatifs.

— Aujourd'hui, le ministre m'a expliqué que ce brillant serviteur de l'État devrait être appelé à Londres, plus près du centre des opérations.

— Ce qui ne vous paraît pas être une bonne idée?

Comment expliquer à quelqu'un, surtout à un subalterne, que les services antiterroristes ne pouvaient dépendre que d'un seul directeur ambitieux : lui-même. Anderson affirma plutôt :

— Si les choses se sont bien déroulées, c'est justement parce que ce type se trouve à Dublin, et moi à Londres.

Williamson ne fut pas dupe, mais jugea préférable de faire son rapport sur les derniers événements, convaincu que son sort serait à peu près le même, quoi qu'il arrive à son supérieur. Mieux valait laisser les grands de ce monde s'affronter en se tenant loin, pour éviter les éclaboussures.

— Langevin a commencé hier à cuisiner William Lynch, conclut le commissaire. Celui-ci sera bientôt mûr pour nous raconter tout ce qu'il sait.

— Matthew O'Brien ? Vous savez où il se trouve ?

— Pas la moindre idée. Je pense que le bonhomme se la coule douce, à Buffalo.

Dublin, jeudi 26 avril 1883

Les journées s'allongeaient de plus en plus, l'obscurité ne revenant sur Phoenix Park qu'après huit heures du soir. Dans les circonstances, Edward Jenkinson avait préféré fixer rendez-vous à Matthew O'Brien à dix heures. Le télégramme de ce dernier, soigneusement codé, l'avait un peu surpris, mais en y pensant bien, mieux valait le faire sortir du pays lui-même. Son arrestation aurait ruiné toute l'entreprise.

À l'heure dite, le fiacre emprunté au gouverneur ralentit à l'entrée du parc et un homme se glissa à l'intérieur. Pour tous les témoins de la scène, ce serait la confirmation des rumeurs : le représentant de Sa Majesté en Irlande cherchait dans les bosquets la nouveauté que les hommes de son entourage ne pouvaient plus lui offrir.

— Très imprudent ce petit rendez-vous, remarqua tout de même le fonctionnaire d'entrée de jeu.

— Un télégramme hermétique de part et d'autre : rien de bien compromettant. En fait, tout le risque est pour moi. Pendant les quinze minutes où je vous ai attendu, trois types m'ont demandé de les enculer.

O'Brien, dans l'obscurité de la voiture, offrait un visage glabre, anonyme, dans la mesure où Jenkinson pouvait en juger.

— Le feu d'artifice a été modeste à Londres, commenta-t-il.

— Vos policiers sont trop efficaces. Je ne pensais pas qu'ils les repéreraient si vite. Mes hommes n'ont pas eu le temps d'agir. Après la première arrestation, les autres se sont terrés prudemment. Cela n'a pas suffi, puisqu'on les a trouvés.

— Et vous ?

— Le soir même où j'ai placé les deux premières bombes, je suis allé à Brighton afin de me cacher. Je suis arrivé à Dublin au début de la semaine, me doutant bien de la suite des choses. Après avoir lu l'article du *Times* hier, j'ai conclu que mieux valait quitter l'Empire de Victoria.

— En venant ici, l'endroit au monde où l'on trouve le plus grand nombre de chasseurs de féniens ?

Jenkinson savait que l'Irlande offrait aussi le plus grand nombre de conspirateurs. Un membre de la meute de Jeremiah O'Donovan Rossa devait savoir où y trouver de l'aide.

— Je veux passer en Europe en toute sécurité, expliqua le terroriste.

— Pour rejoindre l'Amérique ensuite ?

— Mieux vaudrait attendre un peu, afin de savoir ce qui se passera à Londres.

Puisque les policiers étaient intervenus assez tôt pour paralyser les terroristes dès leur arrivée en ville, certains concluaient à une trahison. Si les soupçons se portaient vers O'Brien, celui-ci devrait se tenir loin de Rossa.

— Vous rêvez aussi de Paris ? interrogea Jenkinson.

— Le rouquin infernal, McDermott, est allé là-bas ? Dans ce cas, trouvez-moi une autre destination. De toute façon, trop d'Irlandais s'y trouvent déjà.

— Restez caché jusqu'à ce que je vous trouve une place sur un navire à destination de l'Espagne.

Les chances de vivre dans ce pays en toute discrétion seraient excellentes. O'Brien accepta de bonne grâce. Au moment de passer à l'entrée du parc, l'homme s'esquiva dans la nuit. Le cocher se dirigea ensuite vers la maison vice-royale.

11

Une nouvelle fois, la dernière pour un long moment sans doute, David avait quitté la quiétude de son domicile de la rue Malet pour venir à Dublin. L'acte final de la tragédie de Phoenix Park se jouerait avec la participation de William Marwood, le bourreau du Royaume-Uni.

La présence du journaliste tenait à l'article qu'il tirerait de l'événement. Comme les locaux du télégraphe seraient assaillis par tous les gratte-papiers accourus pour l'événement, dès le samedi précédent, il était venu plaider auprès de Conàn Mallon l'obtention d'un privilège insigne : utiliser l'appareil attenant au bureau du gouverneur. La négociation s'étala sur plus de vingt-quatre heures, et la réponse demeurait toujours inconnue à quelques heures des exécutions.

Longtemps avant le lever du soleil, David quitta son hôtel de la rue Dame pour se rendre à la prison Kilmainham. Tout le long du chemin, une circulation étonnamment dense pour cette heure de l'aube retarda son fiacre. Plus inquiétant, tous les voyageurs, à pied ou en voiture, convergeaient vers la même destination que lui.

Quand son véhicule arriva en vue du pénitencier, le cocher frappa sur le toit. Le passager ouvrit la portière pour s'entendre dire :

— Regardez, impossible d'aller plus loin. Vous devez continuer à pied.

La prison se trouvait encore à un bon cinq cents verges, mais l'affluence des voitures qui encombraient la route empêchait d'approcher davantage. La foule des piétons débordait sur les terrains environnants. David paya son dû et commença une progression difficile vers les grandes portes de l'édifice. Aux personnes qui supportaient mal de le voir passer devant eux, il expliquait, avec son meilleur accent yankee, être là pour un journal de New York. De mauvaise grâce parfois, on le laissait passer pour lui donner la chance de clamer à la face du monde ce nouvel épisode de l'oppression anglaise sur l'Irlande.

En arrivant près du grand mur qui entourait la prison, il se trouva face à une ligne ininterrompue de soldats, l'arme au poing, une baïonnette au canon. La foule se tenait à une quinzaine de pieds des militaires, hurlant des insultes. Un colonel un peu sceptique regarda son laissez-passer et l'autorisa à continuer son chemin. Près de la porte, un autre officier contempla à nouveau la feuille de papier et, comme à regret, lui fit signe de passer. Le lourd battant se referma sur lui bruyamment.

Dans la grande cour de la prison, une assemblée assez dense entourait un échafaud. Même s'il ne s'agissait pas d'une exécution publique, les journalistes, les représentants du gouvernement et tous les notables capables de tirer des ficelles pour obtenir le privilège de se trouver là finissaient par représenter un grand nombre de personnes. À tel point que l'on avait dû renoncer à utiliser la discrète potence érigée dans les murs mêmes de la prison pour en dresser une autre, temporaire, dans la grande cour.

Difficilement, en soulevant maints commentaires désobligeants sur le manque de savoir-vivre des journalistes américains, David arriva au premier rang pour aller se ranger à côté de Conàn Mallon.

— Alors, pourrai-je utiliser le télégraphe du gouverneur?

— Après que Son Excellence aura envoyé à Londres son rapport sur le déroulement des exécutions. Vous devez cet extraordinaire privilège à l'intervention personnelle d'Edward Jenkinson.

— Misère! Devrais-je lui dire merci?

Le directeur de police adressa un sourire narquois à son compagnon avant d'expliquer:

— Il m'a expressément demandé de ne pas vous laisser l'approcher. Contentez-vous de souligner à vos lecteurs américains son exceptionnelle efficacité dans la lutte aux terroristes.

— Cet homme rêve-t-il de se voir confier un ministère aux États-Unis?

Pour avoir une meilleure vue sur le spectacle, le gouverneur Spencer et Jenkinson, le responsable des services de sécurité en Irlande, montaient justement dans une grande voiture à découvert placée près de l'échafaud. Ils seraient aux premières loges. Le jour naissant rosissait déjà l'horizon et l'heure fatidique approchait.

— Un peu plus et vous ratiez le spectacle, commenta le policier. Vous auriez dû rester ici toute la nuit, comme moi.

— J'aurais eu trop peur de ne plus pouvoir sortir de cette prison... Toutefois, ce ne sera pas facile de quitter les lieux: il y a foule dehors. Vous appréhendez des désordres, aujourd'hui?

David regardait les soldats debout sur le mur entourant la prison, l'arme à la main. Cela lui rappela l'exécution des conspirateurs responsables de l'assassinat d'Abraham Lincoln, près de vingt ans plus tôt, à Washington. La première exécution capitale dont il avait rendu compte pour le *Tribune*, mais pas la dernière. Sa carrière paraissait émaillée d'événements de ce genre.

— Je ne le crois pas. Bien sûr la ville est devenue frénétique, mais toutes ces bonnes gens se sont fait expliquer hier par leurs prêtres, du haut de leur chaire, que les assassins recevaient la juste punition de leurs crimes... Cela va commencer, voilà le héros de la journée.

William Marwood, accompagné d'un assistant, gravissait la quinzaine de marches raides donnant accès à la plate-forme de l'échafaud. Ce petit homme vieillissant avait expédié vers l'autre monde plus de cent soixante-dix victimes. Malade, il les rejoindrait dans quelques mois tout au plus. Un moment, il examina la poutre posée à l'horizontale sur deux solides poteaux. Une corde avait été accrochée à un anneau de fer.

— Vous savez que cet homme a mis au point une méthode scientifique pour pendre les gens ? En fonction du poids du coupable et de la musculation de son cou, il utilise une longueur spécifique de corde. De cette façon, il s'assure que l'homme a le cou cassé net, au lieu d'être étranglé pendant de longues minutes.

— Je sais, les journaux ont longuement écrit sur le sujet. De toute façon, il a exécuté suffisamment d'Irlandais pour peaufiner sa technique.

Mallon jeta un regard soupçonneux sur l'homme à ses côtés, puis haussa les épaules en attribuant cette saute d'humeur à l'émotion du moment.

— Est-ce le premier client ? demanda David en voyant un homme revêtu d'un costume de prisonnier s'installer à côté de la structure de bois, encadré par deux solides gardiens.

— Non. Vous ne le reconnaissez pas ? James Carey.

— On ne songe pas à l'exécuter ?

— Bien sûr que non ! Mais Jenkinson a trouvé utile, pour la rédemption de l'âme de ce mécréant, de lui faire voir la cérémonie d'aujourd'hui.

En vérité, il s'agissait bien d'une cérémonie : les représentants du pouvoir britannique en Irlande assistaient à un sacrifice pour se rassurer sur leur bon droit d'occuper ce territoire.

Alors que James Carey devait se tenir au pied de l'échafaud, un premier homme encadré de deux militaires passa devant lui, gravit l'escalier très raide avec leur aide et se retrouva un moment plus tard sur la trappe qui se découpait dans la plate-forme. Au moment où le bourreau lui passait une cagoule noire sur la tête, le condamné hurla «Dieu sauve l'Irlande». Sa voix se brisa sur le dernier mot.

Marwood possédait une expérience considérable. Même totalement ivre, comme à chaque exécution, il passa la corde au cou de cet inconnu, en lui murmurant des mots d'apaisement, et la serra de façon à ce que le gros nœud se trouve juste sous l'oreille droite, puis s'assura que ses pieds se trouvent au milieu de la trappe pour ensuite faire signe à son assistant d'actionner le levier.

Le rectangle de bois sous les pieds du condamné céda dans un grand vacarme, celui-ci parcourut la longue trajectoire verticale jusqu'au bout de la corde. Il y eut un craquement sec quand celle-ci se tendit tout à fait, le corps secoué de spasmes décrivit un quart de tour, oscilla un moment, puis s'immobilisa.

Au bruit des os rompus, un murmure parcourut l'assistance, quelques femmes — elles comptaient au bas mot pour le quart des spectateurs — s'évanouirent. Alors que de bonnes âmes les traînaient à l'arrière, un médecin juché sur un petit banc alla se coller la tête sur la poitrine du condamné et confirma que le cœur ne battait plus. Sur un signe de sa part, Marwood coupa la corde, puis son assistant posa une échelle contre la poutre horizontale de l'échafaud pour en mettre une nouvelle.

Un premier cadavre gisait dans l'un des cercueils posés sur l'herbe. Dix minutes plus tard, le scénario du «Dieu sauve l'Irlande» se répéta et l'on entendit un murmure fasciné chez les spectateurs. Puis Marwood recommença pour un troisième et un quatrième condamné.

On pouvait compter sur Fitzharris pour ajouter quelques variations. Dans un premier temps, en voyant Carey sur son chemin, il fit mine de se précipiter sur lui. Sans les soldats pour le retenir, même avec les mains attachées dans le dos et les pieds entravés, faisant en sorte qu'il ne pouvait faire que de petits pas, David ne doutait pas un instant que l'échalas aurait fait un mauvais parti au traître. Un moment plus tard, il crachait au visage du bourreau. Celui-ci, professionnel jusqu'au bout, ne raccourcit pas la corde et ne plaça pas le nœud au mauvais endroit pour lui infliger une longue agonie.

Joseph Kelly fut le dernier à rencontrer le bourreau ce jour-là. À son arrivée dans la cour, David entendit distinctement un murmure de voix féminines : «Comme il est beau», «Non, il ne peut pas être coupable».

— Les idiotes, grommela Mallon à l'intention de son voisin.

L'angelot blond marcha vers l'échafaud tout en regardant autour de lui, comme si de revoir le ciel bleu lui faisait plaisir. Au moment de passer devant Carey, il le salua d'un signe de la tête et grimpa l'escalier en regardant la poutre horizontale avec curiosité, comme s'il se demandait comment cet assemblage allait le tuer.

— Ce gars-là est un attardé ! murmura David.

— Oui, et aussi un assassin qui agit de sang-froid. Je me demande combien de personnes il a égorgées.

À ce moment, Mallon se rappelait deux jeunes filles tuées dans leur chambre, près de Cnoc Mhuire. Malgré ses espoirs, aucun indice ne lui avait permis de relier les assassins de Dublin avec cet événement. L'initiative venait d'autres criminels.

Au moment où Marwood lui passait la cagoule sur la tête, Kelly regardait les cercueils fermés posés sur la pelouse, et celui qui restait toujours ouvert. La corde enserra le cou, le bourreau adressa un signe à l'assistant, le bruit de la trappe se fit entendre. Puis on entendit des «Oh !» lesquels furent suivis de nouveaux évanouissements féminins et d'hommes qui vomissaient bruyamment.

L'exécuteur des hautes œuvres avait prévu une corde aussi longue que possible, compte tenu de la hauteur de l'échafaud, en évitant que les pieds du condamné n'en viennent à toucher le sol. Cela ne suffit pas. Kelly râlait et son corps tout entier était secoué de soubresauts.

— Votre expert s'est trompé, il me semble, murmura David alors que les phrases macabres de son prochain article se formaient dans sa tête.

— Cet homme a un cou de taureau! l'excusa Mallon.

Sa forte musculature avait empêché les vertèbres de Kelly de se rompre. De plus, la strangulation avait pris de longues minutes. Très visible sous le mauvais tissu de l'uniforme de prisonnier, son sexe était bandé, offrant aux regards un membre aussi robuste que le reste de son anatomie. Bientôt, les premiers rangs constatèrent qu'il éjaculait... ou qu'il pissait, mais la première éventualité s'imposa dans tous les esprits. Cette réaction de l'organisme agonisant était connue des passionnés de ce genre de chose par une curieuse expression, la « luxure de l'ange »...

Ce détail figurerait dans de nombreux reportages. Le journaliste voulait croire que les respectables lecteurs du *Tribune* préféreraient en majorité ne pas entendre parler de cette anecdote. Une rumeur se répandrait bientôt, pour prévaloir pendant des décennies, selon laquelle des femmes se seraient précipitées avec leur mouchoir afin de le tremper dans le sperme de ce géant toujours puceau, mort pour avoir voulu la liberté de son pays. Que David Devlin n'ait même pas pensé à répandre lui-même une histoire pareille montrait la limite de son talent: il n'aurait pas fait un bon romancier.

Très lentement, les soubresauts cessèrent. Le médecin laissa encore s'écouler quinze bonnes minutes avant d'appuyer son oreille sur la large poitrine de Kelly. Les pieds de l'homme se trouvaient si près du sol que le praticien n'utilisa même pas le petit banc.

Les spectateurs se détournèrent de la scène quand le corps reposa sur le sol. Prestement, les gardiens conduisirent un James Carey livide dans la prison. David se tourna vers le directeur Mallon pour demander:

— Nous pouvons y aller?

Il voulait dire au château de Dublin. Les mots se bousculaient dans sa tête et dicter son article directement au télégraphiste ne lui poserait aucune difficulté. Au pire, le rédacteur du *Tribune* ferait les corrections nécessaires.

— Vous voulez rire ? Personne ne bougera d'ici avant que la foule ne se soit dispersée.

— … Mais cela peut prendre quelques heures.

— Ne vous inquiétez pas, aucun de vos concurrents n'aura accès à un télégraphe avant vous. De toute façon, il est à peine minuit à New York.

Bien sûr, cela comptait de l'emporter sur la compétition, mais à ce moment précis, David souhaitait quitter ces lieux au plus vite.

∼✯∾

Londres, mardi 15 mai 1883

Le retour depuis Dublin prit une bonne partie de la nuit et toute la journée du mardi. De la gare Euston, David monta dans un fiacre pour rentrer sur la rue Malet. À la vue de son visage lugubre, Édith se contenta de lui faire la bise. Après trois whiskys avalés un peu trop vite, elle posa la première question :

— Ce fut aussi horrible que ce que les journaux du matin ont raconté ?

— Pire. Crois-moi sur parole, tu ne veux pas le savoir.

Elle quitta son fauteuil, lui tendit la main en disant :

— Viens t'étendre. Tu as besoin de te reposer.

— Encore un verre… Je ne pourrai pas dormir, de toute façon.

— Non, tu en as assez. Viens avec moi.

Docilement, sans lâcher sa main, il se laissa entraîner à l'étage.

≈❦≈

Londres, lundi 21 mai 1883

Encore une fois, David se tenait parmi ses collègues dans la grande salle du Service spécial. Chacun présentait un visage satisfait : les longues filatures et les horaires harassants avaient pris fin avec les arrestations. La routine reprenait ses droits, les agents passaient leurs journées dans les pubs réputés pour recevoir une clientèle irlandaise, ou alors flânaient toute la journée dans des halls de gare avec le portrait de Matthew O'Brien dans leur poche. Aucun employé des chemins de fer ne se souvenait de l'avoir vu auparavant. Bientôt, il faudrait en imprimer des centaines de copies pour les afficher dans les locaux de toutes les sociétés embauchant des conducteurs de fiacre. Quand on en arrivait là, c'était toujours un aveu d'échec.

— Finalement, notre ami William Lynch a accepté de nous raconter tout ce qu'il sait, ce qui ne représente pas grand-chose, commenta Williamson.

— Lequel de vos arguments l'a convaincu ? questionna un homme.

— Aucun.

Le commissaire leur adressa un petit sourire dépité, puis enchaîna :

— Le récit des exécutions de Dublin, surtout la dernière, a circulé d'une cellule à l'autre, gagnant sans doute chaque fois en horreur. Cela l'a convaincu. Cependant, notre homme insiste pour dire que les seules bombes qui ont explosé furent placées par O'Brien. Nos prisonniers ne seraient coupables que de conspiration en vue de commettre des attentats et de possession de dynamite.

— Foutaise, grommela quelqu'un.

— Au contraire, corrigea le commissaire, ce suspect a raison. Aucune explosion n'a eu lieu depuis l'arrivée de ces hommes à Londres, le 18 mars. À moins de croire qu'ils sont venus, puis sont partis pour revenir ensuite une nouvelle fois dans la capitale, ces Irlandais n'ont jamais eu l'occasion de passer à l'action.

Pendant les minutes suivantes, Williamson donna à chacun son affectation pour la semaine, sans évoquer le nom de Langevin. En terminant, le policier lui ordonna :

— Accompagnez-moi chez Anderson. Celui-ci veut vous confier une mission conforme à vos anciennes activités.

Le journaliste acquiesça, alors que ses collègues lui jetaient un regard intrigué et envieux. Que le dernier arrivé dans le service bénéficie si souvent de l'oreille du grand patron les laissait un peu perplexes.

Quelques minutes plus tard, les deux hommes entraient dans le bureau de Robert Anderson. Celui-ci ne décolérait pas depuis que les journaux attribuaient le mérite des derniers succès de la lutte antiterroriste à Edward Jenkinson. Certains périodiques proposaient même que le Service spécial agisse sous les ordres de l'homme de Dublin. Pour éviter cela, le fonctionnaire du ministère de l'Intérieur devait mettre quelques succès à son actif.

Quand les visiteurs furent assis devant lui, Anderson coupa court à toutes les formules de politesse pour dire :

— Monsieur Langevin, vous savez sans doute que le Clan-na-Gaël tiendra bientôt son congrès annuel.

— Tous les journaux irlandais publiés aux États-Unis y font allusion.

— J'aimerais que vous y assistiez. Vos articles dans le *Tribune* font en sorte que votre présence semblera naturelle.

— Naturelle, peut-être, mais certainement pas bienvenue.

Dans ses écrits, David adoptait un ton relativement neutre en condamnant toutes les activités violentes, mais il affichait tout de même sa sympathie pour la cause irlandaise et les moyens légitimes de la faire avancer. Cela ne lui vaudrait certainement pas le meilleur accueil de la part de ceux qui favorisaient des stratégies plus brutales.

— Au point de ne pas vouloir vous présenter là-bas? demanda le fonctionnaire en fronçant les sourcils.

— Je pourrai sans doute me promener dans les couloirs de l'hôtel sans risquer de mauvais coups, mais je ne recevrai pas de confidences vraiment utiles pour vous.

Le journaliste s'inquiétait surtout que ses bonnes relations avec les policiers de Dublin n'aient eu un écho jusqu'à New York. De plus, il craignait qu'on ne découvre le lien entre le Devlin, correspondant du *Tribune* et de la *Gazette*, et le Langevin qui œuvrait au sein du Service spécial. Ce serait alors la fin de sa carrière d'infiltration. En quelques mots, il fit cette mise au point à ses deux employeurs.

— Je comprends, fit Anderson après une pause. Demeurez prudent, et rentrez en vitesse si votre sécurité paraît compromise… Vous connaissez Henri LeCaron?

— … Je l'ai connu il y a des années. Cet espion jouit d'une étonnante longévité, ce qui témoigne de son talent.

— Et de sa chance, compléta le fonctionnaire. Essayez de lui parler discrètement. Je reçois des rapports écrits, mais ce n'est pas la même chose…

Pendant quelques minutes encore, David discuta de logistique avec le fonctionnaire. Pour une fois, il profiterait d'une allocation de dépense.

❧❦❧

Après des mois de grisaille ponctués d'averses de pluie presque quotidiennes, le soleil brillait enfin sur le sud de l'Angleterre. Après le souper, comme des dizaines d'autres couples, David et Édith se promenaient dans le parc Russell, situé tout près de leur domicile. Les femmes abandonnaient les couleurs sombres pour porter des robes pastel et les hommes laissaient tomber les melons, au profit de chapeaux de paille tressée.

— Pourquoi ne viens-tu pas avec moi? demanda l'homme après avoir évoqué la mission qu'Anderson lui avait confiée.

La jeune femme demeura un moment songeuse avant de dire :

— Là-bas, je devrais rester dans un hôtel loin du tien, de façon à n'éveiller la curiosité de personne. Et même sur le navire, je risque d'attirer l'attention : je suppose que bien des Irlandais font le service sur les transatlantiques.

— Sans doute sur les navires britanniques ou américains, mais nous pourrions utiliser un bâtiment étranger. À New York, il va de soi que je ne devrais pas être vu avec une certaine madame Langevin, fille de l'ancien consul Archibald. Le général Millen connaît déjà madame Devlin…

— Tu vois bien, le mieux est que je reste ici. À force de me faire des baisemains, ce général de carnaval risque de se souvenir où il m'a vue pour la première fois.

David convenait que cela était plus prudent. Toutefois, cette absence promettait d'être un peu longue.

— Un bon mois, commenta sa compagne, qui suivait le cours de ses pensées.

— Pardon ?

— Il faut compter dix jours pour l'aller, autant pour le retour. Et tu devras demeurer là-bas une semaine au moins.

Elle avait raison. Pendant toutes ses années de résidence au Canada, David avait fréquenté les congrès des associations irlandaises des États-Unis, mais cela signifiait tout au plus un trajet d'une journée en train.

— Tu me promets que tu seras très prudent ?

— Je serai prudent. Tout le monde se méfiera de moi, de toute façon. Même Anderson m'a recommandé de me retirer si le climat se gâtait pour moi.

— En admettant que tu le saches avant de recevoir un coup de couteau ou une balle.

Un moment, il eut envie d'évoquer son instinct, ses années d'expérience. Ces arguments présomptueux n'auraient pas trompé son épouse.

— Je ferai attention à moi. Ton père viendra-t-il te tenir compagnie pendant mon absence ?

— Quand partiras-tu ?

— Le congrès doit commencer le 18 juin. Le mieux serait d'embarquer le 6.

— À ce moment de l'année, je préfère me rendre à Brighton. La température sera idéale... à moins que la pluie ne vienne tout gâcher.

— Ce sera mon dernier congrès. Je l'ai fait savoir à Anderson.

Cela devait rassurer Édith. Celle-ci décida de réprimer ses inquiétudes et d'offrir la meilleure figure possible.

꒰ꕥ꒱

Londres, samedi 2 juin 1883

Leur dernière rencontre avait eu lieu plusieurs semaines plus tôt, au moment où Charles Parnell et Michael Davitt avaient convenu — le second sans aucun enthousiasme — que parfois, une longue retraite valait mieux que l'agitation de la vie politique.

— Cela fait maintenant une éternité que Davitt se languit dans sa prison, expliquait Katherine O'Shea. Les exécutions ont eu lieu et la poussière commence à retomber. Le faire sortir serait interprété comme un geste d'apaisement.

— Pour lire à nouveau ses articles enflammés... s'inquiéta Gladstone.

— Donnez-lui plutôt de quoi se réjouir.

Dans la belle demeure de Belgravia Square, toutes les fenêtres du salon s'ouvraient sur un jardin verdoyant et ensoleillé. Les lilas embaumaient la pièce. Bientôt, tous les notables du Royaume-Uni regagneraient leur domaine à la campagne, afin de se mettre à l'abri des misères de l'été. Les jours chauds et humides, un brouillard jaunâtre s'appesantissait sur Londres, au point de rendre la respiration difficile.

— Que voulez-vous dire ?

Le premier ministre le savait pourtant très bien. Le moment était venu de faire ce geste qui donnerait un espoir à tous les Irlandais qui choisissaient de faire valoir leurs droits dans la légalité.

— Faites connaître votre sympathie pour le gouvernement autonome.

— Ce serait m'exposer à perdre le tiers de mes députés. Les conservateurs prendraient le pouvoir, ce qui reporterait les réformes en Irlande aux calendes grecques.

La jeune femme afficha une moue charmante en penchant un peu la tête sur le côté. Aujourd'hui, elle était venue lui rendre visite au début de l'après-midi. Sa robe de mousseline d'un jaune vif se mariait bien à ses yeux bruns. Les lourdes boucles de ses cheveux se trouvaient ramenées à l'arrière de la tête pour dégager le visage, les oreilles et le cou. Son ombrelle assortie à la robe reposait contre l'un de ses genoux.

— Dans ce cas, admit-elle à mi-voix, je doute que Parnell puisse garder tous ses hommes en main. Les pendaisons récentes et le procès des terroristes qui commencera bientôt à Old Bailey ne peuvent être perçus comme une bénédiction par tous les nationalistes.

— Pourtant, se débarrasser des extrémistes, parmi lesquels se trouvent des assassins, est une prémisse nécessaire, tant pour moi que pour votre ami... Nous devons procéder par étape. La première, qui sera aussi utile pour lui que pour moi, sera de consolider son électorat. Je pense élargir le nombre des électeurs dans les campagnes.

Au Royaume-Uni, seuls les propriétaires ou ceux qui payaient un loyer assez élevé jouissaient du droit de vote. Cette situation résultait de la conviction des dirigeants du pays que les personnes n'arrivant pas à se sortir de la misère pour accéder à une certaine aisance n'avaient pas la compétence pour se mêler de la gestion des affaires publiques.

Katherine O'Shea savait compter aussi bien qu'une autre. Tout de suite elle conclut :

— Ce qui signifie que les paysans catholiques, en Irlande, participeront aux élections.

— Pas tous, bien sûr. Seulement ceux qui ont un petit bien. Selon mes calculs, le nombre des électeurs ruraux devrait être multiplié par deux, au moins, et peut-être par trois.

— Ce qui fera en sorte que le Parti parlementaire obtiendra tous les sièges irlandais, commenta la jeune femme avec un sourire entendu.

— Ceux où la population est en majorité catholique. Les protestants voteront conservateur.

La minorité protestante demeurait farouchement opposée à toute autonomie de l'Irlande, craignant que les catholiques majoritaires ne leur fassent subir certaines des injustices dont ils avaient eux-mêmes souffert dans le passé. Bien plus, au Royaume-Uni, plusieurs s'opposaient aux réformes politiques simplement pour protéger leurs coreligionnaires d'Irlande.

La personne qui obtiendrait la formation d'un gouvernement autonome dans ce pays devrait faire preuve d'un doigté exceptionnel. Aux yeux de Katherine O'Shea et de William Gladstone, seul Charles Parnell, un protestant à la tête d'un parti nationaliste dont la vaste majorité des membres étaient catholiques, paraissait susceptible de réussir dans cette entreprise.

— Tout de même, reprit la jeune femme, nous pouvons espérer plus de quatre-vingts députés membres du Parti parlementaire. Notre ami les tient bien en main.

— Ce qui devrait consolider le gouvernement que je dirigerai. Cet élargissement de l'électorat ne me vaudra toutefois pas plus de députés en Angleterre ou en Écosse. Les conservateurs y sont déjà solidement établis chez les agriculteurs.

Lors de la prochaine élection, Gladstone espérait obtenir au moins autant de sièges qu'il en possédait déjà. Si le Parti parlementaire en avait trente de plus, cela donnerait au gouvernement d'alliance, qu'il formait avec lui, une majorité confortable.

— Quand cela sera-t-il annoncé ?

Le premier ministre adressa un sourire plein d'admiration à son interlocutrice, à la fois pour la jolie bottine qu'elle lui révélait, dans un froufrou de jupons, et sa prudence. Une promesse faite en secret n'engageait personne.

— Voilà ce que je vous propose : quand Michael Davitt sortira de prison, demain ou après-demain, le mieux serait qu'il écourte l'expression de son juste courroux contre moi pour l'oppression dont je me suis rendu coupable. À la place, il s'inquiétera plutôt que, dans notre pays, une proportion bien plus grande des habitants des villes, comparée à la situation dans les campagnes, participe au suffrage. Comme si les politiciens jugeaient les ruraux moins intelligents. Je suis convaincu qu'il trouvera les arguments. Le lendemain de son premier article, les journaux libéraux du Royaume-Uni entonneront le même refrain. Même les conservateurs devront partager cet avis, pour ne pas avoir l'air de croire que nos paysans sont stupides.

— ... Et le projet de loi ? demanda Katherine.

— Il sera soumis au cabinet à la prochaine session de la Chambre des communes, l'automne prochain, au plus tard au printemps. Je compte bien voir adopter ce projet de loi à temps pour la prochaine élection.

Une fois réglées les négociations politiques, et comme il était encore tôt, Katherine dut s'astreindre à une longue heure d'échanges sur divers sujets anodins. Le genre de conversation habituelle entre deux personnes qui se plaisent, un prélude délicieux à la séduction.

Elle fut heureuse de retrouver son amant dans le fiacre stationné devant la porte. Le pauvre septuagénaire en serait quitte pour une session d'autoflagellation un peu plus longue, au moment de se mettre au lit.

☙❀❀❧

Londres, mardi 5 juin 1883

Dès le matin, le gouverneur de la prison de Portland avait aidé Michael Davitt à ranger ses livres et ses écrits des derniers mois dans son sac de voyage, une politesse qui lui permettait d'en contrôler discrètement le contenu. Le fonctionnaire poussa la délicatesse jusqu'à le reconduire au fiacre, qui attendait devant la porte du pénitencier, et lui souhaiter un excellent voyage. Le premier ministre Gladstone avait respecté ses engagements à la lettre : jamais un séjour dans une geôle n'avait autant ressemblé à une période de repos.

En fin d'après-midi, le député manchot reprenait possession de sa « suite » de pièces à Londres, un salon et une chambre confortables. Sa logeuse, une femme discrète, lui préparait les repas qu'il décidait de prendre à la maison. En soirée, un souper dans l'un des meilleurs restaurants de la ville, en compagnie de Charles Parnell et John Dillon, devait lui permettre d'oublier les rigueurs des derniers mois et de renouer avec la vie politique. En réalité, ses deux hôtes tenaient à faire le point avec lui sur les dernières stratégies du Parti parlementaire.

Au cours des deux premiers services, le chef lui résuma les engagements du premier ministre.

— Le grand homme nous donne donc l'Irlande sur un plateau d'argent. Nous aurons tous les comtés catholiques, conclut Davitt après un moment de réflexion.

— Ce qui nous procurera toute la légitimité souhaitable pour réclamer un gouvernement autonome. Cependant, il en faudrait bien peu pour que tout ne dérape...

Inutile pour Parnell de préciser sa pensée : deux ou trois attentats sanglants feraient en sorte de ruiner ces projets. Jamais le premier ministre ne tendrait la main à des partenaires qui auraient du sang sur les leurs.

— N'ayez crainte, consentit Davitt, je me contenterai de clamer n'avoir jamais mérité ce dernier séjour en prison. Pour le reste, je veux bien demander le droit de suffrage pour les paysans. Cela cadre très bien avec la mission de la Ligue pour les terres… pardon, de la Ligue nationale.

Pendant les derniers mois, Parnell avait respecté ses promesses. La Ligue pour les terres disparue, une nouvelle organisation permettait de mobiliser les Irlandais pour le projet de gouvernement autonome.

— Mais les attentats ne relèvent pas tous de l'initiative de nos compatriotes, continua le député manchot.

— C'est ce qui me tracasse le plus, admit Parnell. Demain matin à la première heure, John s'embarquera sur un trans-latlantique afin de se rendre au congrès du Clan-na-Gaël. Nous devons les convaincre de respecter la trêve.

Davitt regarda son collègue John Dillon qui était silencieux depuis le début de la soirée, puis décida de se priver du plaisir d'expliquer que cet émissaire ne saurait pas trouver les mots pour calmer les ardeurs d'un homme de la trempe de John Devoy. Quant à Jeremiah O'Donovan Rossa, il ferait mieux de ne jamais s'en approcher, sinon, il risquait de se faire recevoir à coups de revolver.

— C'est une bonne idée, car il est à craindre que les hommes du Clan ne rêvent de revenir à la dynamite, convint-il finalement.

Parnell laissa échapper un soupir de soulagement, heureux que son turbulent allié ne réclame pas de se rendre lui-même dans la métropole américaine.

Après le porto, alors que depuis vingt minutes les trois hommes cherchaient en vain un sujet de conversation, ils se séparèrent sans regret. À la sortie du restaurant, Dillon monta spontanément dans la voiture de Parnell. Celui-ci offrit à Davitt :

— Je peux vous conduire chez vous ?

— Non merci. Après des mois à profiter de l'hospitalité

de notre souveraine, cela me fera le plus grand bien de marcher un peu au grand air. La nuit est délicieuse…

Le début de juin se révélait en effet très doux. Surtout, le député préférait être seul pour accomplir une visite dans les bureaux du télégraphe. Malgré l'heure tardive, il était certain de pouvoir y entrer. Depuis la pose du câble transatlantique, une dizaine d'années plus tôt, chacun se demandait comment on avait pu vivre si longtemps sans ce lien entre les deux continents.

Une petite table placée sous une lampe à gaz permettait de préparer le message à envoyer. Davitt en rédigea un destiné à être expédié à deux adresses différentes, la première à Cork, la seconde à New York. « Le Rouge travaille pour le château. Une lettre suivra. »

En Irlande, le télégramme serait remis à un organisateur de la première heure de la Ligue pour les terres. Le message était écrit de manière sibylline, de façon à ce que les autorités ne puissent rien en conclure de définitif, si jamais les communications de cet homme étaient ouvertes par les autorités. Le second destinataire était Jeremiah O'Donovan Rossa. Tous les deux savaient que James McDermott portait le surnom de Jim le Rouge… comme bon nombre d'Irlandais affublés d'une chevelure de flammes.

Une demi-heure plus tard, de retour chez lui, Davitt soulevait une latte de bois du plancher de sa chambre à l'aide d'un couteau. Trois carnets reliés de toile noire amassaient la poussière depuis quelques années. À la première page de celui dont les feuillets n'avaient pas encore été noircis d'une écriture serrée, l'homme avait écrit en lettres majuscules MÉMOIRES D'UN DÉTECTIVE AMATEUR. Depuis des années, il s'était autoproclamé chef des services secrets de la république d'Irlande.

Le fait qu'il n'ait pas beaucoup d'argent à dépenser pour acheter des renseignements ne signifiait pas que son réseau d'informateurs fut anémique. Ce que les Britanniques payaient, lui l'obtenait sans autre motivation que le patriotisme de certains de ses compatriotes. Pendant quelques minutes, le député manchot décrivit de son écriture laborieuse sa perception du rôle de McDermott dans les attentats de Glasgow.

꿍꿍꿍

Portsmouth, mercredi 6 juin 1883

Contrairement à son habitude, Édith avait préféré faire ses adieux à son mari dans le hall de la maison familiale, afin de ne pas se donner en spectacle à la gare. Le premier mois de son premier été en Angleterre lui paraîtrait bien long, et c'est à deux qu'elle avait imaginé parcourir le pier de Brighton. Le vieil Edward Archibald remplacerait de façon beaucoup moins agréable la compagnie de son mari.

Son sac de voyage à la main, David se dirigea vers la gare du pont de Londres afin de gagner Portsmouth, un port sur la Manche, au sud de l'Angleterre. Un navire allemand y faisait relâche, sur sa route vers l'Amérique. Pendant dix jours, enfermé dans sa cabine, le journaliste compléterait une série d'articles pour les présenter au *Tribune* bien sûr, mais aussi au *Harper's Magazine*.

꿍꿍꿍

Dublin, jeudi 7 juin 1883

À l'opposé des prétentions des romans à trois sous, l'essentiel du travail du responsable de la lutte au terrorisme se révélait d'un ennui total. Quand Edward Jenkinson n'épluchait pas les rapports de ses subalternes, il était occupé à en rédiger lui-même pour ses supérieurs. Finalement, ses journées s'écoulaient derrière son bureau, sauf quand des hommes comme McDermott ou O'Brien le forçaient à s'agiter un peu.

À la fin de la journée, une liasse de feuillets atterrit sur la surface de son bureau, des copies de lettres et de télégrammes lus et copiés par des policiers. Personne ne se troublait de cette intrusion dans la vie privée, sauf les personnes ayant quelque chose à cacher.

Ce jour-là, la communication la plus courte se révéla la plus intéressante : celle concernant le Rouge. Dans un premier temps, le commissaire de police de Cork reçut la directive de surveiller de très près le destinataire du message. Ensuite, Jenkinson sortit une grande feuille de papier blanche et demeura un long moment songeur. À la fin, il la rangea sans rien écrire. Alerter James McDermott du danger qui planait sur sa tête ne ferait peut-être qu'attirer l'attention sur lui.

Vers six heures, le fonctionnaire quitta le château de Dublin pour rentrer à la résidence vice-royale. Même si les Invincibles pourrissaient dans le cimetière de la prison Kilmainham, aucun personnage officiel n'avait renoué avec l'habitude de circuler seul à dos de cheval. Le fiacre demeurait le moyen de transport habituel.

Trois heures plus tard, une vieille dame pénétrait dans le bureau du chef des services de sécurité. Malgré ses jointures enflées, tordues par l'arthrite, elle se mit sur les genoux, trempa sa serpillière dans un sceau et entreprit de laver le plancher. Bien sûr, pour avoir l'honneur de nettoyer le saint des saints, elle avait dû se soumettre à une enquête de sécurité. Cela signifiait que son confesseur s'était porté garant de sa bonne moralité.

Jenkinson s'astreignait à ranger sous clé ses papiers, chaque soir avant de partir, après avoir brûlé dans le foyer et éparpillé les cendres de ceux dont il ne pensait plus avoir besoin.

Une femme de ménage à quatre pattes sur des articulations douloureuses, qui estimait pouvoir assurer son salut en astiquant avec ferveur de vieux madriers, gagnait un point de vue particulier sur les vicissitudes de l'existence tout en profitant d'une connaissance intime de tout ce qui glissait dans les interstices du plancher... Au point de repérer un morceau de papier.

Un moment, elle tenta de le sortir avec le bout de ses ongles cassés. Puis, à la fin, elle songea à la longue aiguille qui servait à maintenir son chapeau de paille sur ses cheveux gris. Cela lui rappela le temps où elle allait à la pêche. «Je te tiens, mon salaud», grommela la souillon après avoir épinglé sa prise.

Ne sachant pas lire, elle rangea le billet doux du comte Spencer dans l'une des poches de sa robe sans même le regarder.

Dublin, dimanche 10 juin 1883

L'église Saint-Andrew, un petit édifice vieux de quelques siècles, se dressait sur la rue du même nom, à l'est de Dublin. La lumière tamisée entrait par les vitraux anciens, rendus crasseux par l'âge, jouait sur les dalles usées du plancher, s'accrochait à des bancs de bois blonds.

La vieille dame percluse de rhumatismes marcha difficilement jusqu'au confessionnal situé à l'arrière de la nef. Ce curieux meuble de chêne était doté de trois portes, la plus grande sur le devant, pour permettre au prêtre de s'asseoir dans un petit compartiment, et les deux autres, de chaque côté, pour que les fidèles puissent s'installer sur des prie-Dieu.

Le petit guichet s'ouvrit, permettant de voir l'oreille velue du confesseur dans la pénombre. Derrière une grille, la dame commença par égrener la liste de ses péchés, pour la plupart commis «en pensée». À son âge et avec ses ressources, il était difficile pour elle de passer à l'action.

Après avoir béni la pénitente, le prêtre s'enquit:

— Autre chose, ma fille?

— J'ai trouvé cela.

Par une fente sous le guichet, la femme de ménage glissa un petit morceau de papier.

— Je vous remercie, ma fille.

Le qualificatif faisait tout drôle à la vieille dame : elle aurait pu être la mère du confesseur. Difficilement, elle se releva pour aller réciter son chapelet, en attendant la messe. Le billet doux du compte Spencer suivrait son chemin jusqu'à Michael Davitt, en transitant par les mains d'un autre pénitent.

12

Paris offrait les plus grands attraits. Tout de même, à la fin de mai, James McDermott avait pris passage sur un navire à vapeur afin de rentrer à New York. Les vieux militants républicains irlandais réfugiés dans la capitale française commençaient à exprimer des doutes sur sa fidélité à la cause révolutionnaire. Mieux valait venir rendre des comptes à Jeremiah O'Donovan Rossa avant que celui-ci ne dépêche un assassin pour lui faire la peau.

Juste un peu après midi, arborant une toison rousse qui avait eu le temps de repousser et vêtu de sa veste jaunâtre en peau de phoque, le terroriste vint s'asseoir à la table habituelle de son commandant, dans un coin de la grande salle du *J. P. Ryan Saloon*.

Il commença par demander une bière et un steak au serveur venu prendre sa commande, puis commenta la bonne allure de son compagnon.

— Tu as mis le temps pour revenir, l'interrompit Rossa, résolu à lui faire mauvaise figure. Je me disais que tu avais décidé d'émigrer en France, ou de te dénicher un emploi au sein du Service spécial.

— … Mais j'espérais être capable de retourner finir le travail au Royaume-Uni. Quand j'ai su que l'équipe d'O'Brien avait été capturée, en plus de la mienne, et qu'un homme se mettait à table, j'ai compris que les policiers devaient être après moi.

— Les hommes de Cork ne trahissent pas notre cause, tonna le vieux révolutionnaire.

— William Lynch ne doit pas être au courant de cette règle...

Le vieil homme lui jeta un regard assassin, mais ne le contredit pas. Plutôt que de pester contre les traditions qui se perdaient, il demanda :

— Comment ont-ils fait pour ramasser si vite les deux équipes ? D'abord la tienne, puis celle d'O'Brien.

— Le Service spécial a été remis sur pied...

— Ne dis pas de conneries. Une douzaine de policiers ne peuvent mettre la main sur quelques Irlandais en mission perdus dans la foule de nos compatriotes qui vivent au Royaume-Uni. Quelqu'un doit leur donner des informations !

Avec raison, McDermott sentit là une accusation. Mieux valait passer à l'offensive :

— C'est la conclusion à laquelle j'en suis venu aussi. Quelqu'un du côté de Cork alimente certainement les services secrets. Tu te rends compte, coup sur coup ils capturent les exécuteurs de Burke, mon équipe, celle d'O'Brien.

— Explique-moi pourquoi les policiers ne t'ont pas pris. Tous tes hommes y sont passés.

La voix de Rossa se faisait juste un peu moins accusatrice. Son interlocuteur prit sa mine la plus désolée pour expliquer :

— Nous avions terminé à Glasgow. Si tu avais vu les dégâts que nous y avons causés ! J'ai renvoyé les hommes chez eux, une absence trop longue aurait attiré l'attention. Moi, je faisais le mort avant de former une autre équipe.

— Tous capturés...

— Je sais, j'étais là. C'est pour cela que je te dis qu'il y a un traître. Les soldats sont allés directement chez mes hommes. Heureusement, je me trouvais toujours en Écosse...

Le visage de Jeremiah O'Donovan Rossa affichait encore un grand scepticisme. Mais trop de personnes, au cours des vingt dernières années, étaient allées vendre des informations au château de Dublin pour que la version de McDermott ne paraisse pas plausible. Après un moment, le vieux militant hurla au barman de lui apporter un whisky. Par la suite, il fit semblant de s'intéresser à la vie du «gay Paree».

❧❧❧

New York, lundi 18 juin 1883

Le samedi, après une traversée longue de dix jours, David descendit de son navire transatlantique un peu lassé de la saucisse et de la choucroute, mais heureux de ce voyage sans histoire. Après avoir attendu un fiacre, il regagna l'hôtel *Albany*, sur la rue Broadway. Mieux valait ne pas habiter l'établissement où se tenait le congrès : la promiscuité avec un ramassis de révolutionnaires pouvait devenir malsaine.

Tôt le lundi matin, le journaliste se trouvait toutefois au travail.

L'*Hôtel américain*, un immeuble moderne de cinq étages, se dressait sur la rue Broadway, à la hauteur de Waverley. La décision d'y tenir le congrès du Clan-na-Gaël ne troublait en rien les forces de l'ordre : aux États-Unis, on pouvait impunément se réunir pour fomenter la révolution dans un pays étranger, et même des attentats terroristes. Personne ne songeait à se dissimuler et des journalistes désireux de multiplier les entrevues erraient dans le bar et la salle à manger.

Tout de même, cette réunion se révélait plutôt discrète, sans rien de commun avec les congrès inoubliables des années 1860, où de six cents à mille personnes, dont beaucoup revêtaient l'uniforme de l'Armée républicaine irlandaise et défilaient fusil sur l'épaule dans les rues, discutaient d'envahir le Canada. À cette époque, les grands rassemblements remplissaient des fonctions précises : susciter l'enthousiasme, mousser le recrutement et encourager le paiement de la contribution hebdomadaire.

À la mi-juin 1883, l'enjeu se révélait bien différent et méritait une circonspection relative : convenait-il de continuer la lutte légale, ou devait-on au contraire suivre le chemin de Jeremiah O'Donovan Rossa et reprendre la lutte armée ?

David n'était pas le seul à avoir traversé l'Atlantique pour connaître la réponse. John Dillon était descendu dans le port de New York trois jours plus tôt. Depuis, ses conversations avec ses collègues lui permettaient de mesurer les dissensions qui déchiraient le mouvement.

On l'avait convié à rencontrer le comité de direction du clan afin de le mettre au courant des derniers développements au Royaume-Uni. Son objectif à lui était plutôt de prévenir un retour à la violence :

— Si la trêve est rompue, nous ne serons plus capables de négocier quoi que ce soit. Le premier ministre Gladstone refusera tout bonnement de nous écouter.

— Mais même si présentement il vous écoute, il ne fait rien ! Non seulement vous n'avez aucune promesse au sujet du gouvernement local en Irlande, mais au premier mot de travers, c'est la prison. Regardez le sort de Davitt.

La voix venait d'un homme maigre assis au bout de la table, Alexander Sullivan. Ce délégué de Chicago avait un ascendant considérable sur le Clan. Le député irlandais pouvait supputer de son ampleur en voyant une sourde colère pâlir les traits de John Devoy, le président de l'association.

John Dillon poussa un soupir excédé. Michael Davitt, le martyr de la cause, le hanterait toute la semaine. Comment tempérer ces gens ? Il expliqua :

— Comment Gladstone pouvait-il agir autrement après les meurtres de Phoenix Park ? Ces événements nous ont fait reculer de dix ans. Sans eux, nous aurions obtenu un gouvernement local à Dublin au cours du présent mandat de Gladstone. À la place, il a dû renouer avec les lois coercitives.

— Ce qui donne crédit à l'hypothèse d'un crime concocté par les propriétaires terriens, avança un grand moustachu affublé d'un uniforme de général de pacotille. Eux seuls profitent vraiment de ces meurtres.

Le général Francis Frederick Millen comptait parmi le Directoire de six hommes chargé de définir la stratégie du Clan. Les discussions à quarante, parfois en plus grand nombre, se retrouvaient trop souvent reproduites dans les journaux vingt-quatre heures plus tard, et les services secrets britanniques en apprenaient sans doute la teneur encore plus rapidement.

— Soyez sérieux! plaida le député. Les coupables sont des républicains. Le tout est de savoir si ceux qui commandent les assassinats résident ou non de ce côté-ci de l'Atlantique.

Si Dillon espérait que l'une des personnes présentes se confesse sur-le-champ, il en serait quitte pour une déception. Néanmoins, tout le monde pensa au locataire du *J. P. Ryan Saloon*.

— Si cette action a été fomentée en Amérique, déclara John Devoy, le Clan n'a rien à y voir. Nous nous en sommes tenus à la trêve convenue en 1879.

— Personnellement, je ne m'en vanterais pas, murmura Alexander Sullivan. Nos campagnes de recrutement remportent de moins en mois de succès. Les plus militants parmi nous se retrouvent chez Rossa.

— Ce fou dangereux va ruiner des années de travail du Parti parlementaire, insista encore l'émissaire de Parnell.

— Des efforts qui ne donnent absolument rien. Les Anglais ne céderont pas devant de gentils petits politiciens.

Sullivan présentait un visage glabre et sa bouche mince ressemblait à une estafilade faite avec une lame. Cet avocat proche du Parti républicain se bâtissait une réputation devant le prétoire, comme plaideur bien sûr, mais comme accusé aussi. Quelques années plus tôt, il avait été déclaré innocent d'une accusation de meurtre. Non pas qu'il niait avoir tué un homme à coups de revolver, mais le jury s'était laissé convaincre que ce geste visait à protéger son épouse des insultes de la victime.

— Je pense que nous comprenons les attentes des membres du Parti parlementaire, reprit encore Sullivan. Nous devons discuter de la question entre nous et décider de la suite à donner à notre action.

Aux visages fermés autour de la table, John Dillon comprit que la trêve convenue trois ans plus tôt tirait à sa fin. Surtout, le Directoire du Clan venait de l'exclure des discussions. Les Américains décideraient seuls de leur stratégie pour en arriver à l'indépendance de l'Irlande.

❧❧❧

Des années dans les cachots britanniques avaient propulsé John Devoy, petit de taille mais robuste, dans l'aristocratie du mouvement révolutionnaire. Il assumait la présidence du Clan depuis plusieurs années et avait consenti au «nouveau départ» avec Charles Parnell, lors de la tournée américaine de ce dernier en 1879. Son pouvoir s'érodait cependant bien vite. Quelques mois plus tôt, des délégués lui avaient retiré son pouvoir absolu en le flanquant d'un Directoire chargé de décider des orientations du Clan.

— Je ne vois aucune raison de continuer les envois d'argent là-bas, trancha Alexander Sullivan. Ce Parnell ne nous mènera à rien.

— Pourtant, il détient la balance du pouvoir au Royaume-Uni, corrigea le général Millen. Même si le Parti conservateur prenait le pouvoir la prochaine fois, ce serait la même chose. Là-bas, le jeu politique ne se déroule pas comme ici.

— Au mieux, il obtient des lois un peu conciliantes. Nous en sommes à nous contenter de miettes. Nous demeurons loin de la république d'Irlande.

Depuis une bonne heure, les mêmes arguments revenaient sans cesse : accepter une lente évolution des institutions irlandaises qui conduirait éventuellement à la création d'un gouvernement semi-autonome sur l'île, ou accélérer les choses avec des bâtons de dynamite. L'avocat de Chicago, Sullivan, penchait vers la seconde stratégie. Les autres ne s'y opposaient pas vraiment, mais perdaient du temps à débattre.

— Mon cher camarade, demanda Devoy au délégué de Chicago avec un sourire caustique, êtes-vous seulement allé une fois en Irlande ? Vous affichez de telles certitudes !

L'autre lui lança un regard mauvais et fit non de la tête après une hésitation. On trouvait aux États-Unis de ces personnages singuliers : des gens nés en Amérique qui fomentaient le plus sérieusement du monde une révolution dans un pays inconnu qu'ils affirmaient être le leur.

— Vous devez donc avoir beaucoup lu, pour savoir sans l'ombre d'un doute ce qui est bon pour ce pays et pour son peuple, prononça-t-il encore avec ironie.

— Cessons ces tergiversations, demanda Sullivan après une pause. Je propose que pour tous les dix dollars recueillis par le Clan, un seul serve pour le pain, les neuf autres pour le plomb.

Bien que la réunion se soit tenue à huis clos, ces paroles, très vite reproduites dans les journaux, constitueraient le nouveau mot d'ordre, puisqu'une quarantaine de délégués devraient donner leur assentiment le lendemain. Malgré le fait qu'ils étaient tenus au secret, ces gens se révélaient parfois indiscrets.

— Que ceux qui sont en faveur de la résolution lèvent la main, demanda avec un curieux accent le petit homme chauve, au visage coupé d'une large moustache, qui se tenait à la droite de Sullivan et qui s'occupait de dresser le procès-verbal de la rencontre.

Quiconque avait entendu les discussions acrimonieuses qui avaient précédé ce vote se serait étonné de voir les six personnes présentes lever la main avec une belle unanimité, y compris Devoy.

— Bon, continua Sullivan, voilà enfin la question réglée. Passons maintenant à la suite de l'ordre du jour.

Une heure plus tard, les portes de la petite salle de réunion enfumée s'ouvrirent enfin. Alors que tous les autres sortaient, Sullivan prit à part le secrétaire pour demander :

— Henri, tout est prêt pour la réunion de demain ?

— J'ai parlé à tout le monde, il ne devrait y avoir aucune opposition.

— Bon, alors autant aller annoncer tout de suite la nouvelle à notre camarade Dillon, et le prier de nous épargner toutes ses jérémiades.

❧

La journée au port de New York avait été éreintante. Dès le lever du jour, il fallait d'abord se battre avec d'autres pauvres diables afin de gagner le privilège de faire partie d'une équipe de débardeurs... ou alors soudoyer le contremaître pour être choisi. Ensuite, pendant plus de dix heures, les heureux élus devaient se ruiner le dos pour porter des marchandises de la cale d'un navire jusque dans un entrepôt. Bien sûr, des machines mues à la vapeur permettaient de lever les charges les plus lourdes. Tout de même, il s'agissait d'un travail de forçat pour un dollar et demi par jour, soit à peine quinze cents de l'heure.

Ce soir-là, deux heures après la fin de son labeur, dans la moiteur enfumée du *J. P. Ryan Saloon*, Martin Feeney sentait encore ses muscles se nouer. Sa main droite tenait fermement la chope de bière posée devant lui. Mieux valait que le serveur ne se rende pas compte que le contenant était vide, sinon il lui faudrait en payer un autre, ou alors quitter les lieux ! Le consommateur payait son droit de se trouver là en buvant sec.

— Ah ! C'est que la belle Louise, la fille de Vicky Brown, se donne du bon temps à vos frais... enfin, ceux de vos familles toujours là-bas !

Jeremiah O'Donovan Rossa voulait dire en Irlande. La voix gueulante venait de l'extrémité de la table. Le révolutionnaire secouait le dernier numéro d'un journal, le *Irish World*, comme pour forcer le bout de papier à révéler tout ce qu'il savait.

— Répète encore ce que tu as écrit, demanda une voix sur sa gauche.

Cela flattait l'orgueil de l'auteur, tout en lui permettant d'accomplir une tâche utile : la majorité, autour de la table, ne savait pas lire.

— « Le *Tribune*, clama aussitôt Rossa en retrouvant ses lignes, comme tous les autres journaux du Parti républicain, a beau l'appeler Son Altesse Royale, la princesse Louise, marquise de Lorne, nous, nous savons qui elle est : la fille de notre despote, Vicky. Dans son bel hôtel de la 5ᵉ Rue, elle dépense en une journée une somme qui suffirait à faire vivre cent familles de paysans du comté de Mayo pendant toute leur vie... »

— Ça, c'est bien vrai, murmura une voix. J'ai une amie qui fait les chambres dans cet hôtel...

Martin Feeney acquiesça en silence. Chassé de sa parcelle de terre, son père était venu mourir dans un taudis de New York lors de l'épidémie de choléra de 1870, quelques mois après son arrivée aux États-Unis.

— « [...] Mais la belle princesse doit trembler, continua Rossa après la brève interruption : le tsar de toutes les Russies, Alexandre II, même s'il se promenait sans cesse avec un peloton de cosaques, a eu les jambes arrachées par un petit bout de dynamite, grâce à la volonté du peuple ! »

Un convive fit signe à un serveur d'amener quelque chose à boire pour tout le monde, Feeney put enfin cesser de s'accrocher à sa chope vide. Rossa continua sa lecture pendant un moment. Le plus nanti parmi les personnes présentes, jamais il ne mettait la main à ses goussets pour payer une tournée, ce qui ne l'empêchait pas de rentrer chez lui saoul tous les soirs.

— Les bombes en Angleterre, dit quelqu'un, c'est toi ?

— Si on te le demande, éructa le révolutionnaire professionnel, répond que tu ne le sais pas. Il y a des informateurs des Britanniques partout. Tenez, il y en a probablement un parmi nous, autour de la table.

Les hommes, au nombre d'une demi-douzaine, tous des ouvriers à en juger par leur tenue, devenus soudainement très méfiants, s'entre-regardèrent un moment. La voix de Rossa devenait pâteuse. Dans cinq minutes, il voudrait se battre avec quiconque ne partageait pas son avis sur les turpitudes des dirigeants du Clan-na-Gaël.

Avant de voir ses camarades révolutionnaires en venir aux coups, Feeney cala le reste de sa bière, salua à la ronde et sortit d'un pas incertain. Dehors, il s'engagea vers l'est pour rentrer chez lui. Chemin faisant, le débardeur trouverait un motif légitime pour avoir amputé sa paie du montant d'une bière, et convaincre sa femme qu'après une nuit réduite à trois heures de sommeil, le contremaître voudrait tout de même de lui sur l'équipe du lendemain matin.

Une question autrement grave le tracassa tout au long du trajet : valait-il toujours la peine de se présenter à son cercle du Clan, ou devait-il se joindre à l'organisation de Rossa ?

New York, mardi 19 juin 1883

Ce soir-là, avec un entêtement que certains commençaient à trouver suspect, David continuait de chercher des personnes susceptibles de lui accorder une entrevue. Ne serait-ce que par ennui, la cinquantaine de délégués se montraient plutôt bien disposées. Il s'agissait des « centres », les présidents des cercles révolutionnaires des principales villes des États-Unis. Deux personnes venaient d'aussi loin que la Californie et leur voyage en train avait pris plusieurs jours.

Le contraste avec les congrès de la Fraternité fénienne des années 1860 était frappant. David se souvenait avoir vu des centaines de militants converger vers une ville. La plupart occupaient alors un emploi manuel, certains vivaient dans une pauvreté abjecte et devaient sauter un repas pour payer les dix cents hebdomadaires. Aujourd'hui, l'assemblée se composait de dizaines d'avocats, de trois juges et de quelques hommes d'affaires. La rumeur voulait que deux prêtres se trouvent dans le lot. Si c'était vrai, ils avaient troqué la soutane pour un habit de ville.

Après avoir partagé le repas du soir d'un avocat de Cincinnati, David croisa le secrétaire du Directoire en sortant de la salle à manger.

— J'aimerais parler avec vous.

— ... Ce n'est pas une bonne idée, prononça Henri LeCaron, méfiant.

— C'est très important, je dois vous parler, murmura David, cette fois en français.

— Ce que vous faites est dangereux... gronda le petit homme dans la même langue. Je verrai si j'arrive à me libérer, mais ce ne sera pas avant jeudi.

Ce curieux homme parlait anglais avec un vague accent français, et s'exprimait en français avec un très net accent anglais. Son émotion était si vive que plutôt que de continuer son chemin vers la salle à manger, il tourna les talons pour retourner au bar. Cela devait être son soir de mauvaises rencontres, car il se retrouva devant un homme pas plus grand que lui, le visage garni d'une épaisse barbe noire.

— Ah! Ce sale espion français se trouve parmi nous!

En disant ces mots, le nouveau venu sortit à demi un revolver de la poche de sa redingote noire. John Devoy, qui l'accompagnait, posa prestement sa main sur son poignet pour arrêter son geste en disant:

— William, ne fais pas de bêtise!

— Tu y crois, toi, à un français membre depuis vingt ans d'une société révolutionnaire irlandaise?

— Viens avec moi.

Les deux hommes, Devoy et Lonegan, cherchèrent un coin à l'écart dans le bar. Les dernières rencontres d'Henri

LeCaron lui enlevaient à la fois l'envie de manger et de boire : il jugea plus prudent de monter à sa chambre.

David avait contemplé le court échange à une distance respectueuse, supputant les dangers qui s'amoncelaient au-dessus de la tête de son collègue.

❧❧❧

— Le Directoire a accepté la reprise de la guerre, murmura John Devoy à son compagnon.

— Ce n'est pas trop tôt.

— Selon toute vraisemblance, demain, Alexander Sullivan deviendra le nouveau président du Clan, tout en continuant d'assumer la présidence du Directoire. Il contrôlera totalement l'organisation, y compris le trésor de guerre…

— Le salaud. Si tu veux, je peux l'arrêter.

Le petit homme barbu passa la main sur sa redingote, là où se trouvait son arme. Devoy savait qu'il pouvait lui faire totalement confiance : des années attachés à la même chaîne dans les geôles anglaises forgeaient des complicités éternelles.

— Cela ne donnerait rien. Ce serait peut-être son âme damnée, le mangeur de grenouilles, qui lui succéderait.

— Dieu nous en préserve.

William Lonegan invoquait Dieu volontiers, par déformation professionnelle. Il tenait une petite librairie catholique, spécialisée dans les ouvrages religieux, à deux pas de l'archevêché de Détroit. Ce terroriste impitoyable gagnait sa vie en fournissant une nourriture spirituelle aux âmes pieuses.

— Je vais sans doute me voir confier un poste aussi inutile que ronflant au sein du Clan, murmura encore Devoy. Cependant, je compte faire en sorte que l'on te confie la responsabilité de la prochaine mission au Royaume-Uni. Avec qui veux-tu faire équipe ?

— Mon frère, Joseph.

— Et encore ?

— Mieux vaut recruter un nouveau, qui fera ce qu'on lui dira sans poser de questions. Tu veux que l'on se mette en route rapidement ?

En réalité, songeait Devoy, il aurait mieux valu lancer cette opération quelques semaines plus tôt, pour placer des hommes sur le terrain, avant que Sullivan ne puisse s'en mêler.

— Demain, au moment de la réunion de tous les cercles, je dirai que l'équipe se trouve déjà au travail. Au pire, quelqu'un me reprochera mon zèle, mais on me pardonnera d'avoir pris cette initiative avant la réunion du Directoire. Cela signifie toutefois que tu dois faire vite.

— Il me faut tout de même une semaine. Je vais demander à un ami du cercle de New York de me désigner un homme fiable.

— Disparaît tout de suite.

⛊

New York, mercredi 20 juin 1883

Tous les chefs locaux du mouvement présents au congrès et les membres du Directoire acceptèrent dans l'enthousiasme la nouvelle stratégie où ses dirigeants l'engageaient. Même l'initiative de John Devoy d'avoir pris les devants pour mettre une équipe sur le territoire britannique dès la fin du mois de mai ne fit sourciller personne.

Au moment où il sortait des toilettes, en toute discrétion, David reçut un bout de papier d'Henri LeCaron. Le « supposé » Français lui proposait de le voir le lendemain, à la cafétéria du grand magasin Stewart. L'endroit en valait certainement bien d'autres. Difficile de croire que les révolutionnaires irlandais soient bien nombreux à se présenter en matinée dans ce temple de la consommation féminine qui occupait tout un pâté de maisons de la rue Broadway.

Au moment de revenir dans le hall de l'hôtel, le journaliste croisa le général Frederick Francis Millen. Tout sourire sous sa grande moustache, celui-ci lui tendit la main en déclarant :

— Monsieur Devlin, que de chemin parcouru depuis notre dernière rencontre. Je vous lis à nouveau dans les pages du *Tribune*.

— Et aussi dans celles de la *Gazette*, si vous poussez la curiosité jusqu'à vérifier, et je me promets d'aller ramper dans les bureaux du *Harper's Magazine* avant de quitter la ville. Malheureusement, tous ces journaux me payent à ligne, et ce, pour un travail de mercenaire. Alors, je vous réitère mon offre de service : si le *New York Herald* veut me verser un salaire de base, que ce soit ici ou à Londres, ma promesse de vous payer une messe tient toujours.

— Malheureusement, mon employeur a tous les gratte-papiers irlandais qu'il lui faut. Mais vos textes vous vaudront certainement un statut plus conforme à votre talent. Votre description des exécutions, à la prison de Kilmainham, relève du grand art ! Juste ce qu'il fallait de retenue et de pudeur pour un lectorat républicain.

Le journaliste grimaça à ce mauvais souvenir, puis choisit l'ironie :

— Mais rassurez-vous : je sais adapter mon style aux attentes de mes lecteurs. Si j'écrivais dans votre journal démocrate, j'insisterais sur les détails les plus lugubres. Je ne déparerais pas le *New York Herald*.

Mieux valait se présenter comme un mercenaire de la presse plutôt que comme un agent spécial. Le général Millen adopta le même ton pour déclarer :

— À votre place, je n'essaierais même pas de travailler un autre style. Vous accumulez trop de premières pages pour que votre employeur actuel vous laisse bien longtemps encore à votre statut de forçat de la plume !

En quittant le militaire, David se demandait si celui-ci avait percé son véritable rôle.

❧❧❧

New York, jeudi 21 juin 1883

À l'heure dite le lendemain, le journaliste s'installait à une petite table dans un coin, un exemplaire du *Tribune* placé devant lui. La grande salle accueillait des dizaines de femmes élégantes qui discutaient de leurs derniers achats au-dessus de tasses de thé et de petits gâteaux. Les chaises où elles se tenaient offraient un revêtement harmonisé au papier peint fleuri qui ornait les murs.

Une quinzaine de minutes plus tard, Henri LeCaron s'assoyait devant lui. En enlevant ses gants, il expliqua en français :

— Je déteste cette idée de nous voir dans un endroit public.

— Vous l'avez choisi... Nous aurions pu trouver quelque chose de moins voyant. Une chambre d'hôtel, un fiacre... ou alors un banc dans Central Park.

— Ce serait pire.

L'homme s'interrompit pour demander un café à la serveuse, puis reprit :

— Que voulez-vous ?

— Discuter des événements des derniers jours. Je devine que votre mentor Sullivan a maintenant tous les pouvoirs. Comment diable avez-vous fait pour vous coller à lui ?

— Quand il est arrivé à Chicago, je faisais déjà partie du Clan. J'ai regardé son ascension en affichant une admiration béate. Cela lui a plu, comme à tous ses prédécesseurs.

Dix-huit ans plus tôt, Thomas Beach, alias Henri LeCaron, espion au service du gouvernement de Sa Majesté, réussissait à devenir le principal collaborateur d'un chef du mouvement révolutionnaire irlandais. Ne pouvant pas se faire passer pour un fils de la verte Érin et risquant de se faire chasser à coups de pied — ou de revolver — s'il confessait sa nationalité anglaise, l'idée saugrenue lui était venue de se présenter

299

comme un marchand de vin français ruiné. Contre toute attente, cette stratégie avait fonctionné.

— Son pouvoir sera absolu? insista le journaliste.

— Oui. Sur l'association comme sur la caisse. Il sera le maître de toutes les largesses. Pour être certain de tout tenir à l'œil, le siège social du Clan a été déplacé à Chicago.

— Pour le bien d'Alexander Sullivan, ou pour celui de l'Irlande?

Henri LeCaron répondit d'un sourire avant de consentir:

— Comme tous ses prédécesseurs, il a la conviction que les deux se confondent parfaitement.

— Celui-là me paraît plus déterminé que les autres à profiter de la situation.

— Son appétit est immense.

Devlin abandonna son ton à moitié amusé pour demander:

— Et la déclaration de guerre? Nous retrouvons-nous avec deux organisations résolues à rivaliser d'efficacité dans l'horreur?

— Ce fut le congrès de la dynamite. Mais tous ces notables de la communauté irlandaise sont convaincus de leur magnanimité. Il a été décidé de s'attaquer aux symboles et aux forces d'occupation. La population civile et même la famille royale, doivent être épargnées.

— Évidemment, puisque la majorité des Irlandais doit être monarchiste! On peut se fier à cet engagement à la retenue?

— Je ne sais pas...

Après un moment de réflexion, Henri LeCaron précisa sa pensée:

— D'abord, John Devoy avait déjà dépêché une équipe de dynamiteurs. Cet homme ne fait pas dans la dentelle et je suppose qu'il a recruté un dur. Puis comme les assassins de Rossa sont déjà sur place, chacun des groupes pourra accuser l'autre si des horreurs se produisent.

— Vous savez qui a été dépêché là-bas?

— Si je le savais, je ne vous le dirais pas !

Le ton était plutôt cassant. Les espions étaient comme de petits entrepreneurs se livrant à une concurrence farouche entre eux. Ils valaient ce que valaient les secrets glanés chez l'ennemi. David devinait que LeCaron devait tenter de faire augmenter son traitement chaque fois qu'il dénichait une information juteuse : des années plus tôt, lui-même présentait des réclamations de ce genre au consul Archibald, quand le moment lui paraissait propice.

— Et si je vous proposais un troc ?

— Que voulez-vous dire ?

— Je vous donne une information qui vous sera utile et vous répondez à quelques questions.

Henri LeCaron lui adressa un sourire franchement amusé, puis demanda :

— Vous commencez ?

— Bien sûr. Francis Frederick Millen vient d'être nommé à la tête d'un comité responsable de déterminer la stratégie militaire du Clan.

— Je sais, j'étais là à prendre des notes !

— Il s'agit de l'un de nos collègues.

Un moment, Henri LeCaron demeura interdit, puis murmura :

— Vous voulez dire que…

— J'admets que son rôle est moins noble que le vôtre et le mien. Nous nous sommes fait embaucher par les Britanniques et nous avons infiltré le mouvement au risque de notre vie, nous avons fait rapport à nos supérieurs. Lui se contente de trahir.

— Depuis longtemps ?

— Au moins depuis 1865. Ses relations avec le consul Archibald sont plus récentes que les miennes, mais plus anciennes que les vôtres…

Autour d'eux, le murmure des voix féminines couvrait leurs confidences. Le petit homme chauve n'arrivait pas à dissimuler son trouble.

— Ce que vous venez de faire là est très dangereux…

— Je ne pense pas. Si vous faites des confidences au Clan, vous vous mettrez vous-même dans une position délicate, car le général Millen me semble être bien en selle. Il retournera l'accusation contre vous, et au moins une personne sera disposée à le croire. J'ai aperçu votre petite altercation avec un émule de Barbe-Bleue l'autre soir.

Henri LeCaron se troubla un peu en pensant à la scène causée par Lonegan.

— Et puis j'ai la désagréable impression que Millen n'hésiterait pas à nous vendre tous les deux à Devoy ou Sullivan pour un dollar, alors que ni vous ni moi ne ferions la même chose.

— Vous êtes certain qu'il ne sait pas que nous sommes des agents secrets ?

— Je l'espère, sinon notre avenir ne pèse pas lourd.

Le petit espion demeura un moment silencieux. À la fin David se lassa et le provoqua :

— Allez, dites-le.

— Dire quoi ?

— Vous trouvez effroyable que je vous révèle une chose pareille. Vous vous demandez actuellement si je n'ai pas été assez stupide pour parler à Millen de votre véritable profession.

À la fin, Henri LeCaron retrouva un semblant de sourire, puis rappela :

— Nous nous sommes mutuellement recommandé le silence il y a dix-sept ou dix-huit ans, lors de notre première rencontre.

— À quelques pas d'ici, dans Central Park, au milieu de la nuit. Entre professionnels, je crois néanmoins que nous devons nous protéger. Nos employeurs nous laissent parfois un peu trop exposés aux intempéries. Me donnerez-vous quelques réponses ?

L'autre fit un signe d'assentiment. David reprit sa question :

— Qui a été dépêché au Royaume-Uni pour cette mission terroriste?

— Par le Clan? Je ne le sais pas.

— Et par Rossa?

— Des gens parlent de McDermott.

«Le Rouge, cette vieille canaille», songea David.

— Les membres du Parti parlementaire trempent-ils dans ces attentats?

— Directement, je ne crois pas. Cependant, plusieurs sont aussi membres du Clan, dont Parnell lui-même. J'ai d'ailleurs rencontré ce dernier à plusieurs reprises à Londres l'an passé. Lors de l'une de ces rencontres, il m'a gentiment remis une photographie de lui, autographiée. Tous ces gens ont prêté serment de recourir à la violence pour obtenir l'indépendance de l'Irlande.

Ce qui ne prouvait rien: des dizaines de milliers de personnes avaient prêté ce serment, sans jamais avoir eu l'intention de verser une goutte de sang. Les politiciens irlandais s'étaient sans doute résolus à se plier à la petite cérémonie contre la promesse de pouvoir encaisser les traites bancaires venues d'Amérique.

— Les meurtres de Phoenix Park ont-ils été planifiés de ce côté-ci de l'Atlantique?

— Pas par le Clan-na-Gaël… Peut-être par Rossa.

— Comme vous habitez Chicago depuis votre entrée en service pour le gouvernement britannique, le consul Archibald n'a jamais été votre intermédiaire régulier. Vous faites rapport directement à Robert Anderson… Ne vous en faites pas, lui-même m'a demandé de vous parler.

— Depuis le tout début, je passe la moitié de ma vie à chiffrer des télégrammes et des lettres à son intention. C'est pour le voir que je suis allé à Londres l'an dernier. Officiellement, j'étais en France afin de visiter mon père mourant. Le genre de prétexte qui ne peut servir qu'une fois.

David laissa tomber de son ton le plus engageant:

— Pour ne pas être en dette avec vous, je me confesse : je travaille pour lui depuis janvier.

Henri LeCaron se perdit un moment dans la contemplation d'un duo de jeunes femmes élégantes qui papotaient au-dessus de petits gâteaux. Puis il indiqua :

— Je dois m'en aller. Mon train partira bientôt, et je dois encore faire des emplettes pour ma femme.

— Un mot encore : qui était ce type prêt à vous trucider l'autre soir ?

— William Lonegan.

— Il peut vous faire des ennuis ?

— Il sort son revolver à tout propos, entre autres choses pour le pointer sous le nez d'Alexander Sullivan. Son espérance de vie doit être terriblement courte, présentement.

Les deux hommes se serrèrent la main en collègues. David murmura :

— Si vous pouvez apprendre qui se trouve en mission au Royaume-Uni, faites le savoir. Des vies sont en danger.

— Croyez-vous vraiment que j'ignore cela ?

Ils prirent chacun un chemin différent à la sortie de la cafétéria.

❧❧❧

New York, vendredi 22 juin 1883

Au moment où le grand rouquin entra dans les locaux des numéros 8 et 10 de la rue Chambers, la clientèle du *J. P. Ryan Saloon* se trouvait déjà bien réduite. À deux heures de l'après-midi, au début de la belle saison, la très large majorité des New-Yorkais gagnait leur vie.

— Bonjour, Jim, si tu veux bien t'asseoir.

Jeremiah O'Donovan Rossa présentait un visage tout à fait jovial. De la main, il désigna la chaise à sa droite, de façon à ce que son invité, le dos au mur, ne fasse pas obstacle à la vue qu'il aimait avoir sur la grande salle. Seuls quatre clients avalaient leur repas sans se presser, un bruit de vaisselle entrechoquée venait de la cuisine.

— J'ai été un peu surpris de recevoir ton message, commença James McDermott en prenant place sur le siège que le militant venait de lui désigner. Que se passe-t-il ?

— En vérité, je m'en veux un peu de l'accueil que je t'ai réservé l'autre jour. Tous ces soupçons…

— Ce n'est rien, je comprends. Nous avons subi quelques coups durs au cours des ans, avec toutes ces trahisons.

Que Rossa reçoive brutalement l'un de ses hommes de retour de mission ne surprenait personne, surtout pas McDermott. Cependant, qu'il formule ce qui pouvait passer pour des excuses s'avérait tout à fait nouveau. L'âge l'amollissait sans doute.

— Tu as vu ce qui est arrivé au congrès ? questionna le vieil homme.

— J'ai assisté à la plénière, tout au plus.

— John Devoy a été évincé comme un malpropre, après toutes ses années de service !

La compassion aussi sonnait faux dans la bouche du vieux révolutionnaire qui avait lui-même appelé si souvent au renversement de pouvoir au sein du Clan-na-Gaël.

— Tout de même, il conserve une fonction honorifique et un salaire, commenta son interlocuteur. Désormais, les camarades de Chicago ont tous les pouvoirs.

— As-tu la moindre idée de l'identité de l'équipe de dynamiteurs envoyée au Royaume-Uni ? demanda Rossa.

— Pas la moindre. Devoy a devancé de quelques semaines le retour à la guerre en plaçant ses hommes là-bas. Je suppose qu'il a recruté l'un de ses vieux camarades.

Deux hommes venaient d'entrer dans le bar, pour se diriger directement vers le comptoir de zinc afin de commander chacun un whisky. Au premier coup d'œil, McDermott reconnut les vêtements de laine élimés vraisemblablement coupés en Irlande. Dans ce quartier, les immigrants arrivaient nombreux tous les jours. Ceux-là paraissaient tout juste descendre du transatlantique.

— J'aurais aimé connaître le nom des nouveaux semeurs de terreur.

Les yeux de Rossa allaient de son voisin aux deux nouveaux venus.

— Désolé, je...

En constatant que son interlocuteur regardait vers le comptoir tout en faisant mine de s'éloigner de lui, McDermott porta aussi les yeux dans cette direction. L'un des Irlandais marchait vers leur table, le bras droit tendu devant lui, un revolver à la main. La détonation retentit dans la grande salle, la cible entendit une balle siffler à son oreille.

Alors que le second Irlandais cherchait son arme sous son bras gauche, McDermott se leva brusquement en soulevant la lourde table derrière laquelle il se trouvait, la retourna à l'envers dans un grand fracas, et se précipita vers la sortie. Au moment où il franchissait la porte, deux coups de feu simultanés retentirent derrière lui. Une brûlure sur son épaule droite le convainquit d'accélérer sa course.

Les deux Irlandais sur les talons, le rouquin détala de toutes ses forces vers le milieu de la rue Chambers, s'engageant parmi les tramways, les fiacres et les voitures de livraison avec l'espoir que ses poursuivants ne prendraient pas le risque de faire des victimes innocentes.

New York, samedi 23 juin 1883

David avait passé toute la journée du vendredi à tenter de convaincre les éditeurs du *Tribune* et du *Harper's Magazine* d'accepter la douzaine d'articles rédigés à leur intention au cours des dernières semaines. Si cet aspect de ses ambitions littéraires se solda par une entente et l'encaissement de quelques dollars, sa prétention d'obtenir un poste et un salaire régulier dans l'équipe de rédaction à titre de correspondant étranger se termina par un «peut-être, si l'occasion se présente» peu convaincant.

Tôt le samedi, dans la salle à manger de l'hôtel *Albany*, il parcourut le numéro du matin du *New York Herald*. À la page deux, un titre en lettres majuscules attira son attention: RÈGLEMENT DE COMPTE CHEZ LES RÉVOLU-TIONNAIRES IRLANDAIS. L'article rapportait brièvement l'attentat perpétré contre James McDermott, la fuite éperdue de la victime dans les rues de New York, mais aussi l'arrestation de l'un des agresseurs, James Geany.

Malgré la grande tolérance des Américains pour des manifestations de ce genre, courir dans les rues en faisant feu sur un compatriote pouvait faire sourciller les forces de l'ordre. On trouva sur l'Irlandais mis en état d'arrestation non seulement un revolver, mais aussi un morceau de carton portant les mots: «Ceci est le corps de James McDermott, un espion de l'Angleterre qui quitta New York en janvier dernier pour l'Irlande, à la solde du gouvernement britannique. Capitaine Lumière-du-jour».

— Sapristi! Quel dénouement pour les attentats de Glasgow! murmura David.

Le Capitaine Clair-de-lune des opérations nocturnes cédait le pas au Capitaine Lumière-du-jour des exécutions de traîtres. Cette œuvre de justice devait se faire en public, au grand jour, afin d'obtenir l'effet désiré. L'acte d'accusation méritait d'être clamé bien fort, de façon à ce que tous les espions et les informateurs occasionnels sachent ce qui leur pendait au-dessus de la tête.

Après avoir avalé les dernières bouchées de son repas, David se mit en route vers le poste de police où le prévenu se trouvait en détention. Devant l'édifice de brique, sur la rue Roosevelt, le journaliste remarqua l'abondance habituelle des hommes en uniforme. Grimpant les marches en vitesse, il pénétra dans un hall animé pour demander au planton:

— Je veux rencontrer Geany, l'Irlandais que vous avez arrêté hier.

— Et qui veut le rencontrer ? demanda le gros homme derrière le comptoir.

— David Devlin, journaliste du *Tribune*.

— Le gars qui écrit sur les exécutions des Irlandais…

David fit un signe d'assentiment, ne sachant trop si ce titre de gloire lui vaudrait un bon accueil. Son récit des exécutions de Kilmainham lui valait une certaine réputation.

Piliers du Parti démocrate américain et souvent prêts à se livrer à toutes les magouilles dont la politique de ce pays ne se montrait pas avare, les Irlandais faisaient en sorte que les emplois de policier ou de pompier deviennent leur chasse gardée dans les États du nord-est des États-Unis. Celui-là devait apprécier les exécutions capitales, car il continua tout en lui désignant l'escalier :

— Demandez au lieutenant Clinton : il s'occupe de votre client.

Un moment plus tard, dans une salle où s'entassaient une dizaine de bureaux et autant de policiers, le journaliste répéta sa requête à un homme d'une trentaine d'années, tout en agitant ses doigts près de son oreille. Si son interlocuteur appartenait au Clan-na-Gaël, il ne lui rendit pas son signe de reconnaissance. Cependant, son regard s'arrêta sur la carte professionnelle posée au milieu de son bureau, sous laquelle dépassait nettement un billet d'un dollar.

Le salaire des défenseurs de l'ordre demeuraient modestes, aucun d'entre eux ne se privait de l'arrondir un peu. Accepter un pourboire d'un journaliste était une faute vénielle, comparée aux petits cadeaux de prostituées ou de voleurs pour qu'un agent regarde de l'autre côté de la rue au moment opportun.

— Et que voulez-vous tirer de ce pauvre paysan qui comprend à peine l'anglais ? demanda le lieutenant en empochant vivement l'obole.

— La matière d'un article.

— Une histoire de voyou, comme toutes celles qui se retrouvent en dernière page ?

Le journaliste haussa les épaules, comme pour signifier que malheureusement rien de mieux ne se présentait à lui.

— Venez, consentit son vis-à-vis après une brève hésitation.

Au rez-de-chaussée, à l'arrière de la pièce qui servait de hall au poste de police, se trouvait une dizaine de cellules. Toutes avaient un pensionnaire. Les auteurs de crimes sans gravité, prostitution, vol, coups et blessures, passaient très vite devant un juge. Les coupables de tentatives de meurtre faisaient l'objet d'une enquête plus approfondie.

— Voilà votre homme, déclara le lieutenant Clinton après avoir dirigé le journaliste vers l'une des cages placées au fond de la pièce. Criez quand vous aurez fini, le gardien vous ouvrira.

Le policier avait pris une clé accrochée au mur en entrant. Il ouvrit la porte et David pénétra dans la cellule qui faisait tout au plus six pieds sur quatre, sans fenêtre. La porte, composée de barreaux de fer, se referma dans son dos avec un claquement sonore. La seule lumière venait d'une étroite ouverture située au bout du couloir séparant les geôles en deux rangées.

— Monsieur James Geany, commença le journaliste en gaélique, vous me faites une place pour m'asseoir ?

L'exiguïté des lieux faisait en sorte que la couchette prenait presque tout l'espace disponible, excepté une étroite bande de dix-huit pouces de large tout au plus. Étendu, le prisonnier accepta de mauvaise grâce de s'asseoir, posant le dos contre le mur le séparant de la cellule voisine, ses pieds sur la cloison devant lui. Le journaliste s'installa à ses côtés. Sous la couche, un sceau contenait les déjections du locataire des lieux ; l'odeur témoignait d'un usage récent.

— Que me voulez-vous ?

— Vous parler. Je suis journaliste au *Tribune*, mais aussi un membre du mouvement révolutionnaire. Les policiers ne vous ont pas maltraité ?

— ... Non, pas vraiment.

Cela voulait dire que l'on s'était contenté de quelques taloches, habituelles dans ces lieux. David continua :

— Le Clan-na-Gaël a-t-il envoyé un avocat pour s'occuper de votre défense ?

— ... Non, personne n'est venu.

— En sortant d'ici, je vais m'assurer que quelqu'un vienne vous voir. Un Irlandais.

En réalité, s'en prendre à McDermott au *J. P. Ryan Saloon* signifiait que cet exécuteur appartenait à la mouvance de Jeremiah O'Donovan Rossa. Du côté du Clan, personne ne se soucierait de cet accusé ; du côté de l'organisation de Rossa, les liens avec les avocats devaient se révéler bien ténus. David murmura :

— Tout de même, pour vous sortir d'ici, je dois en savoir un peu plus. McDermott travaillait pour le château de Dublin ?

— Je ne dois pas aborder ce sujet.

— Alors je fais un marché avec vous : je ne poserai aucune question, je vous dirai ce que je sais. Si je me trompe, vous faites un signe de tête.

Jusque-là, cette stratégie avait profité à l'agent spécial. Isolé, ne parlant à peu près pas la langue du pays, Geany ressentait désespérément le besoin d'un ami. En Irlande, une tentative de meurtre lui aurait valu vingt ans de travaux forcés. Aux États-Unis, le résultat pouvait se trouver aussi atroce.

— McDermott s'est pointé à Cork afin de recruter des hommes pour une mission. Après quelques explosions à Glasgow, ceux-ci sont revenus à la maison, le rouquin s'est volatilisé. Peu de temps après, tous les volontaires ont été arrêtés.

Le prisonnier n'exprima pas son assentiment à voix haute ; son mouvement de tête affirmatif suffit.

— Vos dirigeants sont arrivés à la conclusion que McDermott, le seul à s'en tirer sans mal, devait avoir trahi. Vous êtes venu lui régler son compte.

Un nouveau signe d'assentiment discret. L'esprit de David fonctionnait très vite. Pour dépêcher une équipe d'exécuteurs, les révolutionnaires devaient posséder des preuves solides. Lesquelles ?

— Quand êtes-vous arrivés à New York ?

— Hier, au petit matin.

Vraisemblablement après une traversée de dix jours. De l'autre côté de l'Atlantique, on en était venu à la certitude de la culpabilité de McDermott le 10 ou le 11 juin. Quel pouvait être l'événement déclencheur ? Les journaux n'avaient évoqué aucune preuve en ce sens quand le procès de l'équipe de terroristes dirigés par Matthew O'Brien avait commencé. De toute façon, le commissaire Williamson soutenait que William Lynch n'avait pas beaucoup de secrets à révéler.

— Avez-vous été envoyé ici par la Ligue pour les terres ?

Le prisonnier lui décocha un regard soudainement devenu très méfiant, tellement que David eut la conviction d'avoir visé juste.

— Je crois que oui. Votre signature, Capitaine Lumière-du-jour, est une allusion explicite à l'exécuteur de la Ligue, le Capitaine Clair-de-lune.

L'autre affichait un visage soudainement plus dur. Après un moment, le journaliste ajouta :

— Je comprends votre prudence. On ne sait plus à qui se fier. Je vous quitte pour aller m'occuper, tout de suite, de vous obtenir de l'aide.

En se levant, David cria « Gardien ». Quelques instants plus tard, de retour sur la rue Roosevelt, il hélait un fiacre. Avant de s'embarquer dès le lendemain matin, il entendait faire une provision de romans américains et chercher un petit quelque chose pour Édith.

Quant à Geany, malgré l'inertie du Clan à l'aider et l'indifférence de Rossa, l'État de New York renoncerait à porter des accusations contre lui. L'administration démocrate tenait à cultiver le vote irlandais. Après quelques jours à se faire dévorer par des punaises, l'exécuteur maladroit venu de Cork rentra chez lui.

⁂

Les coups résonnaient contre la porte du consul du Royaume-Uni à New York, au 161, 4ᵉ Rue Ouest. Le maître d'hôtel vint ouvrir en gardant une main à moitié enfoncée dans la poche où se trouvait un petit revolver. La personne devant lui portait une vilaine veste de cuir jaunâtre déchirée sur l'épaule droite qui était abondamment tachée de sang.

— Je dois parler au consul. Tout de suite.

— Je ne sais pas…

— Dites-lui que je m'appelle James McDermott. Et ne me laissez pas dehors, ils sont peut-être à mes trousses.

Le domestique lisait, lui aussi, le *New York Herald*. Le visiteur fut conduit dans la bibliothèque, où il n'attendit pas plus de trois minutes. À l'entrée du consul William Robert Hoare, le fuyard plaida tout de suite :

— Des types ont voulu me tuer. Vous devez m'aider à passer au Canada.

— Pourquoi ne pas avoir pris un train vers ce pays hier après-midi ?

— Vous êtes fou ? Les gares regorgent d'employés irlandais. Vous devez m'aider.

Le diplomate paraissait hésitant. À la fin il consentit :

— Je vais demander à Londres…

— À Dublin, directement chez Jenkinson. Et rappelez-lui mon nom de guerre, Peter Quingley. Je ne quitterai pas cette maison avant d'avoir obtenu de l'aide.

Le consul grimaça : cette affectation prestigieuse à New York se révélait traîtresse. La direction d'un réseau d'espionnage ne figurait pas parmi ses aspirations professionnelles. Mieux valait chercher tout de suite le manuel de codage des messages et envoyer très vite ce foutu télégramme.

13

À l'aube, à peu près à l'heure où six semaines plus tôt six hommes avaient payé de leur vie les meurtres de Burke et Cavendish, Carey, le responsable de cette aventure, montait discrètement dans un fiacre.

— Pourquoi m'avoir fait attendre si longtemps ? demanda le petit homme devenu obèse.

— Ne vous plaignez surtout pas devant moi, tonna le directeur de police Mallon. Depuis des semaines, j'essaie de vous relier à des crimes commis en Irlande.

— Mais notre entente...

— ... prévoyait qu'aucune accusation ne serait déposée au sujet de Phoenix Park. Rien de plus, rien de moins !

James Carey déglutit et avala de travers au moment où la voiture passait la grande porte du mur entourant la prison de Kilmainham. L'ombre de la potence flottait en permanence devant son regard.

— Vous vous appelez James Power désormais, continuait le policier d'un ton maussade. Voilà votre nouveau passé.

Une liasse de documents changea de main. Le traître jeta un regard sur son nouveau passeport, le rangea dans la poche intérieure de sa veste et plaça le reste de la paperasse dans son sac de voyage.

Environ une heure plus tard, le fiacre s'immobilisait sur les quais, à peu de distance de la passerelle conduisant à un vilain petit paquebot.

— Vous embarquez tout de suite. Verrouillez votre cabine à double tour et n'en sortez pas avant d'être rendu à destination.

— Mais j'aimerais m'acheter quelques objets avant le voyage. Un rasoir, des livres…

— Ne mettez pas les pieds sur le sol irlandais, excepté les quatre pas nécessaires pour rejoindre cette passerelle. Je n'ai aucune envie d'arrêter le pauvre homme qui aura l'excellente idée de vous assassiner.

Dégoûté, le petit homme ouvrit la portière pour descendre. Le policier le retint un instant, le temps de dire encore :

— À votre place, j'invoquerais le plus violent mal de mer pour rester dans ma cabine pendant tout le voyage. Vous ne serez pas le seul Irlandais sur ce navire. Ne vous faites pas voir avant de prendre pied en Afrique du Sud, et là-bas, gagnez directement Port Elizabeth.

James Carey jeta un regard sceptique à Mallon, puis se précipita vers la passerelle. Pendant tout le premier jour, il ne bougea pas de sa cabine. Mais des mois en prison, même dans les meilleures conditions, lui avaient donné soif. Au bar, après quelques verres, il entama une conversation amicale avec un homme d'une cinquantaine d'années, Patrick O'Donnell.

Londres, jeudi 5 juillet 1883

Après une traversée ennuyeuse, donc parfaite aux yeux de David, le journaliste débarqua à Portsmouth avec quelques articles sur le Congrès dynamite de New York. Peut-être que des journaux de la capitale accepteraient de les publier. La presse livrait tellement de sottises sur le sujet, le point de vue d'un témoin oculaire bien informé ferait sans doute son chemin.

Dès le lendemain, sans même passer par la rue Malet, David prenait place sur une chaise devant le bureau de Dolly Williamson. Un peu mal à l'aise, il précisa d'entrée de jeu :

— Je crois que certaines informations que je rapporte doivent aller directement à Robert Anderson.

— Pourquoi pas, commenta le commissaire visiblement agacé, puisque c'est lui qui a payé pour vous envoyer là-bas. Tout de même, vous devez avoir glané quelques secrets pour moi, puisque vous vous donnez la peine de venir me voir.

— ... Oui, bien sûr. Le Clan-na-Gaël a envoyé une équipe de dynamiteurs au Royaume-Uni.

— Nous le savons. L'information se trouvait dans les journaux de Londres le 20 juin dernier. Pas la peine de faire un si long voyage pour cela.

Les correspondants à New York des grands journaux londoniens avaient télégraphié la nouvelle dès le moment où celle-ci circulait dans la métropole américaine.

— En fait, je comptais sur vous pour me donner un nom, continua le policier.

— Malheureusement, je n'en ai aucun à vous offrir. Cette équipe serait ici depuis quelques semaines déjà.

— Dommage. Je suppose qu'Edward Jenkinson nous en procurera bientôt.

David constatait que le ton de son patron avait changé après son mois d'absence. La camaraderie bourrue avait fait son temps. Quand il était arrivé au Service spécial en tant que protégé de Robert Anderson, la toute-puissance de son mentor lui avait valu un bon accueil. Maintenant que l'étoile de celui-ci déclinait et que l'influence de l'homme de Dublin croissait, le commissaire s'adaptait à la nouvelle situation.

— Jenkinson paraît en effet très habile pour obtenir des informations inédites, ironisa l'agent spécial. À ce sujet, le procès de l'équipe dirigée par O'Brien est-il terminé ?

— Grâce à la confession de William Lynch, tout le monde a mérité vingt ans de travaux forcés.

— Même votre informateur ?

— Oui, mais faites confiance au gouvernement de Sa Majesté. Dans trois ans, il sera libre.

— Tout de même, la peine me paraît sévère.

Au moment de se lever pour sortir, David précisa encore :

— Je ne me présenterai pas au travail au cours des prochaines semaines… à moins que l'urgence de la situation ne l'exige.

— Des vacances, comme les notables ? soupira le commissaire de police. Comme je ne vous paie pas, je suppose que je serais mal venu de vous refuser ce privilège. Ne vous inquiétez pas, nous y arriverons sans vous.

— Je vous remercie de votre générosité.

Le dilettantisme de David heurtait le fonctionnaire de police totalement privé de la maîtrise de son temps.

Une demi-heure plus tard, arrivé dans les locaux du ministère de l'Intérieur, l'agent spécial présentait le même rapport relatif à une nouvelle équipe de dynamiteurs à Anderson, tout en précisant :

— Henri LeCaron m'assure ne pas connaître le nom de ces hommes. J'espère qu'il pourra l'apprendre au cours des prochaines semaines, car tout le pouvoir est passé entre les mains d'Alexandre Sullivan, son mentor au sein de l'organisation. Vous pourrez à votre tour profiter d'informations privilégiées.

L'allusion narquoise amena Anderson à changer nerveusement de position sur sa chaise. Il murmura :

— Ce damné Jenkinson. Je me demande comment il fait pour avoir une telle longueur d'avance quand il s'agit des allées et venues des terroristes. Pourtant, personne n'est mieux placé que LeCaron pour recueillir des informations sur le terrain.

— Tout simplement parce que c'est lui qui fomentait les campagnes de dynamitage.

Le fonctionnaire voulut protester, s'arrêta puis reprit après une brève réflexion :

— Je crois comprendre ce que vous sous-entendez, mais j'aimerais tout de même que vous vous fassiez plus explicite.

— Vous avez sûrement eu écho de la tentative d'assassinat contre McDermott.

— Évidemment. Les journaux en ont parlé.

— J'ai moi-même abordé le sujet dans mes articles. Alors, vous savez que les assassins devaient laisser un message sur son corps, affirmant que l'homme se trouvait en mission pour le gouvernement britannique depuis janvier dernier.

— Jamais nous ne lui avons donné le mandat de faire sauter des bombes, protesta Anderson. Cet homme a vendu des informations dans le passé, sans plus. Il n'aurait pas été le premier à jouer sur deux tableaux, arrondissant ses fins de mois d'un côté, et disposé à partir en guerre contre notre pays de l'autre.

Anderson affichait une conviction suffisante pour que David juge qu'il n'était pas un des conspirateurs. Le journaliste précisa :

— Cela signifie que Jenkinson a dirigé cette opération sans que vous soyez mis au courant. Voilà qui explique pourquoi cet esthète a pu arrêter tout le monde à Cork, puis nous tenir informés de l'arrivée de l'équipe de Matthew O'Brien à Londres.

— Mais comment a-t-il pu recruter des terroristes pour mener une opération de ce genre ?

— Vous venez de faire allusion au fait que McDermott informait Archibald depuis des années. L'automne dernier, ce rouquin a avisé lui-même le consul de l'intention de Jeremiah O'Donovan Rossa de dépêcher une équipe de terroristes.

Le cou rouge de colère, Anderson se mordit la lèvre inférieure avant d'admettre :

— Je n'ai pas été mis au courant.

— Ce qui devrait vous inquiéter sur votre avenir professionnel. Les renseignements glanés par le ministère des Affaires étrangères ne vous parviennent plus, mais ils arrivent à l'oreille de l'homme de Dublin. Archibald a mis les deux hommes en relation, cela ne fait pas de doute.

Le fonctionnaire prononça quelques jurons plutôt vulgaires, avant de déclarer d'un ton plein de reproches :

— Cette information vient de votre beau-père. Vous auriez pu me le dire plus tôt !

— Mon beau-père se révèle plutôt discret, comme ses anciens patrons l'exigent de lui. Je peux arriver seul à ce genre de conclusion. Comment vouliez-vous que je devine que les informations ne circulaient plus d'un ministre à l'autre ?… À moins que le ministre de l'Intérieur l'ait su depuis le début, sans vous en informer.

Anderson jeta un regard assassin à David, qui y vit une indication claire qu'il avait bien deviné. Ces querelles entre fonctionnaires, dont la population faisait les frais, lui répugnaient. Il demanda, un peu cassant :

— Maintenant, j'ai besoin de vos lumières. Me répondrez-vous franchement ? Dans la négative, tout compte fait, je préfère économiser ma salive.

— … Demandez toujours.

— Edward Jenkinson n'a pas pris sur lui de monter une opération terroriste. Le ministre responsable de l'Irlande a donné son accord.

— Sans doute a-t-il eu la bénédiction de personnes encore plus haut placées.

— Le premier ministre Gladstone ?

Le fonctionnaire fit un signe d'assentiment. À mesure que le temps passait, il mesurait l'étendue de sa propre disgrâce. Le ministre de l'Intérieur se trouvait assurément dans la confidence : une conspiration comme celle-là présentait trop de risques pour que les membres importants du cabinet demeurent dans l'ignorance. Mais le responsable du Service spécial n'avait pas eu vent d'une stratégie aussi audacieuse !

— Alors, continua David, dites-moi quel intérêt peut avoir le gouvernement à fomenter lui-même des attentats terroristes.

— Comme on ne m'a rien confié, je ne peux émettre que des hypothèses...

— Alors faites-moi connaître vos hypothèses, je les confronterai aux miennes.

— Elles sont de deux ordres, réfléchit Anderson à voix haute. La lutte aux révolutionnaires peut en profiter. Les deux chefs d'équipe recrutés par le gouvernement ont amené des personnes prédisposées au terrorisme à se révéler. Six sont en prison pour vingt ans et sept ou huit seront traduites devant un tribunal de Glasgow au cours des prochaines semaines. Quatorze tueurs potentiels ne nous nuiront plus !

David connaissait bien la stratégie des agents provocateurs. Il s'en trouvait toujours un ou deux sur les piquets de grève, pour amener les ouvriers à commettre des actes de violence afin de permettre aux policiers d'arrêter tout le monde. Il nuança l'analyse de son supérieur :

— Cela peut avoir un effet plus pervers. Des hommes inoffensifs se font monter la tête au point de prendre part à des opérations criminelles, ce qu'ils n'auraient pas fait de leur propre initiative. Au bout du compte, des centaines de personnes ont perdu leur emploi à Glasgow, des milliers de livres sterling se sont envolées en fumée et un jeune soldat se retrouve avec une main en moins. En Irlande, les lois coercitives sont appliquées plus durement que jamais. Tout cela parce que les agents doubles au service d'un fonctionnaire imbu de lui-même ont monté les esprits.

— La motivation de Jenkinson devait tout de même être surtout politique, précisa Anderson. Gladstone se maintient au pouvoir grâce au Parti parlementaire de Parnell. Pour le récompenser de sa fidélité indéfectible, il devrait présenter un projet de loi sur le gouvernement autonome en Irlande... ce qui amènerait immédiatement un vote de non-confiance.

« Et la perte du pouvoir », compléta mentalement le journaliste. Bien des libéraux ne faisaient pas mystère qu'ils passeraient chez les conservateurs plutôt que d'entériner la moindre concession aux Irlandais.

— Je comprends cela, déclara-t-il. Où voulez-vous en venir ?

— Avec le meurtre de Phoenix Park, puis ces explosions, le premier ministre est justifié de ne pas bouger.

— Vous ne voulez pas dire que le meurtre…

Anderson s'amusa de l'horreur qui se dessinait sur le visage de son interlocuteur avant de répondre :

— Non, non, le grand homme n'est pas cynique au point de sacrifier l'un de ses neveux. Le gouvernement n'a certainement pas trempé là-dedans. Mais pour les bombes, tout semble indiquer que oui. Du simple fait que personne n'a été tué, j'aurais dû moi-même en déduire que cela couvrait une conspiration de ce genre.

— Tout de même, le soldat blessé…

— Un accident, riposta le fonctionnaire en faisant un geste de la main, comme pour chasser cette pensée.

Les services secrets livraient une véritable guerre aux révolutionnaires irlandais, des pertes humaines, même par un «feu ami», ne leur paraissaient pas trop cher payer.

— Je vais vous présenter une hypothèse de mon cru, enchaîna David. Edward Jenkinson est en train de se créer une réputation de redoutable efficacité, même les journaux conservateurs en conviennent. Son initiative a peut-être servi la lutte au terrorisme ou la stratégie du premier ministre pour ajourner toutes les réformes en Irlande. Mais elle me semble profiter au premier chef à Jenkinson lui-même. Il vous a totalement supplanté.

— … Vous avez peut-être raison.

— J'ai absolument raison ! Même le ministre de l'Intérieur, votre patron, participe à une conspiration sans vous tenir au courant.

— Croyez-vous absolument nécessaire de me mettre les points sur les «i» de cette façon ?

La colère faisait maintenant tourner les joues de Anderson au violet. S'il s'était trouvé seul, sans doute que tout ce qui se trouvait à portée de sa main aurait volé dans la pièce.

— Désolé de froisser votre fierté professionnelle, fit David sans conviction. Pouvez-vous me dire pourquoi, au plus haut niveau, on a jeté son dévolu sur Jenkinson ? Vous avez certainement fait vos preuves par le passé.

— … Cet homme est un libéral notoire.

— Alors que vous vous êtes bien accommodé des régimes conservateurs précédents, remarqua le journaliste.

— Et puis d'après ce qu'on raconte, il est très proche du gouverneur Spencer.

De façon peu chrétienne pour un homme à la foi inébranlable et souvent affichée en public, Anderson fit un mouvement de va-et-vient de son index dans son poing droit fermé.

— Vous ne croyez tout de même pas que des galipettes entre vieux messieurs ont permis à cet homme de vous supplanter ?

— Depuis des siècles, des personnes ont fait carrière de cette manière. Lisez l'histoire des rois de ce pays, ou des autres pays d'Europe, vous serez édifié. Le plus vexant est de voir des mœurs contre nature me coûter aussi cher.

— Que ferez-vous maintenant ?

— Essayer d'obtenir du ministre de l'Intérieur de ne plus être tenu dans l'ignorance. Je doute cependant d'obtenir le moindre succès.

David préférait se tenir à distance respectueuse des grands de ce monde, tout en sachant que cela le condamnait à une existence relativement modeste. Édith lui manquait terriblement, tout d'un coup.

— J'ai averti le commissaire que je comptais m'absenter pendant quelques semaines. Comme ni vous ni moi ne savons quelles informations vous seront accessibles à l'avenir, pouvez-vous demander à Henri LeCaron de communiquer directement avec moi s'il apprend qui a été dépêché en Angleterre par le Clan ?

— Ces choses ne se font pas…

— Tout comme je n'aurais pas dû vous parler aujourd'hui pour faire plutôt rapport à l'homme de Dublin, ou à

Williamson qui semble pétri d'admiration pour lui. Mais vous comprenez sans doute que devant Jenkinson, ni vous ni moi ne pesons bien lourd. Nous serons encore plus vulnérables si nous ne partageons pas les informations qui nous arrivent encore.

Anderson demeura songeur un moment, puis fit un signe d'assentiment. Après avoir salué son hôte, David sortit en hâte, inquiet d'arriver en retard pour prendre le train du soir vers Brighton.

❧

Brighton, vendredi 6 juillet 1883

Le retour de David, après une absence d'à peine un mois, fut fêté dans la petite maison en terrasse de Brighton. Beau-papa, après une poignée de main, eut le bon goût de s'inventer un rendez-vous avec un mystérieux ami afin de laisser un peu d'intimité aux époux.

Le lendemain matin, lors d'un petit déjeuner tardif, David raconta la teneur de sa dernière conversation avec Robert Anderson.

— Voyons, un homme ne peut pas fomenter des attentats, juste pour favoriser sa carrière, clama Édith, plutôt incrédule.

Le regard de la jeune femme alla de son époux à son père, pour confesser après un moment:

— Je suppose que je suis très naïve.

— Je pense que les trois motifs invoqués par David se conjuguent, et que Jenkinson lui-même ne saurait pas les classer en ordre d'importance, expliqua l'ex-consul.

— Mon antipathie naturelle pour ce monsieur me fait croire que le dernier mobile, celui de l'avancement personnel, est le plus important, mais vous savez que je me méfie exagérément des personnes très ambitieuses, opina le journaliste à l'intention de son beau-père.

Archibald mesurait bien les conséquences d'un changement à la direction du Service spécial sur la carrière de son gendre. Il prit sur lui de formuler la question qui brûlait les lèvres de sa fille:

— Si Anderson doit céder sa place, votre présence dans l'équipe de Williamson sera-t-elle compromise?

— Le climat, à mon retour hier, a été glacial. Cela ne pourra que se détériorer encore si Jenkinson devient officiellement le patron. D'un autre côté, j'en sais suffisamment sur cette histoire pour que personne n'ose trop me bousculer.

— Et Jenkinson sait que vous savez?

— Après l'agression ratée contre McDermott, je présume qu'il réalise que de nombreuses personnes ont deviné. Je trouverai le moyen de lui signifier que je compte parmi elles.

Édith jouait avec son bacon du bout de sa fourchette, songeuse. Après un moment elle suggéra:

— Si le complice de Jenkinson, ce McDermott, a fait l'objet d'une tentative de meurtre, cela signifie que quelqu'un a informé le mouvement révolutionnaire.

— Les Irlandais possèdent aussi leur réseau d'informateurs, précisa David. Ce renseignement leur donne une certaine emprise sur Jenkinson. Imaginez la réaction des électeurs si la nouvelle que le cabinet libéral a fomenté des attentats se retrouve dans les journaux!

— Vous avez raison, commenta Archibald. Par-dessus tout, Gladstone doit craindre une indiscrétion.

Pendant quelques minutes encore, le trio supputa des conséquences d'une fuite dans les journaux. À la fin, David demanda à sa compagne:

— Voilà des mois que j'entends parler du pier. Tu viens me faire visiter?

— Le temps de prendre mon ombrelle, et je te guide.

À l'ouest de la ville, le pier, une longue plate-forme montée sur pilotis, s'avançait dans la mer depuis les années 1860. Des dizaines de couples de classe moyenne s'y promenaient bras dessus, bras dessous.

En cette saison, tous les citadins qui en avaient les moyens cherchaient la fraîcheur des villes côtières. Les hommes portaient des costumes légers, de coton ou de lin, aux couleurs pâles, et des chapeaux de paille. Les robes, tout aussi légères, moulaient les jambes des femmes à cause de la brise complice venue de la Manche. Elles aussi portaient des chapeaux de paille, tout en tenant en plus une ombrelle pour préserver leur visage des rayons du soleil, et des gants de dentelles. Seules les paysannes toléraient qu'un hâle brunisse leur peau. Pour les autres, la blancheur la plus laiteuse devenait synonyme de beauté parfaite.

Au bout du quai, une grande bâtisse abondamment éclairée de fenêtres accueillait un restaurant et une buvette. Le couple s'installa à une petite table à l'extrémité de la plateforme, commanda une limonade pour justifier sa présence, puis se perdit dans la contemplation de la mer, littéralement à leurs pieds.

— La France se trouve tout près. Cela te dirait d'y aller ? demanda David après un moment.

— Oh oui ! Mais mon père... Je me suis beaucoup fiée à lui pendant tes longues absences. Il se fait une véritable joie de t'avoir avec lui.

David jugea préférable de ne pas nuancer cette affirmation. Tout au plus, pensait-il, le vieil homme acceptait la présence d'un gendre afin de se tenir près de sa fille adorée.

— Si sir Mortimer veut se joindre à nous, tout le monde sera heureux.

— ... Tu es sérieux ?

— À certaines conditions très précises, bien sûr. Beaupapa ne doit pas partager notre chambre, ni même en occuper une immédiatement attenante, ni s'attendre à prendre tous ses repas en notre compagnie. Nous nous sommes peu vus, ces derniers temps.

Édith lui adressa un sourire, en rougissant un peu, puis déclara :

— Cette dernière condition est plutôt cruelle.

— J'insiste, la conjugalité a des droits. Puis je suis certain qu'au moment où il aura trouvé le chemin de ces établissements où les femmes montrent tous leurs atouts en dansant sur scène, la solitude pèsera beaucoup moins sur le pauvre homme.

La jeune femme laissa échapper un «Oh!» pudique, se demanda comment son mari connaissait l'existence de lieux pareils sans jamais avoir mis les pieds à Paris, puis se résolut à surveiller un peu mieux ses lectures, dorénavant.

❧❧❧

Le Cap, Afrique du Sud,
dimanche 29 juillet 1883

Patrick O'Donnell était un compagnon de voyage plutôt jovial, toujours disposé à boire un verre de whisky et à raconter d'interminables histoires sur lui-même ou sur l'Irlande. Après avoir tâté différents métiers sans succès, à cinquante ans, il avait décidé de chercher fortune en Afrique du Sud. Tout le monde parlait des mines de diamants. Après avoir avalé un peu trop d'alcool, cet homme devenait intarissable sur toutes les choses qu'il ferait quand il aurait découvert une gemme grosse comme le poing.

Après avoir contourné l'Europe, effectué une longue escale en Espagne, puis longé le continent africain sur toute sa longueur, le 26 juillet, le navire *Kilfauns Castle* s'amarra le long du quai, au Cap. Déjà bronzé à cause des longues heures passées sur le pont, souriant de toutes ses dents, James Carey, alias James Power, serra la main de Patrick O'Donnell en lui souhaitant la meilleure des chances. L'homme alla jusqu'à ajouter avec un gros clin d'œil :

— Si vous trouvez ce gros diamant, venez me payer un verre. Samedi prochain, je dois prendre un navire en direction de Port Elizabeth. Je vais travailler au service des douanes de cette ville.

325

Pendant un long moment, après avoir réservé une chambre et déposé son unique valise dans un petit hôtel minable près du port, O'Donnell erra dans les rues du Cap, heureux de se trouver sur la terre ferme après des semaines en mer. Quand la chaleur, la poussière et le dépaysement l'eurent épuisé, il revint vers son hôtel.

La chambre lui parut étouffante, le lit, suspect, mais cela ferait l'affaire. Dès le lendemain matin, un train le conduirait vers les petites républiques hollandaises d'Orange et du Transvaal, où, disait-on, les gens butaient contre de gros diamants en marchant dans la rue.

Quand il se présenta dans un restaurant voisin pour manger un peu, O'Donnell demanda à une serveuse nonchalante :

— Vous avez quelque chose à lire ?

— Les derniers journaux qui viennent du pays se trouvent là.

Sur une table, dans un coin, l'immigré déjà nostalgique trouva des journaux du début du mois de juillet. Les nouvelles, vieilles de trois semaines, l'occupèrent pendant tout le repas. Dans une page centrale du *London News*, il apprit que le traître Carey était sorti discrètement d'Irlande grâce aux bons soins de la police pour aller couler des jours tranquilles dans un recoin éloigné de l'Empire. Sous l'article, on avait reproduit le portrait du Dublinois.

— Le salaud, grommela O'Donnell.

L'Irlandais n'hésita pas. Comment être assez stupide pour croire au diamant providentiel, qui lui permettrait de terminer en beauté une existence dont la chance avait été cruellement absente ? Sans avenir jusque-là, avec un passé médiocre, son destin lui parut tout tracé : exécuter le traître pour en faire un exemple, afin que plus jamais personne ne fasse la même chose.

Une courte enquête lui apprit qu'un seul navire devait appareiller en direction de Port Elizabeth le samedi suivant: le *Melrose*. Un petit pourboire à un officier lui permit de monter à bord dès la nuit du vendredi. Il s'enferma à double tour dans sa cabine jusqu'au dimanche, en soirée.

Un revolver dans la poche, O'Donnell se dirigea vers le bar, certain d'y trouver le traître. Carey se tenait près du comptoir, juché sur un tabouret, absorbé par les paroles d'un passager. Il marcha vers lui en sortant son arme.

— Mais… vous avez changé d'idée ?

La première balle le toucha au ventre, la seconde se ficha dans la poitrine. Alors que le traître s'effondrait vers l'avant, un autre projectile l'atteignit à la tête. Sans un mot, alors que les passagers présents poussaient de grands cris en cherchant à sortir, O'Donnell posa son arme sur la surface de zinc du bar et prononça ses premiers mots :

— Maintenant que le monde est plus propre, donnez-moi une bière.

Aux officiers du navire qui procédèrent à son arrestation et aux policiers de Port Elizabeth qui le prirent en charge pour le conduire au Cap, puis ensuite jusqu'à Londres, jamais O'Donnell ne chercha à dissimuler son crime, ou à réduire sa responsabilité. Devant les juges d'Old Bailey, il se présenta comme un justicier mis sur terre par Dieu pour abattre le traître. Des semaines plus tard, absorbé par sa mission, la corde autour du cou dans la petite salle d'exécution de la prison Newgate, son « Dieu sauve l'Irlande » fut prononcé d'une voix ferme.

Bartholomew Binns, le successeur de William Marwood au poste de bourreau du Royaume-Uni, fit signe à son assistant de déclencher le mécanisme d'ouverture de la trappe dans le plancher.

❧❧❧

Liverpool, jeudi 2 août 1883

Après avoir passé un mois dans un petit hôtel de Montréal, sous la protection attentive de la police locale, James McDermott se rendit à Québec pour embarquer sur un navire de la Cunard sous le nom de Peter Quingley. Rester en Amérique, même dans ce Canada un peu somnolent, présentait trop de dangers. Tôt ou tard, un Irlandais s'improviserait justicier pour lui régler son compte.

Edward Jenkinson profitait de renseignements d'une rigoureuse exactitude. Au moment où le bâtiment accostait au quai de Liverpool, il se trouvait là pour assister aux manœuvres d'amarrage. À côté de lui, Conàn Mallon affichait un air maussade. Malgré les assurances de son patron que tout se passerait très bien, pour lui, l'arrestation d'un terroriste nécessitait un effectif important.

Pendant une bonne heure, les représentants des services de sécurité de Dublin regardèrent les passagers débarquer un par un. L'un des derniers à sortir, tignasse rouge et veste de cuir mal rapiécée sur l'épaule, attira son attention. Au moment où il posait le pied sur le sol, Jenkinson s'avança en disant :

— Monsieur McDermott, vous êtes en état d'arrestation.

— Mais… pourquoi ?

— Ne protestez pas, cela vaut mieux pour vous. Monsieur Mallon, passez-lui les menottes.

En disant ces mots, Jenkinson poussa la gentillesse jusqu'à se saisir du sac de voyage de son prisonnier. Un peu hébété, l'homme laissa Mallon lui prendre les poignets et sentit sur sa peau la morsure des bracelets d'acier.

— Vous voulez aller chercher un fiacre ? demanda ensuite le fonctionnaire.

— Mais cet homme… commença le policier, étonné.

— Ne bougera pas d'un pouce, faites-moi confiance.

Mallon obtempéra de mauvaise grâce. Pendant son absence, Jenkinson s'empressa de murmurer :

— James Carey a été exécuté en Afrique du Sud par un vétéran de l'insurrection de 1867. Nous l'avons appris par le télégraphe. Vous ne serez nulle part plus en sécurité qu'en prison.

— ... Pendant combien de temps ?

— Pour que l'on ne vous soupçonne plus de traîtrise, il faut une condamnation. Vous vous évaderez ensuite.

Le commissaire Mallon revenait pendant qu'un fiacre s'approchait du quai. En attendant le navire en partance pour Dublin, le prisonnier logerait dans une cellule des autorités portuaires. Trente-six heures plus tard, McDermott rejoignait ses complices recrutés à Cork dans la prison de Kilmainham. Les procès pourraient commencer bientôt.

❧❦❧

Glasgow, lundi 20 août 1883

Trois semaines à Paris à visiter musées et monuments, avec l'un des romans de Balzac ou de Hugo à la main, avaient réconcilié David avec les vicissitudes de la vie d'agent spécial. Pour sa plus récente affectation, Édith hésita avant de refuser de l'accompagner. Après tout, l'Écosse était le pays de ses ancêtres. Cependant, madame Langevin n'aurait pu partager la chambre de monsieur Devlin, et une visite menée en parallèle perdait tout son charme.

Le journaliste du *Tribune* se trouva dans la salle d'audience de la cour de justice de Glasgow grâce à l'intervention de Conàn Mallon auprès d'Edward Jenkinson. La consigne demeurait la même qu'à Dublin : ne pas approcher le grand homme.

L'histoire se répétait, toujours la même : pendant les mois passés en prison, le commissaire de police avait cherché l'homme le plus susceptible de se confesser, pour ensuite exercer sur lui une pression irrésistible.

Le procès commença donc par la longue confidence du témoin repenti, dans une ville qui portait toujours les traces des grands incendies allumés par les bombes. David reconnut dans la salle d'audience le jeune militaire rendu infirme : les cicatrices sur son visage et sa main manquante le distinguaient des autres curieux. Comme celui-ci l'avait prédit sur son lit d'hôpital, l'armée s'était séparée de lui. Si quelqu'un lui avait expliqué que sa nouvelle misère tenait au désir d'un fonctionnaire de progresser dans sa carrière, sa haine envers les Irlandais se serait sans doute muée en un désir d'en découdre avec son propre gouvernement.

De la même façon que pour les hommes de Matthew O'Brien, outre cette confession, l'avocat de la couronne présenta une preuve circonstancielle : plusieurs personnes se souvenaient d'avoir vu les conspirateurs dans de petits hôtels ou des restaurants. D'autres venaient de Cork pour confirmer qu'au moment où survenaient les attentats, aucun des suspects ne s'était présenté au travail.

Le vendredi en matinée, le jury rendait un verdict de culpabilité après l'une des plus courtes discussions de l'histoire du droit britannique. Tous, excepté celui qui s'était confessé, reçurent une peine de prison à vie. Le témoin repenti se trouva condamné à trois ans. Sans doute ne les purgerait-il pas au complet.

Au prononcé de la sentence, David gardait les yeux fixés sur McDermott. Celui-ci encaissa la mauvaise nouvelle avec un visage sombre. En sortant de la salle d'audience, le journaliste se trouva au coude à coude avec Mallon.

— Une autre brillante enquête couronnée de condamnations, murmura-t-il.

— À votre ton, répondit le policier, on dirait que vous préféreriez que ces hommes restent en liberté.

— Pas du tout ! Comme je risque autant qu'un autre de sauter avec le prochain pétard, je n'ai aucune sympathie pour les poseurs de bombes. Je compatis peut-être un peu avec McDermott cependant. Ce gars a été condamné à mort par les révolutionnaires pour trahison et maintenant le Royaume-Uni vient de le jeter en prison jusqu'à la fin de ses jours pour terrorisme. Il ne peut cependant pas être coupable des deux crimes dont on l'accuse : l'un de ses juges se trompe certainement.

Le policier lui jeta un regard songeur. Au moment de sortir de l'édifice, au milieu des escaliers, un journaliste s'adressa à Mallon de façon plus directe que David :

— McDermott travaillait pour vous. Comment se fait-il qu'il se retrouve en prison ?

— Je n'ai aucune idée de ce dont vous parlez.

— Vous ne lisez pas les journaux ? demanda un autre. J'ai interrogé l'un des hommes de Cork qui sont allés jusqu'aux États-Unis pour lui faire la peau, clama un autre gratte-papier.

Mallon savait comment donner des coups d'épaule pour s'ouvrir un chemin. Il s'esquiva sans desserrer les dents.

« Cette mise en scène ne suffira certainement pas à rendre sa pureté révolutionnaire au foutu rouquin », murmura David dans sa moustache au moment de se diriger vers la gare. Les jours suivants, de nombreux journalistes s'interrogèrent sur le véritable rôle du mystérieux Américain dans les attentats.

❧

Londres, vendredi 31 août 1883

Dans la mesure où aucune poursuite d'une équipe de terroristes ne justifiait des mises au point plus fréquentes, les réunions de la Section spéciale se tenaient seulement le lundi matin. Elles suffisaient à dresser un bilan et à donner à chacun une affectation pour la semaine.

Le lancement d'une nouvelle mission par le Clan-na-Gaël rendait nécessaire une longue et frustrante recherche d'indices. Parce qu'aucun informateur n'avait pu identifier qui se trouvait en mission sur le territoire du Royaume-Uni, les agents spéciaux devaient passer leurs journées dans les lieux de rencontre des Irlandais à Londres en tendant l'oreille. David devinait que les policiers étaient repérés rapidement, ce qui faisait taire tous les indiscrets. Seule une longue infiltration se serait montrée rentable dans ces circonstances.

La convocation de tous les membres du Service un mercredi après-midi ne pouvait tenir qu'à un développement récent. L'agent spécial se retrouva parmi ses collègues dans la grande salle de réunion. Son voisin immédiat, le sergent Thompson, exprima la curiosité de tous les autres :

— Nous avons été un long moment sans vous voir. Tout le mois de juin, puis juillet. Vous êtes revenu au début d'août pour disparaître encore.

— Que voulez-vous, notre grand patron a souhaité me voir ailleurs, répondit le journaliste avec une certaine impatience dans la voix.

— Je suppose que vous êtes en mesure de rendre des services qui sortent du champ de compétence des policiers d'expérience comme moi.

— Je le suppose aussi, puisque c'est à moi qu'on les demande.

L'échange dut s'interrompre avant de devenir trop acrimonieux, car Dolly Williamson entra dans la pièce accompagné d'un inconnu. Tout de suite il commença :

— Messieurs, je vous présente le major Nicholas Gosselin. Celui-ci assumera dorénavant la direction de la lutte antiterroriste au Royaume-Uni. C'est-à-dire que je devrai lui faire rapport directement.

— Robert Anderson… commença quelqu'un.

— … s'est vu confié de nouvelles responsabilités par le cabinet, interrompit le nouveau venu.

Nicholas Gosselin présentait, lui aussi, l'image parfaite de l'ancien militaire, comme la plupart des officiers supérieurs de la police : une raideur dans les épaules et le cou, des favoris et une moustache de dimensions exagérées, et un esprit sans doute obtus. Surtout, comme tous ses semblables encore en uniforme, il parlait aux hommes sous ses ordres comme si ceux-ci étaient des demeurés.

— À présent, tous les services occupés à combattre le terrorisme relèvent du château de Dublin. Vous continuerez l'enquête en cours, nous devons mettre la main sur les hommes du Clan-na-Gaël avant que ceux-ci ne commencent leur travail. Je compte sur vous !

Sur ces mots, Gosselin sortit. Williamson posa un regard désabusé sur ses hommes, puis lui emboîta le pas.

Sans doute parce que le changement de direction du service leur paraissait gommer les préférences anciennes, David fut convié à accompagner ses collègues dans le pub attenant à Scotland Yard, le *Rising Sun*. La douzaine d'hommes se répartit autour de deux tables. Au bout d'un moment, sans que personne ne se soit donné la peine de passer la commande, un serveur déposa une pinte de bière brune devant chacun d'eux. Aux regards qui se posaient sur lui, David comprit que sa réadmission dans la confrérie lui coûterait le prix de cette tournée. Quand il eut obtempéré, un homme commença :

— Le patron a été éjecté comme un malpropre.

— Comme toutes les pistes venaient de Dublin, je suppose que quelqu'un en haut lieu a décidé que le bonhomme ne servait à rien.

— Vous avez entendu parler de cet homme ? Gosselin ? demanda le journaliste.

— Jamais ! répondit Thompson. Il doit débarquer des Indes, ou d'Afrique. Quelqu'un au gouvernement pense qu'une vie à mater des Nègres prépare bien à la lutte contre les Irlandais.

David savait que Jenkinson avait séjourné aux Indes. Sans doute trouvait-il parmi ses anciens collègues des hommes qui lui étaient absolument fidèles. Cela ne signifiait pas nécessairement qu'ils fussent incompétents. Après une demi-heure à entendre un peu d'inquiétude s'exprimer dans leurs commentaires, il salua ses collègues à la ronde et s'apprêta à quitter les lieux.

— Une bourgeoise qui vous reproche de rentrer tard ? lança quelqu'un.

— Une bourgeoise qui me donne envie de rentrer tôt !

La remarque eut pour effet de provoquer l'hilarité générale. Édith se serait amusée de sa confession publique, mais le charme de celle-ci avait servi de prétexte. Vingt minutes plus tard, David frappait à la porte du bureau de Robert Anderson, au ministère de l'Intérieur. Une voix bourrue lui dit d'enter.

— Ah! C'est vous, déclara le fonctionnaire. J'attendais un cocher pour me reconduire à la maison avec tout cela.

Du geste, il désignait une boîte remplie de toutes les choses personnelles dont on encombre son bureau au fil des ans. Après avoir pris place sur la chaise devant le pupitre, David commença:

— Ainsi, Edward Jenkinson a eu votre peau.

— Votre façon de présenter ma situation est un peu dure, mais vous avez raison, reconnut le fonctionnaire en s'installant dans son fauteuil.

— Que vous arrivera-t-il maintenant?

— Je vous remercie pour la sollicitude dans votre voix, répondit Anderson, plutôt amusé. Ne vous inquiétez pas, pour moi comme pour vous, la connaissance d'une multitude de secrets oblige les grands de ce monde à la prudence. Vous avez eu droit à une annuité…

Bien sûr, personne ne devait mieux connaître sa situation que ce fonctionnaire longtemps responsable des services secrets. David jugea utile de préciser:

— Si modeste.

— Mais pour laquelle on n'exige rien de vous en retour. Quant à moi, désormais je dirige un comité sur les prisons.

La sollicitude de David était intéressée. Il enchaîna:

— Maintenant que les services d'espionnage passent entre les mains de ce major, qu'adviendra-t-il de moi?

— Dire que j'ai cru un moment que vous veniez seulement pour me remonter le moral, ironisa Anderson. Vous vous inquiétez de votre petite personne.

— Comme vous venez de le dire, quelqu'un s'occupe de votre bien-être. Le mien se trouve dans mes seules mains.

Cela était d'autant plus vrai que l'ex-consul Archibald perdait rapidement toute influence sur ses anciens collègues.

— J'ai expliqué à Gosselin la nature de la contribution que vous pourriez apporter. Celui-ci m'a répondu que si William- son ne s'y opposait pas, vous pourriez continuer de vous rendre utile au Service spécial, en écrivant des articles et en aidant aux enquêtes dans vos temps libres.

Aucune chance d'un avenir professionnel radieux, donc. Tout au plus une présence tolérée, aussi longtemps que Jenkinson jugerait utile d'avoir une voix dans un journal américain.

Quelqu'un frappa discrètement à la porte. Anderson sortit une enveloppe du premier tiroir à la gauche de son bureau pour la tendre à son interlocuteur en disant :

— Voilà enfin ce cocher. Ceci est pour vous. Ne me tenez pas encore pour battu.

Le fonctionnaire se leva, ramassa au passage la boîte contenant ses effets personnels et se dirigea vers la porte en lançant un « Bonne chance » à voix haute. David lui rendit le même souhait en ouvrant le pli.

Sur la feuille de papier, seulement quelques mots : « Henri LeCaron/Shelly Reynolds, *Les Mystères de Paris*, le mois et le jour pour le chapitre et la ligne ». Une adresse à Chicago suivait ces quelques mots. Anderson venait de lui ouvrir une voie de communication directe avec son vétéran-espion, tout en lui donnant une clé, pour chiffrer les messages, et une boîte aux lettres.

14

Londres, vendredi 31 août 1883

En retournant à la maison, le journaliste commença par faire un long détour afin de trouver la plus récente édition du roman d'Eugène Sue, *Les Mystères de Paris*. Avant de se coucher, il prit le livre et chercha la première ligne du neuvième chapitre, puisque son télégramme porterait la date du lendemain, le premier jour du neuvième mois.

Elle se lisait ainsi : « Nous l'avons dit, la Goualeuse s'était assise sur un tronc d'arbre renversé au bord d'un fossé profond. »

En prenant les lettres dans l'ordre où elles se présentaient dans cette phrase et dans les suivantes, cela donnait une table d'équivalence pour l'alphabet :

n	o	u	s	l	a	v	d	i	t	g	e	r
a	b	c	d	e	f	g	h	i	j	k	l	m

c	b	v	j	v	f	p	h	m	x	q	y	z
n	o	p	q	r	s	t	u	v	w	x	y	z

Avant même de commencer à rédiger un message, David devrait chaque fois se livrer d'abord à cette fastidieuse opération. Le texte était destiné à Henri LeCaron, mais il irait à Shelly Reynolds, peut-être une amie de cœur de celui-ci : « Pouvez-vous me donner la moindre information sur la mission du Clan DD ? » Chiffré avec la clé qu'il venait de concevoir, en évitant de répéter la même lettre dans les mots

337

«donner» et «mission», cela prenait cette forme: «vbhml zmbhf rlsbc lrenr bicsl icarn pibcf hveri sibcs huenc ss».

Tous les codes pouvaient être brisés, celui-là aussi. Pour rendre la chose plus difficile, le code changerait tous les jours, sans jamais se répéter si les deux hommes prenaient la précaution d'adopter une nouvelle clé tous les ans. Que le message soit rédigé en français rendrait un peu plus difficile le déchiffrage. Très vite cependant, compte tenu de la nationalité que déclarait l'espion, on y penserait. Un mode de transmission plus hermétique pouvait facilement être imaginé, par exemple en changeant la table d'équivalence à chaque lettre du message, mais cela devenait si compliqué que l'expéditeur devrait consacrer toute la journée à chiffrer son message et le destinataire la sienne à le déchiffrer.

Quand l'agent spécial eut fini, il alla rejoindre sa femme dans la chambre à coucher, en multipliant les efforts pour ne pas faire le moindre bruit, et entendit celle-ci lui dire, après s'être glissé sous le drap avec d'infinies précautions:

— Je pourrais m'occuper de chiffrer et de déchiffrer les messages. Cela me rappellera le début de nos fréquentations.

— Ce n'est pas de refus.

— Tu as pensé à trouver une boîte aux lettres, et un pseudonyme?

Cela semblait essentiel: si jamais Henri LeCaron faisait l'objet de soupçons, tôt ou tard quelqu'un trouverait les mystérieux messages envoyés par une certaine Shelly Reynolds, que cette dame existe ou pas. La première chose à faire serait de trouver le destinataire. En signant de son nom, qu'il s'agisse de Langevin ou de Devlin, ou en mettant son adresse, cela revenait à se mettre la tête sur le billot.

— Pour le pseudonyme, j'ai pensé à Alfred LeCaron. Tout le monde a un cousin nommé Alfred, c'est une loi de la nature. Quant à l'adresse, j'ai pensé au *Rising Sun*.

— Le pub à côté de Scotland Yard? Cela ne te semble pas un peu trop voyant?

— Oui et non. Comme l'endroit est rempli de policiers tous les jours, on ne songera pas spontanément à moi.

— Jusqu'à ce que quelqu'un aille demander à un serveur qui vient ramasser les télégrammes.

Édith avait raison. Le mieux serait de chercher une adresse dans une société qui louait des «boîtes postales» à des personnes désireuses de ne pas révéler le lieu où elles habitaient à leurs correspondants. La seule difficulté était de laisser des télégrammes «poste restante». Par sa nature même, ce mode de communication s'avérait synonyme d'urgence.

— J'y penserai encore, murmura l'agent spécial, mais cela doit partir demain, ou je devrai refaire le chiffrage.

— J'y réfléchirai aussi.

❧❀❧

Le lendemain matin, Édith était attablée au bureau de la bibliothèque au moment où Violet passa devant la porte avec un jeu de draps frais dans les mains. Elle l'interpella pour demander :

— Quand tu les auras rangés, viens me voir. J'aimerais te parler.

La jeune fille indiqua son assentiment d'un signe de tête et revint un instant plus tard en arborant un air un peu soucieux.

— Assieds-toi un moment, commença son employeure.

— Est-ce qu'il y a un problème avec le travail ? demanda-t-elle, une inquiétude sourde dans la voix.

— Pas du tout. Au contraire, nous sommes très contents de t'avoir à la maison.

Violet eut un sourire timide, murmura un «Merci» inaudible et attendit la suite. Édith ne la fit pas languir :

— En fait, je voulais te demander un service. Tes parents habitent l'est de Londres ?

— ... Oui.

— Tu sais que mon mari travaille pour la police ?

De la tête, la jeune fille fit un signe affirmatif. Comme les agents qui frappaient à la porte ne venaient pas pour une arrestation, elle en était venue à cette conclusion.

— Son travail est absolument secret. Tu comprends que tu ne dois jamais en parler à quiconque. Ni aux fournisseurs, ni à ta famille, ni à ton petit ami.

— … Je n'en ai pas, glissa-t-elle doucement.

— Mais quand tu en auras un…

Le rouge monta aux joues de la jeune fille alors qu'elle acquiesçait à nouveau.

— Mon mari aimerait recevoir des télégrammes à un endroit discret, où personne ne devinera qu'ils lui sont destinés. Crois-tu que tes parents accepteraient de les recevoir ?

— Oui, je suppose.

— Et de nous les acheminer à la fois très vite et très discrètement ?

— J'ai un frère de douze ans. Il pourrait les apporter.

Décidément, cet emploi recelait plus que sa part de surprises. Violet devenait en quelque sorte une auxiliaire de la police ! Quelques minutes de plus suffirent pour obtenir d'elle la promesse solennelle que personne n'entendrait parler de ce petit arrangement.

Glasgow, lundi 17 septembre 1883

Alors que les autres condamnés se trouvaient depuis des semaines dans un pénitencier écossais, James McDermott demeurait toujours détenu dans la prison attenante au poste de police. La version officielle prétendait que cela tenait au désir des autorités d'obtenir une confession. Les journaux affirmaient plutôt que cet homme, un traître, serait exécuté à la première occasion s'il côtoyait les autres condamnés dans un établissement carcéral.

À minuit, un homme à la prestance militaire se présenta à la porte de sa cellule et fit signe au gardien d'ouvrir. Quelques minutes plus tard, avec sur le dos un manteau couvert d'une poussière noire, James McDermott arrivait dans le sous-sol de l'édifice au moment où une équipe de livreurs de charbon achevait son travail.

— Vous sortez avec eux. Je vais vous attendre à l'extrémité de la rue, dit l'homme venu le chercher.

— Qui êtes-vous ?

— Arthur Nicholson. Je fais les commissions d'Edward Jenkinson.

Le major Nicholas Gosselin utilisait ce pseudonyme pour remplir une mission qui lui répugnait au plus haut point : faire sortir un agent double du Royaume-Uni. Quelques minutes plus tard, sur la rue, il faisait signe à McDermott de sauter dans son fiacre pour le conduire dans le port de Glasgow. Sur les quais déserts à cette heure, les deux hommes descendirent pour regagner une passerelle donnant accès à un cargo.

— Où va ce navire ? murmura le fuyard.

— Il doit effectuer une livraison de charbon à Hambourg. C'est votre destination.

— Je peux continuer seul. Quel est le numéro de ma cabine ?

— Je vous accompagne jusque dans ce pays, afin que vous ne répétiez pas la sottise de Carey. Je vous conduirai moi-même en sol allemand. Là-bas, quelqu'un vous indiquera où recevoir votre pitance mensuelle.

Le prix de la trahison était une allocation jusqu'à la fin de l'existence du misérable. Cela valait au bénéficiaire un mépris tenace de la part de tous les gens condamnés à travailler pour assurer leur subsistance, ce qui ne troubla nullement McDermott : depuis sa première visite au consul Archibald en 1865, tous ses efforts visaient cette fin.

— Pour Matthew O'Brien ?

— Ce sera l'Afrique du Sud.

Parmi des Allemands ou des colons hollandais, à moins de faire preuve d'une imprudence stupide, les chances s'avéraient excellentes d'échapper à la vengeance des Irlandais. Quant à Edward Jenkinson, il demeurerait fidèle à ses engagements, afin d'éviter toute indiscrétion de ses anciens hommes de main.

꧁ꕥꕥ꧂

Londres, mardi 18 septembre 1883

Les membres les plus éminents du Parti parlementaire se retrouvaient une nouvelle fois dans une petite salle de réunion du parlement de Westminster afin de commenter les dernières nouvelles.

— Cette évasion de James McDermott est tout à fait loufoque, remarquait John Dillon. C'est à croire que tous les policiers de Glasgow dormaient d'un profond sommeil.

— Au contraire, c'est tout à fait naturel, opina Michael Davitt : le Service spécial s'est arrangé pour faire sortir l'un de ses employés du pays.

Alors que ses compagnons jetaient sur lui un regard intrigué, le député manchot ne cachait pas sa satisfaction. L'assurance qu'il affichait amena Charles Parnell à réprimer son profond scepticisme. À la place, il déclara :

— Quelque chose me dit que vous possédez des informations inédites.

— Cela a commencé comme un soupçon : tous les membres des équipes recrutées à Cork ont été arrêtés, alors que les chefs échappaient aux mailles du filet. Ensuite, McDermott m'a visité à la prison de Portland.

— Vous êtes sérieux ? Vous pouvez être accusé de complicité, intervint Dillon.

— Au contraire, cet homme était en mission : sa visite ne visait qu'à me faire énoncer des paroles compromettantes. Je l'ai chassé.

Michael Davitt préférait garder secrète la dénonciation à Jeremiah O'Donovan Rossa, qui avait suivi immédiatement sa libération de prison. Malheureusement, le traître avait échappé aux exécuteurs dépêchés au *J. P. Ryan Saloon*. Mieux valait s'en remettre à un élément de preuve moins compromettant. Avec un air de conspirateur, il sortit une photographie pliée en deux de la poche intérieure de sa redingote.

— Ne me demandez pas comment j'ai reçu l'original : il a parcouru un long chemin. Le bout de papier se trouve dans un coffre très bien caché. Le message provient d'un autre rouquin éminent, le gouverneur Spencer. Le destinataire était Edward Jenkinson, ce mot d'amour a été subtilisé dans son bureau.

La photographie du billet doux un peu scabreux passa entre les mains du chef du Parti parlementaire, puis dans celles de John Dillon.

— Le chef des services de sécurité en Irlande a fomenté des attentats terroristes, murmura Charles Parnell, incrédule.

— De cette façon, William Gladstone peut ajourner indéfiniment toute concession : les Irlandais sont des brutes sanguinaires, indignes de s'administrer eux-mêmes, commenta Davitt.

— Avec cela, la situation change en notre faveur, intervint Dillon. Nous pouvons faire tomber les libéraux dès demain.

— Ce qui serait la pire chose qui puisse nous arriver, répondit le chef du parti. Nous serions pris avec les conservateurs, dont on ne peut rien attendre de bon.

Parfois, les armes secrètes inutilisées se révélaient les meilleures. Au fond, une seule personne devait savoir que la conspiration des services secrets avait été éventée : le premier ministre Gladstone.

— Je partage l'avis de Charles, intervint Davitt à son tour. Mieux vaut avoir à la tête du cabinet une personne sur qui nous possédons une poigne solide.

En disant ces mots, le député serrait son unique main. Ses compagnons devinaient ce sur quoi il imaginait exercer de la pression.

— En réalité, nous le tenons doublement, insista Parnell. Si les bons citoyens de ce pays ne trouvent pas révoltant d'apprendre que leur gouvernement risque des vies innocentes en posant des bombes, la petite histoire de mœurs entre deux personnages éminents fera le reste.

En prononçant ces paroles, le chef du Parti parlementaire fixait Davitt dans les yeux, pour bien lui faire comprendre qu'à côté de cela, son adultère avec Katherine O'Shea paraîtrait bien véniel.

❧❧❧

Londres, mardi 30 octobre 1883

La plus grande ville du monde, Londres, profitait de la présence d'un réseau de chemin de fer métropolitain unique qui, en 1880, accumula quarante millions de passages. Ce « métro » comptait un certain nombre de stations souterraines, et les trains parcouraient de longues distances dans d'étroits tunnels, quoique la majeure partie du trajet se faisait en surface. Un système complexe d'aération assurait que les fumées de charbon ne tuent pas les passagers.

William Lonegan attendit pendant une heure, regardant quelques trains passer devant lui. À ses pieds, un sac de voyage de toile épaisse, fleurie, rappelait un tapis par ses motifs. Des dizaines de milliers de passagers déambulaient sous la grande voûte de briques de la station Farringdon.

L'affluence se révélait particulièrement grande après six heures quand, au bas mot, un million de personnes quittaient leur travail. Tous les jours, le métro permettait à des dizaines de milliers d'entre elles de rentrer à la maison.

William Lonegan apportait la mort sur ce terrain. Sans faire de distinction entre les hommes dans la force de l'âge, les vieillards ou les enfants. Sans se soucier de la présence de nombreuses femmes, des ouvrières, des vendeuses, des domestiques, ou simplement des ménagères rentrant chez elles après avoir fait des courses ou une visite. Des ventres qui enfanteraient des soldats. Tout comme la Grande Famine n'avait épargné personne, la dynamite ne faisait pas de discrimination. Les congressistes du Clan-na-Gaël avaient beau clamer que seuls des symboles souffriraient de ces attaques, le terroriste s'en moquait. Ces notables ventripotents ne faisaient pas la guerre. Lui, si !

À six heures trente, il se décida à prendre le train, dans un wagon bondé de passagers de troisième classe en compagnie d'hommes et de femmes couverts de sueur et de poussière. Après une demi-heure debout, le militant put s'asseoir sur une banquette de bois. Afin de ne pas nuire aux passagers, il poussa délicatement son sac avec ses talons sous son siège. Bien au fond, le bagage passerait inaperçu. À sept heures quinze, l'homme se leva pour offrir poliment sa place à une jeune femme enceinte. Celle-ci, tout sourire, le remercia en ramassant ses jupes autour d'elle afin que personne ne mette le pied dessus. Dans cette corolle de jupons et de toiles, la petite valise se trouvait totalement cachée aux regards.

À sept heures vingt, William Lonegan descendit du train. Dix minutes plus tard, après un arrêt à la station de la rue Praed, au moment où les voitures prenaient de la vitesse, les dix livres de dynamite explosèrent sous l'impact de la balle d'un petit pistolet déclenché par un gros réveil. Le corps d'une jeune femme vola dans les airs alors que la banquette de bois de chêne où elle était assise se trouva réduite en morceaux. Chacun d'eux, précipités à grande vitesse dans cet espace clos, devenaient potentiellement mortels.

Dans ce fracas, le wagon s'ouvrit comme une boîte d'allumettes. Le souffle chaud se répandit dans tout le tunnel, formé d'un long tube de maçonnerie. Soixante-douze passagers projetés les uns contre les autres ou contre les murs de la voiture, ou alors lacérés par les éclats de verre, de métal ou de bois qui fendaient l'air comme autant de projectiles, subirent des blessures sérieuses.

À sept heures quarante et un, la bombe posée par Martin Feeny dans un autre train explosait. Le débardeur s'était montré timide, cherchant un endroit discret où laisser son colis, dans la dernière voiture à peu près déserte. Miraculeusement, malgré l'espace confiné, aucune personne ne fut sérieusement blessée.

❦

Le sergent Thompson frappa à la porte de la rue Malet avec tant de force qu'Édith sursauta au point de répandre la moitié de son verre de sherry sur sa robe. David alla ouvrir lui-même en faisant à Violet un signe qui précisait qu'elle devait retraiter vers la cuisine. Avant de déverrouiller, l'homme prit sa canne déposée à l'entrée pour la tenir par le petit bout, comme une massue.

— Ah! C'est vous, s'exclama-t-il en ouvrant.

— Vous avez mis le temps avant d'ouvrir, fit remarquer le policier en haletant. Suivez-moi. Il y a eu un attentat dans le métro.

David lança sur un fauteuil la veste de velours qu'il portait dans la quiétude de son foyer, pour en revêtir une de laine, plus indiquée pour sortir. Il regagna le fiacre stationné devant la porte. Le sergent Thompson se trouvait déjà assis à un bout de la banquette.

— Les services secrets paient beaucoup mieux que la police, remarqua-t-il. Une très jolie maison, d'après le petit bout que j'ai vu. Je parie que vous avez des domestiques, en plus...

— Que s'est-il passé? lui dit son compagnon avec impatience.

— Une bombe dans le métro, je vous l'ai dit. En fait, deux bombes. Nous allons à la station de la rue Praed, là où les dégâts sont les pires... Un de ces jours, vous me ferez visiter la maison, n'est-ce pas?

Dans l'obscurité, le policier ne vit pas le visage impatient de son passager, mais un sixième sens lui fit comprendre que mieux valait abandonner le sujet. Une demi-heure plus tard, le fiacre fendait la foule massée tout autour de la station du chemin de fer métropolitain, pour s'arrêter près de l'entrée.

— Police, police, répétait Thompson en s'ouvrant un chemin à coups d'épaule.

David se collait à lui pour avancer. Près de la porte, un cordon de police décourageait les plus curieux. À l'intérieur, une cinquantaine de marches permettaient d'accéder aux quais. Le souffle de l'explosion avait éteint toutes les lampes à gaz. Personne n'avait encore osé rallumer de peur que les tuyaux de cuivre aient été rompus. David se dit que cette prudence était totalement inutile : des dizaines de policiers se promenaient avec des lampes à la main, à l'intérieur desquelles vacillait une petite flamme. Si un atome de gaz s'était répandu dans ce grand espace, une seconde déflagration aurait déjà eu lieu.

Quelqu'un devait être arrivé à la même conclusion, car au moment où les deux hommes atteignaient le quai en tâtonnant, un halo de lumière jaune les enveloppa. Un employé des services de transport allumait une première lampe. Dans un moment, on y verrait un peu mieux.

Une odeur de brûlé et une abondante poussière flottaient dans l'air de cette grande salle au plafond en demi-cercle.

— C'est par là, indiqua Thompson en sautant entre deux rails.

Le va-et-vient de policiers et de pompiers leur permit de s'orienter sans mal. Sur des brancards, on sortait des blessés. Les moins durement touchés, ceux qui pouvaient se déplacer sans aide dans une obscurité complète, avaient déjà regagné l'air libre. Les autres, à en juger par leur posture sur les civières, montraient des membres cassés. Des taches sombres, qui devaient être causées par le sang, songea David, marquaient les visages et les vêtements.

Dans le tunnel, les lampes que des policiers avaient posées tous les vingt pieds sur le sol procuraient une clarté faible et vacillante. Le train avait parcouru tout au plus trois cents verges. Au moment de rejoindre les wagons de queue, le silence surtout impressionna l'agent spécial. Non pas que les pompiers travaillassent sans un bruit, car il leur fallait se concerter et déplacer parfois à grands coups de haches des morceaux de bois ou de métal. Mais les blessés, dont le corps était souvent brisé, n'émettaient pas une plainte. Tout au plus murmuraient-ils parfois des supplications ou des prières.

— Monsieur Langevin, j'espère que vous saurez trouver les mots pour vos lecteurs américains. Tous ceux qui, là-bas, laissent ces criminels préparer des attentats portent aussi la responsabilité de ce que vous voyez ici. Les politiciens et les services de police parmi les premiers!

Au timbre de la voix, David reconnut Dolly Williamson. Le sergent Thompson l'avait conduit tout droit vers le commissaire.

— Je verrai cela demain. Pour le moment, je vais essayer d'aider un peu.

Sans prolonger la discussion, il alla rejoindre un groupe de pompiers qui essayaient de soulever une pièce de bois afin de libérer une jeune femme. Dans la pénombre, ses traits demeuraient indistincts. De sa bouche s'échappait une plainte très faible. Par-dessus tout, David craignait qu'elle ne s'éteigne avant qu'on ne la sorte de ce trou.

Londres, mercredi 31 octobre 1883

Le nombre réel des blessés ne fut jamais exactement connu. Les moins touchés rentrèrent chez eux tant bien que mal par leurs propres moyens, quitte à demander à un médecin de venir à la maison panser leurs blessures. Soixante-douze personnes, toutes des victimes de la station de la rue Praed, durent être conduites à l'hôpital St. Mary's, situé à peu de distance du lieu de l'attentat, dans le quartier Paddington. Les journaux du matin ne signalaient aucun décès. Les autorités avaient peut-être invité les entreprises de presse à la discrétion afin de ne pas affoler la population. Cependant, en circulant entre les lits le lendemain matin, David devinait que certains ne survivraient pas. Les fractures multiples, sans compter les blessures internes causées par le souffle de l'explosion, entraînaient souvent des dégâts irrémédiables.

Le ministre de l'Intérieur, George Harcourt, se présenta sur les lieux vers midi, en compagnie de son épouse Elizabeth Ives et d'un groupe de hauts personnages. Pendant quelques minutes, cet homme important alla d'un lit à l'autre réconforter les blessés. Fils d'ecclésiastique, présentant un visage glabre, à part un collier de barbe qui lui couvrait le cou, une allure à la mode chez les quakers du XVIIe siècle, il avait pourtant du mal à adopter les manières onctueuses des gens d'église devant le malheur d'autrui. Sans grandes aptitudes pour ce genre de représentation, le ministre profita de l'occasion quand le journaliste, au chevet d'un homme inconscient sur un autre lit, prononça :

— Sir George, je me présente, David Devlin, correspondant du *Tribune*, un journal new-yorkais...

— Je connais ce journal, et même vos écrits.

À son ton, cela ne signifiait pas qu'il en appréciait nécessairement le contenu.

— Vous accepteriez de répondre à mes questions ?

Un fonctionnaire se précipitait pour chasser l'importun, inquiet déjà de ne pas avoir mieux rempli son rôle, soit rendre le grand homme inaccessible. Il s'arrêta en entendant Harcourt répondre :

— Pourquoi pas. Je peux vous accorder quelques minutes.

Le journaliste obtenait cette entrevue exclusive à cause du malaise du politicien d'âge moyen devant ces travailleurs estropiés. Ces gens étaient si étrangers à la classe sociale du politicien, que jamais, dans une autre circonstance, celui-ci ne leur aurait adressé la parole. Un correspondant à l'accent yankee se révélait une accointance à peine moins improbable, mais à tout le moins il ne râlait pas.

— Sir George, quels sentiments voulez-vous exprimer aux lecteurs américains, à la suite des événements d'hier soir?

— … Le dégoût, le plus grand dégoût devant cette attaque lâche et méprisable contre des personnes innocentes et sans défense.

— Personne n'a réclamé la responsabilité de cet attentat. Vous soupçonnez quelqu'un?

— Vous êtes mal informé. Cette attaque a été annoncée dans tous les journaux américains en juin dernier. Le Clan-na-Gaël n'a pas dissimulé ses intentions d'entreprendre une campagne de terreur au Royaume-Uni.

Cette attitude outrée chez un politicien qui ne pouvait ignorer que ses propres services fomentaient des attentats terroristes montrait l'étendue de son cynisme. La conversation ne durerait pas longtemps, car la colère grondait sous l'accent de la région d'Oxford du ministre.

— Les services de police vont privilégier cette piste? demanda le journaliste.

— Évidemment! Comme dans le cas des attaques perpétrées depuis le début de l'année, des agitateurs américains viennent tuer des innocents.

Le temps qui lui était imparti s'achevait; David demanda pour conclure:

— Par ma plume, vous pouvez atteindre des lecteurs des États-Unis. Si vous aviez ces gens devant vous, qu'aimeriez-vous leur dire?

— … Mon étonnement. Nous sommes des nations amies, nous partageons les mêmes origines et une longue histoire. Pourquoi les autorités américaines laissent-elles certains de leurs citoyens préparer impunément le meurtre de personnes sans défense? Et pas dans la clandestinité, mais bien au vu et au su de tous.

La question s'avérait toute rhétorique, le politicien connaissait très bien la réponse. Les États-Unis appliquaient une leçon apprise du Royaume-Uni. Au moment de la guerre de Sécession, ce pays avait appuyé les États confédérés du Sud contre le Nord. Les Américains constituaient une nation en pleine ascension et les Britanniques avaient encouragé cette division pour l'affaiblir. C'était le vieux principe du «diviser pour régner», toujours appliqué avec une efficacité cruelle dans tous les coins de l'Empire.

En laissant les révolutionnaires irlandais agir librement sur son sol, le gouvernement américain rendait la monnaie de sa pièce à son illustre concurrent.

— Mais sir George, j'ai été soldat pendant la guerre de Sécession. Les lecteurs américains à qui vous faites ce reproche se souviennent certainement que vous-même, personnellement, avez appuyé les Sudistes il y a vingt ans. C'est d'ailleurs un gouvernement dirigé par Gladstone, votre chef actuel, qui a payé un dédommagement aux États-Unis quelques années après le conflit. Mes lecteurs s'étonneront à bon droit de votre étonnement.

La face glabre du politicien pâlit de colère, puis il tourna les talons. Les remerciements de David pour cet entretien inopiné s'adressèrent à un dos qui s'éloignait. Un peu plus tard seulement, l'agent spécial réalisa avoir laissé un souvenir indélébile à son grand patron, car le responsable du Service spécial était le ministre de l'Intérieur.

Pendant des heures, le journaliste multiplia les entrevues avec les blessés, cherchant à décrire le cours d'une vie ordinaire brisé soudainement par un acte de folie meurtrière. Toute la soirée, la nuit et la journée du lendemain se passèrent à rédiger des articles : pour une fois, l'entraînement physique auquel il s'astreignait servait à autre chose qu'à se battre dans une ruelle.

≈❦❦≈

Pris dans sa frénésie d'écriture, les repas procuraient à David ses seuls moments de repos. Au petit déjeuner, Édith demanda :

— Personne n'est encore mort ?

— Non, mais cela ne saurait tarder. Le pire c'est que dans deux jours nul n'y prêtera attention. Les journalistes se passionneront pour une nouvelle histoire : huit cents Zoulous massacrés par les troupes de Sa Majesté pour accomplir l'œuvre civilisatrice de l'Empire, les velléités d'indépendance des républiques hollandaises d'Afrique du Sud, une révolte en Afghanistan. Tu as le choix.

— Tu manques de cynisme pour couvrir des événements de ce genre. Tu devrais proposer une chronique sur le théâtre : au moins, nous sortirions un peu. Ou alors t'en tenir à faire des petits tours en sous-marin. Tu te souviens de ta visite au New Jersey ?

— Bien sûr, j'ai failli mourir de peur.

Édith se leva pour aller chercher les journaux achetés la veille qui se trouvaient entassés sur une petite table. David n'avait pas encore eu le temps de les parcourir. Elle chercha une page à l'intérieur du *New York Herald*, vieux de douze jours, pour lire :

— « Craignant de perdre tout l'argent investi dans sa mise au point, le Clan-na-Gaël a décidé de se saisir du Bélier fénien, le sous-marin mis au point par John P. Holland. Cette extraordinaire machine sera entreposée à New Haven, au Connecticut, en attendant que les tribunaux tirent au clair le problème de sa propriété. » Cette pièce littéraire est signée par mon admirateur, le général Francis Frederick Millen.

— « Se saisir », cela doit être une façon gentille de dire voler ?

— C'est ce qu'il faut comprendre entre les lignes. Les responsables de cette mission nocturne se sont avérés de piètres navigateurs. Si le Bélier fénien est arrivé au Connecticut, son petit frère de dix pieds de long a été perdu en mer.

Un moment, David supputa la frayeur qu'il aurait éprouvée enfermé dans un appareil ne faisant pas deux fois la longueur d'un cercueil. Au moment où il allait monter dans sa bibliothèque pour se remettre à l'écriture, Violet entra dans la salle à manger les joues rouges d'excitation pour lancer tout à trac :

— Mon frère se trouve dans la cuisine. Ma mère a reçu ceci.

Plein d'initiative, le gamin était passé par la ruelle pour entrer par la porte donnant sur le jardin, comme la plupart des fournisseurs effectuant des livraisons. Sa visite passa tout à fait inaperçue. Au moment de prendre le bout de papier, David remarqua que la petite bonne se révélait un peu moins maigrichonne qu'au moment de son arrivée dans la maison. La nourriture à peine comestible de la cuisinière se révélait à tout le moins nourrissante.

— Tu lui diras merci pour moi, Violet, et voici pour la course.

La pièce de cinq pence atterrit dans la paume de la jeune fille alors qu'Édith s'essuyait les lèvres avec sa serviette. Un instant plus tard, elle s'installait dans un coin de la bibliothèque avec la copie du lugubre roman *Les Mystères de Paris*, le télégramme et quelques feuilles de papier. Pendant ce temps, son mari reprenait son travail de rédaction derrière son bureau.

Après quarante minutes à travailler chacun de leur côté, Édith s'approcha avec une feuille de papier. Les séries de cinq lettres sans signification étaient devenues trois lignes d'une écriture élégante : «La trésorerie a reçu une lettre d'une certaine Màire Feeny, épouse de Martin, un débardeur de New York. Elle explique que son mari est en mission pour

Devoy. Elle a reçu une allocation pour soutenir la famille en juillet et en août. Depuis, plus rien. »

— Bien sûr, j'ai interprété les abréviations et ajouté la ponctuation.

— Je n'en attendais pas moins de toi, ironisa David. Tu vas brûler le télégramme…

— … et les notes que j'ai prises, je sais. Tu m'as appris tout cela il y a dix-huit ans. Tu crois que c'est important ?

— Après le feu d'artifice de mardi dernier, c'est vital. Je dois aller au Service spécial, j'en serai quitte pour écrire cette nuit encore. Je passerai au bureau du télégraphe en revenant.

~❧~

Une agitation fébrile régnait dans les bureaux de Scotland Yard. Des centaines de policiers tentaient de trouver les passagers du métropolitain, afin d'avoir des informations sur les terroristes. Déjà, les préposés à la vente des billets avaient été cuisinés pendant des heures, sans succès. Plusieurs hommes avec une valise à la main utilisaient ce mode de transport. L'abondance de ceux-ci faisait en sorte qu'on ne les remarquait plus.

Le commissaire se trouvait dans son bureau. Il accepta tout de suite de recevoir le journaliste, même si sa contribution à l'enquête en cours paraissait bien accessoire. Cette impression changea totalement en un instant.

— Je connais l'identité de l'un des membres de l'équipe de terroristes, déclara David en lui tendant une feuille de papier.

L'autre la lut, puis demanda, sceptique :

— Vous êtes certain que c'est l'un d'eux ?

— Les dates concordent. L'homme a été recruté par Devoy, nous savons que c'est lui qui a expédié ces dynamiteurs. Les révolutionnaires subviennent aux besoins de leurs soldats et des familles de ceux-ci. Cette dame a attiré l'attention parce que la nouvelle direction du Clan néglige les engagements de la précédente. Ces gens-là sont à couteaux tirés, ce qui explique pourquoi cette famille a été abandonnée.

— Ce Martin Feeny vous dit quelque chose ?

— J'y ai pensé pendant tout le trajet jusqu'ici. Je ne me souviens de personne de ce nom. Je vais envoyer un télégramme à mon beau-père tout à l'heure, pour être certain.

Le commissaire leva les sourcils pour exprimer qu'il ne comprenait pas le rapport entre la belle-famille et cette conversation.

— Le vieil homme connaît tous les révolutionnaires de New York. Si ce Feeny a seulement participé à l'organisation d'un pique-nique, il le saura.

— De mon côté, je peux demander à tous les hommes de porter une attention spéciale à ce nom en visitant les hôtels, les maisons de chambres et les pubs, mais ce type ne se révélera jamais assez stupide pour se priver d'un alias.

— ... Pouvez-vous enquêter du côté de New York ?

Williamson répondit après une pause :

— Cela doit pouvoir se faire. J'en toucherai mot à Jenkinson. Pourquoi ?

— Je suppose qu'il sera possible de localiser la famille d'un débardeur appelé Martin Feeny. Avec un peu de chance, en connaissant ses meilleurs amis et le cercle révolutionnaire dont il fait partie, peut-être remontera-t-on jusqu'à d'autres membres de l'équipe.

— Vous seriez prêt à faire ce travail ? demanda le commissaire.

David ne réfléchit qu'une fraction de seconde avant de répondre :

— Je pense que les articles que je prépare actuellement seront utiles, alors que n'importe qui pourrait faire ce travail de policier. Tenez, le sergent Thompson saurait sans doute passer des ruelles de Londres à celles de New York.

Surtout, David ne tenait pas à passer vingt jours en mer, seul, pour se livrer à ce petit travail de routine. Et si le sergent se trouvait à l'autre bout du monde, cela l'empêcherait de venir frapper à la porte de la maison de la rue Malet qu'il comptait pouvoir visiter.

— J'y penserai, conclut le commissaire. Mais comment diable avez-vous mis la main sur une information comme celle-là ?

— Au cours de mon existence, j'ai rendu quelques services. Parfois, une personne se souvient.

— Vous n'en direz pas plus ?

— Jamais.

Après une réponse pareille, la conversation prit fin de façon abrupte.

❧❦❧

Londres, samedi 10 novembre 1883

Au lieu de recevoir Katherine O'Shea dans son élégant salon de la somptueuse maison de Belgravia Square, le premier ministre lui avait demandé cette fois de passer directement de son fiacre au grand carrosse tiré par deux chevaux, avec un cocher en livrée. Sur les portières, le monogramme du grand homme permettait de déterminer à qui appartenait ce carrosse. Pendant de longues minutes, la conversation porta sur différents sujets, un babillage innocent, comme si son interlocuteur tenait à retarder le moment d'aborder les questions sérieuses.

Quand le cocher prit le chemin Whitechapel, la jeune femme s'inquiéta :

— Monsieur Gladstone, vous pourriez être victime d'un attentat. Vous promener dans ce quartier sans aucune protection est imprudent.

— Comme il s'agit d'un déplacement tout à fait imprévu, je ne risque rien. Puis le cocher est bien armé.

Un peu plus tard, alors que la voiture s'arrêtait, le premier ministre prit quelques brochures à ses côtés et descendit. Des rideaux aveuglaient les fenêtres des portières. Katherine en souleva un coin afin de surveiller ce qui se passait.

Le vieil homme s'approcha d'une première jeune femme dont les seins sortaient totalement au-dessus du corsage et lui tendit l'un des petits livrets en disant :

— Madame, abandonnez cette vie de déchéance et de vice pour revenir dans la maison de Dieu. Vous trouverez à la dernière page l'adresse d'une maison où l'on vous aidera.

Interdite, la prostituée accepta l'opuscule, puis une seconde jeune femme se fit interpeller avec un sermon sur l'amour infini du Créateur pour ses brebis égarées. Chaque femme recevait ces paroles étonnantes en silence, tout au plus certaines murmuraient un merci hésitant. Le cocher faisait avancer très lentement sa voiture au rythme des pas du politicien. L'opération prit une tournure nouvelle quand une putain un peu plus âgée jeta la brochure par terre en disant :

— Vieux pervers, cela te fait bander de venir nous reluquer les tétons en parlant de Dieu ?

— Je commence demain comme femme de chambre auprès de ta bourgeoise ? hurla une autre, enhardie.

— Pardon ?

Le politicien avait beaucoup perdu de sa superbe. La première prostituée reprit :

— Tu veux que nous quittions la rue. Vas-tu nous engager dans ton château, mon mignon ?

— Ne t'en fais pas, quand Madame dormira, nous irons toutes te rejoindre, enchaîna la plus âgée en prenant ses seins gros et flasques entre ses mains pour les soulever, les presser l'un contre l'autre et diriger les mamelons vers le visage du vieil homme, tout en plissant les lèvres de façon à mimer l'action de sucer.

Gladstone laissa tomber sur le sol les dernières brochures qui lui restaient pour tourner les talons et revenir vers sa grande voiture. Au moment de prendre place sur la banquette opposée à celle de la jeune femme, il expliqua :

— Cela arrive parfois. Toutes les femmes ne sont pas prêtes à revenir à leur Créateur.

— Si une seule d'entre elles est sauvée grâce à votre intervention, cela justifie tous les efforts de votre vie.

L'obscurité dissimulait le sourire moqueur sur ses lèvres, alors que sa voix paraissait la plus sérieuse du monde. Cette habitude du premier ministre de courir les rues, la nuit, pour ramener à Dieu les brebis égarées lui valait les commentaires les plus cyniques de ses opposants politiques. Cela tenait assurément à une perversion curieuse. Surtout, Katherine se demandait pourquoi le vieil homme avait tenu à se donner en spectacle de cette façon. Croyait-il avoir trouvé là un moyen subtil d'aborder avec elle le sujet de la sexualité ?

Sur le chemin du retour, le premier ministre consentit enfin à en venir à l'objet de leur tête-à-tête :

— Pourquoi avez-vous demandé à me voir ce soir ?

— Charles Parnell s'inquiète de constater que la nouvelle loi électorale n'a pas encore été soumise au cabinet. Les débats devant les deux chambres prendront du temps. Si vous voulez la voir adoptée avant les prochaines élections, le temps presse.

— Nous avons fait la campagne de propagande dans les journaux, comme prévu. Mais avec les événements survenus il y a dix jours à peine...

Lors de leur préparation en vue de ce rendez-vous, la jeune femme et son amant avaient longuement discuté d'une réponse à ce genre d'argument :

— Mais monsieur Gladstone, comme nous savons tous les deux que les attentats commis depuis janvier dernier ont été fomentés par vos services, nous sommes en droit de nous demander s'il n'en va pas de même pour le dernier.

La voix très douce ajoutait une dimension dramatique à ses paroles. Le premier ministre demeura un moment interdit, avant de répondre d'une voix chargée de colère :

— Des articles de journaux américains ont affirmé cela, sur la base d'un bout de papier censément trouvé sur un tueur. Répéter une pareille insanité est criminel. Si le Parti parlementaire s'engage dans cette voie, j'ai bien peur que toute collaboration avec lui devienne impossible.

— Monsieur Gladstone, nous sommes deux adultes bien informés, personne ne nous entend. Alors abandonnons les phrases toutes faites pendant un moment. Nous savons que James McDermott a agi sous les ordres d'Edward Jenkinson.

— C'est ridicule, il a été condamné à vingt ans de prison.

La dénégation sonnait faux, cet argument était le plus mauvais que le politicien pouvait utiliser.

— Pour s'évader quelques semaines plus tard du poste de police, déguisé en charbonnier. Tout de même, vous auriez pu faire exploser un mur. Vous n'étiez pas à un bâton de dynamite près, et cela aurait paru tellement plus plausible.

— Arrêtons là nos discussions, si vous déraisonnez. Vous aurez rejoint votre voiture très bientôt. Vous direz à monsieur Parnell...

— Pas un mot de plus, Monsieur le Premier Ministre.

La voix, autoritaire, lui imposa le silence. La jeune femme chercha dans ses jupons une enveloppe, elle la tendit au vieil homme curieusement troublé par le froissement du tissu :

— Quand vous y verrez clair, vous trouverez la photographie d'un billet du comte Spencer à son chef de la sécurité. Le premier y exprime le désir d'enculer le second...

— Madame !

— Je sais, je ne devrais même pas savoir que des choses de ce genre existent. Mais il semble bien que oui, même chez des membres éminents du Parti libéral. Cela suffirait à faire tomber votre gouvernement et à conduire ces deux personnes en prison : ce qu'ils font est défendu par la loi. Mais n'ayez crainte, tout le monde au Parti parlementaire gardera éternellement le secret sur ces turpitudes.

Si le politicien avait réellement voulu amener la discussion sur les mœurs sexuelles de ses contemporains en faisant de la jeune femme le témoin de son expédition dans White-chapel, ses attentes étaient satisfaites. D'une voix blanche, il demanda :

— Où voulez-vous en venir ?

— Ce billet fait aussi allusion aux liens entre Jenkinson et McDermott.

— Vous m'amenez une photographie. Cela peut-être un faux.

— Pour être sûr que personne n'ait voulu abuser de la crédibilité du Parti parlementaire, pendant des semaines on a cherché des échantillons d'écriture du compte Spencer. Les spécialistes pensent que ce billet est authentique. Puis le contenu fait écho aux rumeurs qui circulent sur les mœurs du locataire actuel de la maison vice-royale de Dublin. Si l'original refait surface, nous croyons que l'effet sera dévastateur. Une véritable bombe.

Katherine reprenait là les mots de Charles Parnell au moment où il avait décrit sa conversation avec Michael Davitt et John Dillon.

— Vous me faites chanter, grommela le premier ministre.

— Ne tirez pas sur le messager. Je viens simplement vous transmettre une inquiétude qui taraude Charles Parnell. L'un de vos ministres a pris l'initiative de fomenter des attentats pour vous permettre d'ajourner indéfiniment la création d'un gouvernement autonome en Irlande. Même si tout indique que le dernier attentat vient d'une initiative américaine, le Parti parlementaire n'acceptera pas de délai supplémentaire dans l'élargissement du droit de suffrage chez les catholiques irlandais.

Bien sûr, une stratégie impliquant la manipulation de terroristes ne pouvait avoir été adoptée ailleurs que dans le bureau du premier ministre. Cependant, la jeune femme préférait lui offrir la possibilité d'en accuser plutôt un subalterne. Gladstone opposa :

— Avec la condamnation unanime du dernier outrage par la population du pays, cela peut me coûter le pouvoir !

Les journaux rapportaient depuis quelques jours des agressions contre les Irlandais vivant au Royaume-Uni, ainsi que des incendies des locaux d'associations de solidarité ou de loisir tout à fait étrangères au terrorisme. Le Clan-na-Gaël paraissait près d'atteindre son objectif : déclencher une guerre de races dont l'ampleur rendrait impossible tout accord politique ultérieur.

— Le Parti parlementaire condamne aussi cet attentat, comme il a condamné ceux que vos services ont fomentés l'hiver dernier. Ses chefs sont prêts à courir le risque de votre défaite, conclut la jeune femme en réprimant un rire narquois.

Le carrosse du premier ministre se trouvait de retour depuis un moment devant la maison de Belgravia Square.

— Je dois réfléchir, consulter.

— Bien sûr. Nous attendrons votre réponse dans les journaux libéraux, puis à la Chambre des communes. Les mêmes voies permettront au Parti parlementaire de vous donner la réplique.

La jeune femme lui souhaita le bonsoir, reçut une réponse murmurée, puis sortit du carosse. Dans le claquement sec de ses talons sur le trottoir elle regagna le fiacre de son amant, exténuée et un peu honteuse de la façon dont elle avait manœuvré, mais en même temps surprise de son efficacité à ce jeu.

15

David pouvait bien proposer que son collègue Thompson, du Service spécial, soit dépêché à New York afin de trouver la trace de Martin Feeny. Le major Gosselin et, ultimement, Edward Jenkinson, décrétèrent que celui qui avait le premier abordé le sujet devait s'y coller.

— Le salaud… commenta Édith en entendant la nouvelle du prochain départ de son mari au-dessus d'un plat de rognons que la cuisinière galloise considérait comme l'un de ses grands succès. Et non, je ne t'accompagnerai pas, pour la même raison que la dernière fois, continua l'épouse après une pause.

— Je comprends. Même si cela me déplaît d'en convenir, le commissaire a raison. Je connais les usages aux États-Unis, de même que ceux des féniens là-bas. Un personnage comme le sergent Thompson serait aussi aisément reconnaissable à New York qu'un Sioux en costume d'apparat dans Trafalgar Square.

— Mais la décision vient tout de même de ton bon ami Jenkinson. Son premier motif pour t'envoyer là-bas est le fait que tu ne voulais pas y aller.

Cela se pouvait bien. Le lendemain, après avoir fait la bise à une épouse maussade, David reprenait son sac de voyage de cuir — bientôt il ne se donnerait plus la peine de le vider entre deux déplacements — pour se diriger vers la gare Euston. Douze jours plus tard, après de longues journées de navigation passées à noircir du papier, l'homme renouait avec le patronyme de Devlin et reprit la même chambre de l'hôtel *Albany*.

Le lendemain, 24 novembre, vêtu d'une veste de laine un peu râpée, l'agent spécial monta dans un tramway afin de se diriger vers l'est de la ville, où se concentraient les activités portuaires du commerce transatlantique. Une consultation préalable du bottin commercial lui avait permis d'apprendre l'existence de la Société bienveillante irlandaise des employés du port. Contre une contribution hebdomadaire modeste, les membres d'organisations de ce genre obtenaient des soins et même des allocations de secours en cas de maladie ou de blessures. Martin Feeny était susceptible d'en faire partie.

Au milieu de l'après-midi, David aperçut le grand panneau de bois aux couleurs de la Société bienveillante, suspendu au-dessus de la porte d'un petit immeuble de briques de la rue Dover. Au-dessus de l'édifice se découpait l'amorce du majes-tueux pont de Brooklyn, l'un des plus imposants ouvrages de génie au monde. À l'intérieur, un homme amputé de la jambe droite se tenait derrière un comptoir inondé de papiers. Cet ouvrier estropié par un accident de travail devait sa subsis-tance à une conversion tardive et inattendue au travail de bureau, à en juger par la difficulté qu'il éprouvait à remplir un formulaire.

Après un moment, le client qui requérait son aide pour compléter sa demande de remboursement de frais quitta les lieux en boitant. David lui succéda au comptoir et commença en gaélique :

— Monsieur, je suis à la recherche d'un compatriote, Martin Feeny. Je crois qu'il est membre de votre association.

— Que lui voulez-vous ? répondit l'autre d'un ton peu amène.

— Je suis le porteur de bonnes nouvelles : un héritage. Je m'appelle Thomas O'Neil, avocat. Monsieur Feeny avait de la famille en Irlande. Un oncle lui a laissé un bout de terre.

— Ne me dites pas qu'il va devenir propriétaire terrien,

tonna l'autre d'une voix bourrue… et profondément sceptique.

— Un bien petit propriétaire, déclara le faux avocat en
riant. Mais tout de même, cela vaut quelques livres.

Le commis regardait son interlocuteur avec insistance,
soupçonneux. L'usage du gaélique, la veste élégante, bien que
trop usée, la cravate un peu de travers, tout chez lui rendait
son personnage crédible : un avocat d'origine irlandaise qui
gravissait péniblement l'échelle sociale américaine, plutôt
abrupte pour les immigrants catholiques.

— J'ai essayé de le trouver dans un logement de la rue
Christie, c'est l'adresse que sa famille habitant en Irlande m'a
transmise. Quand je me suis rendu à ce logement, on m'a dit
qu'il avait déménagé. Si vous pouvez me donner sa nouvelle
adresse, cela me facilitera les choses.

— Je ne peux pas donner de renseignements personnels
sur l'un de nos membres.

— Comme c'est dommage. Je suis bien certain que ce
petit héritage lui rendrait service.

David fit mine de partir. Le commis eut alors une idée :

— Mettez une annonce dans un journal irlandais de la
ville, lui demandant de se rendre à votre bureau. Lui ou l'une
de ses connaissances la verront certainement.

— J'y ai bien pensé. Je crains cependant que la moitié des
Irlandais de New York ne s'y présentent en prétendant s'appeler Feeny. Je n'aurais aucun moyen de trouver le bon dans
la foule.

— Je comprends. Moi-même, je serais tenté… Attendez
voir un moment.

L'homme s'aida de son unique jambe pour faire rouler sa
chaise jusqu'à un meuble de chêne contenant une douzaine
de petits tiroirs. Le temps d'ouvrir l'un d'eux, de chercher
du bout des doigts une fiche en particulier, le commis dit :

— La voici… mais j'ai peur que cela ne serve à rien. Votre
client n'a pas payé sa contribution depuis le début du mois
de juin. Je crains qu'il ait quitté New York.

— Peut-être a-t-il simplement changé d'emploi. Débardeur, c'est probablement l'occupation la plus difficile et la plus dangereuse. Si vous me donnez l'adresse, je passerai chez lui, pour en avoir le cœur net.

— 133, sur la rue Mulberry. Ce n'est pas très loin d'ici.

— Merci, fit le visiteur en remettant son chapeau melon sur son crâne.

Alors qu'il quittait les lieux, le commis lui lança :

— Si vous le retrouvez, dites-lui qu'il me doit un verre.

— Je n'y manquerai pas. Merci encore.

Trente minutes plus tard, David marchait sur la rue Mulberry, étroite, sale et sombre. Des deux côtés, des édifices hauts de cinq ou six étages présentaient des murs de briques brunes percés de fenêtres étroites, la plupart sans aucun rideau. Des enfants dépenaillés se tenaient sur les trottoirs, en posant sur lui des yeux curieux. Pas un seul n'avait plus de onze ou douze ans, car ceux qui étaient plus âgés, garçons et filles, devaient se trouver au travail.

Le 133 offrait le même aspect délabré que les immeubles voisins. Dans l'entrée, une feuille à demi effacée donnait le nom des locataires. Martin Feeny occupait l'appartement numéro sept. David gravit l'escalier crasseux où régnait une odeur tenace de choux et d'excréments. Les toilettes communes, au rez-de-chaussée, ne possédaient vraisemblablement pas de chasse d'eau en état de fonctionner.

Au deuxième étage, David frappa au numéro sept. La réponse tarda à venir. Après quelques instants la porte s'ouvrit sur une jeune femme blonde aux cheveux sales et filasse. Elle devait avoir trente ans, ou juste un peu plus, mais ses traits présentaient une dureté qui ne venait, en d'autres quartiers plus cossus, qu'avec le grand âge.

— Madame Feeny, Martin Feeny ?

— … Oui. Que me voulez-vous ?

— Thomas O'Neil, se présenta le visiteur en enlevant son chapeau, puis en faisant un curieux mouvement de la main près de son oreille, le signe de reconnaissance des membres du Clan.

Si son époux avait partagé avec sa femme ce petit rituel, elle n'en laissa rien paraître. Après un moment à attendre une invitation à entrer, l'intrus finit par déclarer :

— Je dois vous parler discrètement, à propos de l'association.

— ... C'est bon, suivez-moi.

Cet appartement donnait sur la cour arrière de l'édifice. Il comptait deux pièces. L'une contenait trois lits défoncés, si près les uns des autres que toute circulation devenait impossible, l'autre servait à la fois de cuisine, de séjour, de salle à manger et d'atelier de travail. Elle seule bénéficiait d'une fenêtre, un luxe rare. D'autres appartements de cet immeuble devaient en être totalement dépourvus. Privés de lumière et d'air frais, ils devenaient des trous fétides.

Les trois enfants du couple Feeny se tenaient alignés contre le mur, intimidés par cette présence inconnue. Le plus jeune, un garçon, devait avoir deux ans tout au plus. Il portait pour tout vêtement une camisole sale et déchirée. Une fillette, un peu plus pudiquement couverte, devait avoir cinq ans, et l'autre garçon, environ huit ans. Ce dernier regardait l'intrus avec des yeux chargés de méfiance.

Pour briser le silence, David demanda :

— Vous faites de la couture à la maison ?

Cette femme aidait à nourrir sa famille. Une machine à coudre se trouvait placée contre l'unique fenêtre, afin que la couturière puisse profiter au maximum de la lumière naturelle. Sur le plancher, deux boîtes de carton contenaient des pièces de vêtements.

— Je pose des cols à des chemises, expliqua-t-elle.

Dix heures par jour pour un tel travail pouvaient rapporter quelques sous, tout au plus. Voilà le sort qui attendait les milliers d'Irlandais qui, tous les ans, prenaient pied sur la côte américaine. Pourtant, cette cruelle réalité leur semblait meilleure que la vie sur une parcelle de terre de leur pays d'origine.

— Je peux vous parler seul à seule? demanda David en regardant en direction des enfants. Cela prendra tout au plus quelques minutes.

— Allez sur le palier, ordonna la mère aux deux plus vieux.

Le plus jeune, absorbé dans la dégustation du filet de morve qui lui allait du nez à la bouche, ne comprendrait rien à la conversation.

— Assoyez-vous, indiqua doucement David en prenant lui-même place sur une chaise branlante.

Elle obtempéra, les yeux chargés d'inquiétude. Le visiteur enchaîna:

— Je viens vous voir de la part du Clan-na-Gaël. D'abord pour vous présenter des excuses pour le retard dans le paiement de l'allocation. Maintenant, tout est rentré dans l'ordre?

— Oui, oui.

— Combien vous donne-t-on par semaine?

L'autre marqua une hésitation à l'idée de révéler la pitance qui devait permettre de faire vivre sa famille, et se demanda un instant si elle devait profiter du moment pour tenter de la faire augmenter:

— Au moment de partir, Martin avait parlé de cinq dollars. C'est peu.

— Écrivez pour demander plus. Insistez sur le nombre de vos enfants, les risques courus par Martin. Est-ce que le centre vient s'assurer que vous n'avez besoin de rien?

— ...

— Le centre, le chef de son organisation irlandaise locale.

— Non, je ne l'ai jamais vu.

— Quel négligent. Je vais aller lui parler sans attendre. Vous pouvez me rappeler son nom?

La jeune femme se mordit la lèvre inférieure. À la fin, elle émit d'une voix faible:

— Allez-vous-en. Vous me faites peur.

Alors que celui-ci tentait d'obtenir des informations supplémentaires, l'incongruité de la démarche de cet homme lui sautait aux yeux.

Insister provoquerait une scène désagréable. L'intrus chercha dans sa poche, sortit un billet de cinq dollars et le laissa sur la table en sortant. Le Service spécial, aux abois à cause d'un dynamiteur en mission au Royaume-Uni, ferait cette obole à l'épouse.

En passant sur le palier, David reconnut la petite fille du couple. Quant au garçon, il s'était volatilisé.

❧❧

Fin novembre, la nuit tombait vite sur New York. Au moment d'atteindre l'intersection de la rue Bayard, une artère plus importante, David constata qu'un employé municipal allumait les réverbères au gaz, le long du trottoir. Plus loin, l'agent spécial s'engagea sur la rue Roosevelt et continua vers le sud jusqu'à rejoindre la rue Chambers.

À la pauvreté abjecte de la rue Mulberry succédait la richesse toute relative d'une artère commerciale où des établissements plus ou moins légitimes attiraient les badauds. Les débits de boisson étaient particulièrement abondants. Pour se distinguer de la compétition, certains offraient des combats de coqs ou de chiens aux amateurs. Un moment, David fut distrait par une affiche proposant de parier sur le nombre de rats qu'un petit terrier pouvait tuer en l'espace d'une minute. Au moins, ce spectacle revêtait une certaine utilité sociale en permettant l'élimination de la vermine. D'un autre côté, admirer un petit chien au fond d'une fausse où pullulaient les rongeurs lui paraissait une curieuse façon de passer la soirée.

— Monsieur, vous semblez bien curieux des activités de notre ami Martin Feeny! murmura quelqu'un à ses côtés.

L'homme avait paru porter un intérêt véritable à l'affiche représentant le chien exterminateur de rats, mais en prononçant le premier mot il avait enfoncé le canon de son revolver dans le flanc de sa victime. Dans un automatisme longuement cultivé, la main de l'agent spécial se déplaça vers le bas de son dos. Un autre homme lui immobilisa le poignet en le saisissant à travers la veste de laine.

— Pas de cela. Je veux voir vos deux mains. Vite.

Alors que David posait ses mains contre la vitrine devant lui, l'autre alla récupérer le petit revolver entre ses reins. Pour les badauds, le trio devait passer pour des fêtards particulièrement intéressés par les exploits des chiens terriers. Ou alors ils comprenaient qu'un homme se trouvait menacé par deux malabars et ils préféraient éviter les ennuis en passant leur chemin.

— Nous avons une voiture. Vous allez venir avec nous, ou nous vous abattons sur place.

Un moment, David pensa se dégager de leur poigne d'un mouvement violent et se mettre à courir, mais à cette distance, cela lui vaudrait à coup sûr une balle dans le flanc. Le genre de blessure dont on mourait toujours, le plus souvent après quelques jours de souffrance.

— Que me voulez-vous? questionna-t-il.

— Discuter avec vous de Martin Feeny, puisque le sujet vous intéresse. Retournez-vous doucement et allez vers le fiacre.

Une voiture était rangée le long du trottoir de la rue Chambers, alors que les autres cochers ou charretiers hurlaient des insultes à l'idiot qui bloquait la circulation. L'homme qui s'était emparé de son petit revolver monta le premier, David dut s'asseoir à côté de lui. L'autre agresseur s'installa sur le marchepied du fiacre, agrippa la tige de métal qui courait tout autour du toit pour empêcher les bagages de tomber, puis ordonna au cocher de se mettre en route.

— Où allons-nous? demanda David à l'homme assis près de lui.

— Vous le saurez bien assez tôt, croyez-moi.

— Dans les locaux du Clan-na-Gaël, sur Union Square, ou ceux de Jeremiah O'Donovan Rossa, tout près d'ici, sur cette rue ?

— Qu'est-ce qui vous fait croire que ces messieurs du Clan souhaiteraient vous voir ?

La voiture quitta la rue Chambers pour emprunter une petite artère sombre et déserte. Le lieu idéal pour une exécution discrète. Afin de tenir sa victime en joue, son agresseur se tenait un peu de travers sur la banquette du fiacre. La roue au-dessus de laquelle il se trouvait assis se coinça un moment entre deux pavés et le véhicule fut brusquement secoué quand elle se dégagea. David vit l'arme décrire un arc de cercle, cessant un moment de pointer vers son ventre.

Sans penser, il abattit sa main gauche sur le poignet de son agresseur et s'aida très vite de la droite tout en pesant de tout son poids sur sa victime. En se débattant, l'autre fit feu. La balle traversa la vitre de la portière et pénétra dans le côté de la personne qui se tenait sur le marchepied. Dans un cri, celle-ci s'écroula sur les pavés.

David avait réussi à saisir le revolver par le barillet. Capable de contrôler la direction que prendrait la prochaine balle, il cogna à plusieurs reprises, avec son coude gauche, le visage de son adversaire. À la fin celui-ci lâcha prise. Son arme à nouveau en main, David s'élança vers la portière et l'ouvrit alors que le cocher arrêtait le cheval. Sautant sur le trottoir, l'agent spécial commença par faire feu dans l'épaule droite du gros homme sur le siège du conducteur qui cherchait une arme sous son manteau, puis dans le fiacre, sans viser vraiment son occupant.

Puis, sans demander son reste, il détala en direction de la rue Chambers, décocha au passage un solide coup de pied dans l'entrejambe de l'homme qui avait encaissé la première balle, car, remis sur ses pieds, celui-ci faisait mine de dégainer le revolver à sa ceinture. Venu du fiacre, un coup de feu résonna dans l'obscurité. Aucun des occupants des maisons voisines ne commit l'imprudence de se pencher à la fenêtre pour savoir ce qui se passait.

Haletant, une douleur dans le côté à cause de l'effort, David déboucha rue Chambers quelques minutes plus tard, marqua une hésitation sur la direction à prendre, puis choisit d'aller vers l'ouest, en direction de son petit hôtel. La présence de nombreux badauds sur les trottoirs lui procurait une sécurité relative et il laissa son arme disparaître presque complètement dans son poing. Malgré la présence de réverbères près des trottoirs, personne ne la remarquerait.

Après quelques minutes, David sauta dans un fiacre après avoir donné l'adresse de son hôtel au cocher. Assis sur un coin de la banquette, il mesura l'imprudence de sa démarche. Le commis de la Société bienveillante devait avoir eu un doute après son départ, au point de faire parvenir un message à un membre du Clan. Cela était d'autant plus plausible que, souvent, les associations irlandaises légitimes servaient tout simplement de façade à l'organisation révolutionnaire. Ou encore, celle-ci assurait une surveillance discrète de la femme du terroriste parti en mission.

Au bout d'un moment de réflexion, David se demanda si le gamin au regard méfiant n'était tout simplement pas allé signaler à un militant du voisinage la visite du «monsieur inconnu». Une seule certitude, quelqu'un l'avait repéré dès la rue Mulberry pour le suivre jusqu'à la rue Chambers.

Le Clan savait maintenant qu'un homme curieux se trouvait sur la trace de l'équipe de terroristes dépêchée au Royaume-Uni par John Devoy. Le climat de New York devenait soudainement plus dangereux. Dès le lendemain, David Devlin prenait le train en direction de Boston, avec l'espoir de trouver une cabine, à la rigueur une simple couchette en deuxième classe, afin de rentrer en Angleterre. S'embarquer à New York lui paraissait trop risqué. Des employés irlandais des sociétés de navigation devaient déjà certainement s'employer à examiner les listes de passagers fraîchement arrivés pour y trouver des noms suspects.

֍֍֍

Londres, jeudi 6 décembre 1883

Revenir d'Amérique après avoir dépensé plus de trente livres du budget du gouvernement britannique, avec si peu de renseignements nouveaux, ne valut pas à David le meilleur accueil.

— Tout de même, expliqua-t-il, nous savons maintenant que Martin Feeny se trouve en mission. Un travail de policier vous permettra de connaître ses amis, ses alliés.

— Mais qui fera ce travail ? La police de New York ? grommela le major Gosselin.

Le responsable des enquêtes antiterroristes était venu assister à cette entrevue dans les locaux du Service spécial. En réalité, le patron occupait la grande chaise du commissaire Williamson, forçant ce dernier à s'asseoir à côté de Langevin sur l'un des sièges réservés aux visiteurs.

— Vous n'avez personne là-bas ? Que fait votre nouveau consul, Hoare ? Archibald avait ses informateurs dans tous les cercles féniens.

— Maintenant, nous préférons employer des diplomates professionnels. Ils s'occupent de politique et de commerce… se plaignit le fonctionnaire. Tant pis pour l'espionnage !

Visiblement, ce changement ne lui plaisait pas. Après une pause, David demanda :

— Et ici, aucun nouvel attentat pendant les trois semaines de mon absence ?

— Le calme plat. Cela doit être fait à dessein, pour nous mener à bout… expliqua Williamson.

— Il est plus probable que cette attitude prudente soit commandée par la crainte de se faire prendre. Ou encore parce qu'ils ont du mal à trouver de la dynamite, corrigea Gosselin.

— Toujours est-il que la plupart des policiers, de même que des centaines de soldats, se promènent dans les gares, dans les stations du métropolitain et le long des voies ferrées, précisa le commissaire.

« Ce qui signifie que les voleurs s'en donnent à cœur joie », songea David, sans compter que les navires et les édifices publics devaient être peu protégés. À voix haute, il se limita à dire :

— Je me joindrai à eux demain.

Le retour de David parmi ses collègues ne fut souligné par aucune manifestation d'hostilité, même si ses mystérieuses missions suscitaient son lot de jaloux. Tout au plus, son tour revenait étrangement souvent quand il fallait payer la tournée au pub *Rising Sun*. Sans doute que le sergent Thompson avait évoqué la jolie maison de la rue Malet.

Pendant tout un mois, il fallut tous les jours aller et venir dans les gares en prêtant une attention spéciale aux hommes qui portaient une valise. Des centaines d'entre eux devaient révéler leur contenu à un agent de police un peu curieux.

❧❧

Londres, mardi 25 décembre 1883

La période des Fêtes amena l'ex-consul Archibald à Londres. Le 25 décembre au soir, devant une oie grasse rôtie à point — David soupçonna que cet heureux résultat venait d'une erreur de la cuisinière, tant cela sortait de ses habitudes —, le vieil homme déclara :

— Cette fois je ne me laisserai pas influencer, je veux me trouver du travail.

— Des imprévus financiers ? demanda Édith.

— Mais non. Je suis simplement lassé de regarder la mer toute la journée à côté de vieux messieurs qui se plaignent de leurs rhumatismes. De toute façon, j'ai les miens, ils ne peuvent rien m'apprendre. Puis en cette saison, Brighton se révèle froid, humide et gris.

Sa fille s'entêtait à voir dans ces propos une lubie de vieille personne. Elle essaya de le raisonner :

— Mais à ton âge...

— Je ne serai pas moins vieux en restant à la maison à ne rien faire.

La logique du vieil homme parut irréprochable à David, alors il leva son verre de vin en disant :

— Sir Mortimer, je vous souhaite la meilleure des chances. Si quelqu'un vous offre la direction du Service spécial, acceptez. Vous étiez le meilleur maître en espionnage, en comparaison de tous ceux que j'ai connus depuis mon arrivée de ce côté-ci de l'Atlantique.

— Oh ! Venant de vous, c'est tout un compliment. Merci. Vous ne m'avez jamais parlé de votre aller-retour à New York. Comment les choses se sont-elles passées ?

— Un séjour à la fois court et plutôt agité.

De l'autre côté de la table, Édith posait des yeux sévères sur son mari. D'abord, quelle idée d'encourager le vieil homme dans son caprice de chercher un emploi à soixante-quatorze ans. Ensuite, jamais David ne lui avait donné de détails sur son séjour de tout juste trois jours en sol américain. Avant de partir à nouveau, l'homme aurait à prêter serment sur la Bible d'être prudent.

— Vous savez que je lis toujours attentivement les journaux de New York, commença Archibald. Vous avez passé une seule journée complète dans la métropole. Ce jour-là, deux Irlandais ont récolté une balle, sans en mourir, heureusement. Vous y êtes pour quelque chose ?

— Vraiment, proposez vos services comme espion. Vous devenez redoutable, grommela l'agent spécial.

— Un seul membre de cette famille fera un travail d'espion. Tirez à la courte paille entre vous.

Au ton de sa fille, Edward Archibald choisit de se passionner pour les pièces de théâtre actuellement présentées à Londres, ajoutant qu'il aimerait y inviter sa fille adorée et son gendre. David devina que si cet homme avait osé ajouter un qualificatif le concernant, cela aurait été «acceptable». Tout compte fait, pensa David, c'était tout de même un progrès considérable en comparaison des sentiments d'Archibald à son égard presque deux décennies plus tôt.

೨⊛⊛৩

Londres, samedi 12 janvier 1884

La première pinte de bière au *Rising Sun* paraissait toujours particulièrement âcre, tandis que la deuxième passait un peu mieux. Les membres de la Section spéciale en étaient là quand un policier en uniforme entra en courant pour jeter la consternation parmi eux :

— Une bombe a été trouvée dans le tunnel de la colline Primerose.

— Ce n'est pas le chemin de fer métropolitain ? demanda quelqu'un.

— Celui qui conduit vers le nord-ouest.

David se souvenait d'avoir emprunté souvent ce tunnel, pour aller ou revenir de Liverpool. Les terroristes avaient voulu frapper très fort : la bombe elle-même pouvait faire des dizaines de victimes. Si un incendie se déclarait, cela entraînerait une hécatombe dans cet espace à peu près clos. Puis, même si aucun mort ne résultait de cette attaque, une artère économique essentielle serait coupée.

La distance leur interdisait de se rendre sur place assez tôt pour être d'une quelconque utilité. Le télégraphe en apprit un peu plus à leur chef. Quelques minutes plus tard, tous les membres du Service spécial convergeaient vers la grande salle alors que l'un d'eux allait chercher Williamson.

— Je ne sais pas grand-chose, commença ce dernier. Un soldat chargé de jeter un œil sur les rails a buté sur une malle au milieu du tunnel. Il a eu la bonne idée de la déplacer doucement pour la déposer à l'air libre, un peu à l'écart.

— Chanceux que la bombe ne lui ait pas pété au visage, commenta quelqu'un.

— La laisser là aurait pu provoquer une catastrophe au moment du passage du prochain train. D'après ce qu'on m'a écrit, aucun mécanisme particulier de déclenchement de l'explosion ne se trouvait dans le bagage.

Cette précision fit murmurer les agents spéciaux.

— Les terroristes ont voulu nous provoquer sans nécessairement chercher à faire des dégâts, remarqua un policier.

— Je crois plutôt qu'ils comptaient sur le choc des roues d'acier sur la dynamite pour provoquer l'explosion, corrigea David.

Tous les yeux se tournèrent vers lui. Williamson demanda :

— Cela aurait fonctionné ?

— Je ne sais trop. Nous savons qu'un coup de feu suffit habituellement. Il faudrait demander à un spécialiste.

William Lonegan rappelait à tous les services de police qu'il se trouvait toujours au Royaume-Uni.

❧❦❧

Londres, lundi 4 février 1884

L'hiver à Londres se révélait considérablement plus chaud qu'à Montréal et même à New York. Pourtant, il s'avérait souvent plus inconfortable. La pluie pouvait tomber pendant une semaine entière et le froid humide pénétrait jusque dans les os.

En rentrant à son domicile le soir du 4 février, David reconnut une silhouette familière à une centaine de pieds devant lui : un homme était plié en deux, victime d'une toux déchirante. Edward Archibald progressait avec difficulté, posant une main sur les clôtures de fonte qui protégeaient les petits rectangles de pelouse de toute intrusion.

— Sir Mortimer, dit-il en arrivant à sa hauteur, je suppose que vous nous réservez la surprise d'une visite.

— Je suis venu à Londres ce matin pour rencontrer un employeur potentiel, répondit le vieil homme, obligé de faire une pause au milieu de la phrase.

Sa respiration se faisait sifflante. Après un moment il enchaîna :

— Je n'avais pas la force de rentrer à la maison.

— Vous êtes toujours le bienvenu.

David offrit son bras à son beau-père, qui s'y accrocha avec un réel désespoir. Quelques minutes plus tard, leur paletot de laine ruisselant de pluie, ils entraient dans la maison de la rue Malet. Alors que Violet offrait de prendre le manteau de son patron — Édith s'occupait de celui de son père —, celui-ci lui murmura à l'oreille :

— Je m'en occupe. Allez chercher le docteur.

Le vieil homme était victime d'une quinte de toux. Elle acquiesça d'un signe de tête et se dirigea vers la cuisine pour sortir par l'arrière.

Alors qu'Édith conduisait son père vers le salon en le priant de s'asseoir près du foyer, David alla chercher du thé généreusement sucré avec du miel. Cela calmerait un peu la toux de son invité.

Arrivé dans le salon avec son plateau, à la lumière des lampes à gaz, il remarqua les yeux enfoncés dans les orbites du vieil homme, le front couvert de sueur et les frissons qui s'emparaient de tout son corps. Édith lui jeta un regard inquiet et approcha un petit guéridon afin d'y poser le thé. La tasse tremblait dans les mains d'Archibald, mais la boisson sembla toutefois le rasséréner un peu.

Les coups du heurtoir de bronze contre la porte brisèrent un silence devenu trop lourd. David accueillit le médecin grisonnant et l'aida à se défaire de son paletot. Le praticien entra dans le salon, son petit sac de cuir à la main.

— Sir Edward, annonça le maître de la maison, le hasard a justement conduit le docteur Doyle chez nous. Je crois qu'il devrait s'occuper de votre mauvaise toux.

— Vous mentez mal, mon gendre, répondit le vieil homme d'une voix sifflante. Et si vous utilisez ce prénom plutôt que Mortimer, vous jugez certainement que mon état est sérieux.

Le malade s'arrêta un moment pour reprendre son souffle, avant de continuer :

— Si vous ne voulez pas que ce monsieur me prodigue des soins dans votre salon, vous devrez m'aider à monter jusqu'à ma chambre.

David le tenant sous un bras, le médecin sous l'autre, Edward Archibald gravit difficilement l'escalier. Édith suivait, de plus en plus inquiète. Sacrifiant toute pudeur, le vieil homme se laissa dévêtir et mettre au lit par les deux hommes.

Quand son époux se retira dans le couloir pour laisser le médecin procéder à l'examen, Édith se jeta dans ses bras. Elle ne put que murmurer :

— David...

Sa voix se brisa sur ce mot. Plutôt que de lui mentir en disant que tout irait bien, son mari la pressa dans ses bras et lui caressa doucement le dos. Après quelques minutes, le médecin les trouva dans cette position.

— Comment va-t-il ? questionna Édith en reprenant sa contenance.

— Je crains une pneumonie, commença le docteur Doyle.

— ... Ce n'est pas trop grave ?

— Je ne peux pas me prononcer. Le mieux est qu'il se repose. J'ai préparé une liste de médicaments. Je repasserai demain, au début de la journée.

Le médecin leur adressa un signe de la tête, puis s'engagea dans l'escalier. C'était le métier : les familles éplorées l'accompagnaient rarement à la sortie et il devait trouver lui-même son manteau.

— Tu crois que... commença Édith

— Attendons, nous ne pouvons pas faire autrement. Je vais aller chez le droguiste...

— Non, reste ici. Violet peut y aller.

David fit un signe d'assentiment et descendit afin de rejoindre Violet dans la cuisine. Elle se trouvait assise à la table, avec la cuisinière.

— Monsieur, commença cette dernière, le souper…

— … attendra, madame Jones. Couvrez-le. Nous verrons plus tard. Il serait opportun que vous prépariez un bouillon, quelque chose de léger, pour Sir Edward.

En disant ces mots, David se demanda si le mot «léger» figurait dans le vocabulaire gastronomique de la grosse femme. Il se tourna vers Violet pour demander :

— J'ai une liste de médicaments. Pouvez-vous aller chez le droguiste, au bout de la rue? Je vais vous donner deux livres. Je voudrais que vous lui demandiez aussi le nom et l'adresse d'une infirmière. Quelqu'un qui n'habite pas trop loin, car j'aimerais que vous alliez chez elle afin d'obtenir ses services.

— … Bien sûr, mais je ne sais pas si je saurai.

— J'en suis certain. Revenez déposer les médicaments d'abord.

Tout en parlant, David pêcha deux livres dans sa poche. Un moment plus tard, la jeune servante remettait sa pèlerine pour sortir dans la nuit. Son employeur s'inquiétait un peu d'envoyer une fille de cet âge courir seule les rues, mais le quartier était sûr.

Un moment plus tard, David entrait doucement dans la chambre. Édith avait approché une chaise du lit. La flamme de la lampe au gaz avait été réduite de façon à ne jeter qu'un faible halo de lumière jaunâtre dans la pièce. Le vieil homme reposait, les couvertures remontées jusqu'à sa barbe blanche. La toux avait cessé, mais sa respiration demeurait un peu sifflante.

— Je crois qu'il s'est endormi, murmura la jeune femme.

— Je ne dors pas, je fais semblant, ricana son père. Je suis désolé de troubler ainsi votre quiétude…

— Ne dis pas de sottise. Je suis très heureuse que tu sois avec nous.

Tout en parlant, la jeune femme jeta un regard torturé à son mari. Celui-ci posa une main sur son épaule tout en ajoutant :

— Demain, vous me donnerez encore des leçons d'espionnage.

Le vieil homme arriva à produire sa meilleure imitation d'un sourire. Plusieurs minutes plus tard, le pas lourd de la cuisinière dans l'escalier indiqua à David que Violet avait livré les médicaments. Il se rendit dans le couloir pour les recevoir, mélangea lui-même un peu de poudre fébrifuge à de l'eau. Sa femme s'occupa de faire boire la mixture au malade. David se contenta de suggérer :

— Croyez-vous qu'un peu de bouillon vous ferait du bien ?

— … Non. Peut-être plus tard.

Edward Archibald finit par s'endormir paisiblement. Le réveiller pour avaler quelque chose parut trop cruel au couple. Quand Violet revint passé onze heures avec une petite femme rondelette, David descendit pour l'accueillir.

— Monsieur, c'était trop loin, j'ai dû prendre un fiacre. Madame Bird…

— Madame, merci d'être venu si vite. Je vais vous conduire à la chambre.

— … Voici le reste de l'argent, intervint la domestique en tendant sa main ouverte, de nombreuses pièces de monnaie au creux de sa paume.

— C'est pour vous, merci de votre aide, répondit son employeur en lui adressant un sourire attristé.

Un moment plus tard, alerté par la conversation, Édith les reçut dans le couloir de l'étage.

— Madame Bird, une infirmière. J'ai demandé à Violet d'aller la chercher.

— Mais… ce n'était pas nécessaire.

— Ni toi ni moi ne connaissons quoi que ce soit au soin des malades.

— Croyez-moi, Madame, c'est mieux ainsi, ajouta la nouvelle venue en posant sa paume sur le dos de la main d'Édith.

Cette personne savait ce qu'elle faisait. Un moment plus tard, au grand soulagement de la fille éplorée, elle regardait les médicaments placés sur la petite table près du lit, non sans avoir auparavant vérifié si la fièvre avait baissé un peu en mettant la main sur le front du malade.

Peureusement, David retraita dans sa bibliothèque, la pièce voisine, alors que l'infirmière avait amené une seconde chaise dans la chambre, afin de s'asseoir de l'autre côté du lit. Passé minuit, elle recommanda doucement à Édith, dont les yeux se fermaient malgré ses efforts pour les garder ouverts :

— Vous devriez aller vous coucher.

— Non, je veux rester près de lui.

— Je serai là. Si vous ne dormez pas, demain vous risquez de tomber malade aussi.

Un instant, elle pensa à protester, puis se soumit enfin. David la rejoignit un peu plus tard, offrant sa présence silencieuse et de grands bras en guise de consolation. Le lendemain matin, Édith acceptait de bonne grâce la présence d'une spécialiste dans la maison : la manipulation de la bassine, la toilette sommaire, tout cela aurait heurté la pudeur habituelle des relations entre un père et sa fille.

Le docteur Doyle effectua un nouvel examen et tenta d'encourager la jeune femme. Il prit tout de même la peine d'évoquer le grand âge du malade et le caractère cruel de toutes les maladies. À David, qui le raccompagna jusqu'à la porte, son pronostic fut plus sombre :

— Cet homme est très fatigué, ses poumons sont oppressés. Plus jeune, ses chances seraient meilleures. Je vous recommande de continuer la médication. Au moins, l'opiacé lui permet de se reposer.

« Tout en réduisant la terreur qui doit s'emparer de lui », pensa le maître de la maison en aidant le médecin à mettre son manteau. Dans la salle à manger, madame Bird achevait de prendre un solide petit déjeuner. Ses employeurs firent de même au moment où elle remontait dans la chambre du malade. Bientôt, Édith assura le relais afin de lui laisser la chance de dormir un peu.

Vers midi, Édith vint dans l'embrasure de la porte de la bibliothèque pour murmurer :

— Il aimerait te parler, seul à seul.

— ... Oui, bien sûr.

Au moment où il passait près d'elle pour sortir, elle prononça dans un souffle :

— Il va mourir, n'est-ce pas ?

David lut dans ses yeux qu'elle l'implorait de la contredire. Jamais il ne lui mentirait sciemment. Surtout, dans quelques heures ou quelques jours, les événements pouvaient confirmer les pires craintes de son épouse.

— Cela peut arriver. Il nous reste l'espoir, et le courage.

De la main, il lui caressa les cheveux, puis la joue, pour enfin l'embrasser sur les deux paupières. Les larmes avaient un goût de sel.

Dans la chambre, David vint s'asseoir sur la chaise la plus proche du chevet du malade, dont les yeux fermés lui donnèrent l'impression qu'il dormait. Sa respiration sifflante paraissait un peu irrégulière.

— Vous avez demandé à me voir ?

L'autre ouvrit les yeux, deux minces fentes dans son visage.

— Oui.

La voix était rauque, à peine audible. Le malade continua, séparant presque tous les mots pour respirer :

— Maintenant, vous serez la seule personne dans sa vie. Prenez-en soin.

— Ne vous inquiétez pas, je serai toujours là pour elle.

— Je regrette tellement d'avoir essayé de vous séparer, autrefois.

— Vos intentions étaient bonnes... même si je vous ai détesté de toutes mes forces.

Archibald eut un rire bref, suivi d'une toux déchirante :

— Merci de ne pas me raconter de conneries. Je suis mourant, pas idiot. Je laisse tout ce que j'ai à Édith. Ce n'est pas un manque de confiance, vous savez.

— Si vous agissiez autrement, je penserais que vous avez perdu la tête, sir Mortimer.

Un sourire effleura les traits du vieux diplomate. Après une longue pause, il continua :

— Cela vous donnera tout de même une sécurité nouvelle. Si jamais cet imbécile de Jenkinson vous embête, envoyez-le au diable. N'allez surtout pas vous faire tirer dessus aux États-Unis, ou ailleurs. Édith a besoin de vous.

— Je sais. Ma patience professionnelle commence à s'épuiser.

— À Brighton, j'ai un petit coffre-fort, dans ma chambre. La combinaison est facile, il s'agit de la date de naissance de ma fille. Vous aurez accès à mes souvenirs d'espion… Je vous les lègue. Demandez à Édith de venir.

David serra longuement la main du vieil homme, sortit en maîtrisant mal son émotion et demanda à sa femme de prendre le relais. Pendant toute la journée, le père et la fille exprimeraient des regrets, se donneraient réciproquement des pardons et essaieraient d'en finir avec toutes les querelles et frustrations accumulées au fil des ans. Bien sûr, la longue conversation serait rythmée par les périodes de sommeil et les soins que madame Bird donneraient avec une autorité et une compétence incontestables.

❧❧❧

À la fin, la sérénité du vieil homme se communiqua à sa fille. Le 7 février durant l'après-midi, il s'enfonça dans un sommeil dont il ne devait plus sortir. Aux premières heures du lendemain, son souffle, devenu faible et irrégulier, s'arrêta tout à fait.

16

Pendant deux jours, le domicile de la rue Malet fut paré de pièces de crêpe noire. Pour un parent aussi proche, Édith allait devoir porter le grand deuil toute une année. Cela signifiait des vêtements tout à fait noirs pendant six mois. Les six mois suivants, le gris et même le brun paraîtraient convenables. Négliger ces usages entraînerait bien des chuchotements, et peut-être un véritable ostracisme. Quant à David, un brassard noir au bras suffirait.

Les funérailles se tinrent dans une petite église presbytérienne. Un moment, Édith avait eu envie d'envoyer le corps en Nouvelle-Écosse, afin de l'enterrer dans sa ville natale. Réflexion faite, cela lui parut ridicule. Le vieil homme avait voulu terminer ses jours au cœur de l'Empire qu'il avait servi toute sa vie, mieux valait lui permettre d'y reposer. En tout, son séjour au Royaume-Uni avait duré un peu moins de douze mois.

Le 11 février, le couple endeuillé entrait dans la petite maison de Brighton pour recevoir les condoléances larmoyantes d'une vieille cuisinière et d'une jeune domestique. Leur chagrin était peut-être sincère, mais il s'apaisa très vite quand Édith les assura qu'une somme suffisante leur permettrait de se débrouiller, le temps de trouver un nouvel emploi. Tout au plus demeureraient-elles dans la maison pour la durée du séjour de la nouvelle propriétaire.

Le reste de la journée s'écoula tout doucement, marqué de pleurs chaque fois qu'Édith tombait sur un objet, un livre, une pièce de vêtement qui lui rappelaient ses rapports parfois tendus, parfois malheureux, parfois heureux, avec son père. La nuit dans le grand lit du défunt se révéla particulièrement agitée, entre les sanglots et les plaintes de jouissance. Cela semblait à David une bonne façon de souligner que la vie devait l'emporter à la fin; sa femme donna son assentiment à la première caresse.

Le lendemain devait commencer une grande opération de nettoyage : tout ce qui ne pouvait se qualifier comme souvenir du défunt irait à un marchand de biens usagés. Cela incluait les vêtements, bien sûr, et un certain nombre de livres que le couple possédait déjà et ceux qu'aucun d'eux n'envisageait de lire un jour.

Après avoir rangé quelques traités de théologie presbytérienne dans une boîte, David demanda :

— Que feras-tu de la maison ? Si tu la vends, tu... je veux dire nous pourrions aménager dans une demeure plus grande à Londres. Un endroit plus conforme à tes attentes.

— Comment se fait-il qu'après toutes ces années ensemble, tu penses encore que je désire une maison plus belle, ou plus grande, que celles que nous avons occupées jusqu'à maintenant ? Ai-je déjà prononcé la moindre parole te permettant de le penser ?

— Non, mais la grande maison du consul à New York...

— ... servait aussi à des fonctions officielles.

Jusque-là, Édith avait profité d'une petite rente de son père qui lui permettait de subvenir à ses besoins personnels. Maintenant, ses ressources dépassaient celles de son mari. Mieux valait prévenir une détérioration du climat entre eux :

— Je me trouve très bien dans la maison que nous louons à Londres. Cependant, je me sens un peu coupable de t'avoir entraîné dans ce pays. Le départ de Robert Anderson te plonge dans une situation à peine meilleure que celle que tu subissais à Ottawa.

— À part la nourriture, je ne regrette en rien notre émigration. Je supporte une situation professionnelle difficile dans un cadre grandiose.

— Les choses se clarifieront toutes seules. En attendant, gardons cette petite maison. Elle nous permettra de nous retirer au calme chaque fois que l'occasion se présentera.

Une étreinte souligna la nouvelle entente entre eux. La jeune femme jugea bon d'ajouter avant de s'éloigner un peu :

— Je rêve du jour où tu laisseras ton revolver à la maison, pour aller chercher des sujets d'articles plus gais que des pendaisons. Comme tu le faisais à New York, avant de quitter cette ville.

Par dépit amoureux, à cause du vieil homme qu'ils avaient enterré deux jours plus tôt, se souvint David. Cela lui fit penser au coffre dans la chambre.

— Ton père m'a laissé un héritage. Il a eu le temps de te le dire ?

— Non... Ce n'était pas dans le testament non plus.

— Viens avec moi.

À l'étage, ils entrèrent dans la chambre. À première vue, aucun coffre-fort ne se trouvait là. Le dessous du lit ne dissimulait rien d'autre que des rouleaux de poussière. La garde-robe avait déjà été vidée de tous les vêtements, sans révéler le moindre rangement discret.

— Qu'est-ce que c'est, cet héritage ? demanda Édith.

— Un coffre. Tu as vu un coffre dans cette pièce ?

— Non.

La grande commode ne recelait aucun secret. Un sourire passa sur les lèvres de l'agent spécial à la vue des cadres qui ornaient les murs, des paysages écossais pour la plupart sauf un, représentant une photo d'Édith à vingt ans. Il décrocha ce dernier pour le poser par terre. Derrière apparaissait un rectangle de fer de cinq pouces par huit, avec un gros cadran au milieu. Rapidement, il chercha les trois chiffres successifs : le jour, le mois et l'année de la naissance de sa femme.

— Tiens, cela me fait réaliser que tu auras quarante ans l'été prochain. Il faudra souligner l'événement par un voyage.

— Nous soulignerons cet anniversaire comme il te plaira. Inutile de préciser un chiffre!

Au premier essai, le petit coffre s'ouvrit dans un déclic métallique. Le minuscule réduit contenait une liasse de feuillets retenus par un ruban.

— Je suis à peu près certain que ceci ne fait pas partie de mon héritage, prononça David en les tendant à sa femme.

— Mes lettres. Les lettres que je lui ai envoyées toutes ces dernières années.

Une nouvelle ondée de larmes nécessita les bons soins de l'époux. Puis, il revint vers le petit coffre qui contenait quatre carnets épais d'un bon demi-pouce chacun, reliés de grosse toile. Le premier datait du début des années 1860. Par curiosité, David alla voir les dernières pages du quatrième: la dernière rentrée avait été effectuée le 31 décembre 1882, le dernier jour du travail d'Archibald comme consul du Royaume-Uni à New York.

— Qu'est-ce que c'est? Demanda Édith, curieuse

— Ses mémoires professionnels. La seule difficulté, c'est qu'il ne m'a pas donné la clé qui devait venir avec. Je te lis la dernière ligne: wehpq bxdfr stbtu yikmo amgju. En plus, il écrit… Il écrivait diablement petit.

— Aucune allusion à un livre?

— Non. Il a seulement indiqué la combinaison du coffre. Tu crois qu'il voulait me mettre à l'épreuve avec un nouveau test?

Édith eut un rire bref avant de déclarer:

— Tu avais raison de l'appeler vieux chenapan. Nous regarderons dans la bibliothèque, afin de voir si un titre nous saute aux yeux. Mais tu as lu « Le scarabée d'or » d'Edgar Alan Poe tout comme moi. Un texte n'est pas si difficile à déchiffrer. La lettre qu'on utilise le plus souvent en anglais est le « e ».

— Donc la lettre que nous verrons le plus souvent dans ce cahier signifie « e », je sais. Si une lettre précède souvent un « e », c'est vraisemblablement un « h », comme dans « the ». Et ainsi de suite, selon les études sur la fréquence des lettres dans un texte. Je présume que cela doit être assez facile à percer, sinon il ne me l'aurait pas offert.

Sur ces derniers mots, David désignait les carnets qu'il avait en main.

— Sortons manger à l'extérieur, suggéra Édith. Demain matin, nous nous mettrons au travail, et nous ne rentrerons pas à Londres avant d'avoir la clé. Cela sera certainement plus utile qu'errer dans les gares pendant des jours à embêter des hommes avec une valise. Nous y mettrons tout le temps nécessaire.

— Tu devrais offrir tes services pour remplacer Jenkinson, digne fille de ton père. Tu excelles dans la planification de mon travail...

En lui décochant son meilleur sourire, il avait remis les carnets dans le coffre et fermé celui-ci soigneusement avant d'accrocher le cadre à nouveau.

⁂

Brighton, lundi 25 février 1884

Briser un code prenait tout de même un certain temps. Après une journée, les notes relatives à l'année 1860 devinrent intelligibles, alors que le premier jour de janvier 1861 restait toujours obscur. En changeant de clé tous les ans, cela donnait vingt-trois tables d'équivalence alphabétique à établir. L'expérience aidant, le travail fut effectué en une dizaine de jours. Le long exercice de déchiffrage proprement dit du contenu des quatre carnets revint à Édith, qui lui consacra toutes ses journées au cours des semaines qui suivirent.

Le lundi 25 février, David revenait dans la grande salle de Scotland Yard après plus de deux semaines d'absence. Quelques remarques de ses collègues lui indiquèrent que son dilettantisme commençait à tomber sur les nerfs de son patron. Ce dernier confirma les soupçons de David en prenant la parole devant la petite assemblée :

— Notre visiteur canadien se trouve à nouveau parmi nous… Bienvenu monsieur Langevin, je suis heureux que vos nombreuses occupations vous permettent de participer un peu à la lutte antiterroriste.

— Tout le plaisir est pour moi, le rassura l'agent spécial en essayant de maîtriser son ironie.

Un murmure amusé parmi ses collègues lui indiqua que son effort ne se trouvait pas couronné de succès. Williamson lui décocha un regard peu amène, avant de commencer son petit exposé :

— Aux États-Unis, les journaux irlandais donnent de nouvelles cibles aux hommes en mission sur notre territoire. Jeremiah O'Donovan Rossa a exprimé l'avis que les bombes devraient être placées au parlement de Westminster. Un autre journaliste indique que le Service spécial de Scotland Yard devrait plutôt être réduit en poussière.

— Si cela a été formulé dans l'*Irish World*, je ne m'en ferais pas trop, commenta David. Tous les habitants du Royaume-Uni, toutes les institutions et tous les édifices ont tôt ou tard fait l'objet de menaces dans ce torchon.

— Je sais moi aussi que les journalistes ont tendance à écrire n'importe quoi, commenta le commissaire avec un sourire mauvais. Le consul du Royaume-Uni à Philadelphie a confirmé les menaces concernant ces deux cibles. Le cercle révolutionnaire de cette ville paraît particulièrement bien informé des complots pesant sur nous. Vous savez quelle industrie prend une importance croissante, dans cette ville ?

— De très nombreuses industries participent au développement de toutes les villes des États-Unis, répondit le journaliste avec une certaine impatience dans la voix. Je devine cependant que vous faites référence à l'usine de la DuPont, qui fabrique de la dynamite Atlas Powder A.

— Je vois que vous êtes bien informé. Pour tous vos collègues, pouvez-vous rappeler la première caractéristique de ce produit ?

— La plus grande force de frappe que l'on puisse espérer.

Un nouveau murmure se fit entendre autour de la table. Ces gens n'utiliseraient pas un produit artisanal fabriqué dans un petit entrepôt de Birmingham. Les destructions risquaient de prendre de nouvelles proportions.

— Alors nous savons maintenant ce qui nous pend au bout du nez, continua Williamson en dépliant une feuille de papier rangée jusque-là dans la poche intérieure de sa veste.

Chacune des personnes présentes se vit attribuer une gare ou une station du chemin de fer métropolitain à surveiller pendant la prochaine semaine.

— Monsieur Langevin, je n'avais rien prévu pour vous, ne sachant pas quand vous alliez réintégrer nos rangs. Je vous invite donc à vous rendre à la gare Victoria avec le sergent Thompson. Peut-être pourrez-vous vous entendre pour allonger les heures de surveillance.

Les agents spéciaux se dispersèrent. Ceux qui jouissaient de l'estomac le plus solide passèrent par le *Rising Sun* pour avaler une première bière. David se félicita que son compagnon suggère plutôt de se mettre immédiatement en route.

En prenant un omnibus à deux étages, les deux hommes arrivèrent à destination une demi-heure plus tard. Dans l'élégant restaurant de la gare Victoria, le sergent se laissa payer une tasse de thé. Assis devant une fenêtre qui donnait sur le grand édifice composé de vitres montées sur une armature de fonte, leur poste d'observation permettait de voir les passagers se presser sur les quais pour prendre un train. Tous portaient un bagage à la main.

— Dans une station de métro, localiser les passagers qui ont un bagage et leur demander de l'ouvrir ne pose pas de difficultés, commenta Thompson en devinant les pensées de son compagnon. Les gens vont ou reviennent de travailler, une minorité parmi eux s'encombre d'une valise. Ceux qui

LA ROSE ET L'IRLANDE

seraient tentés de le faire s'en abstiennent à force de se faire enquiquiner par nos services. Dans une gare comme celle-ci, tous ont des bagages avec eux.

— Vous ne fouillez personne ?

— Bien sûr que si : tout à l'heure, je devrai me planter sur le quai et essayer de deviner qui est susceptible de vouloir faire sauter un train. À ma place, qui choisiriez-vous de fouiller ? Les gars avec une tête de brutes ? L'un des types pendus à Kilmainham ressemblait à un ange, selon des journaux. Tous les roux ? J'ai les cheveux noirs et je suis né en Irlande.

— Alors, comment désignez-vous celui qui a droit à une fouille ? demanda David, amusé par le dilemme de son compagnon.

L'autre vida sa tasse de thé, secoua la théière pour voir s'il en restait encore, puis expliqua :

— J'utilise une méthode scientifique : un passager sur vingt-deux, par exemple, ou celui qui a un très gros nez, ou alors un petit. Je varie selon la journée.

— Et ce matin ?

— Les gens qui auront un lacet détaché me montreront leurs sous-vêtements, et tout le reste qui se trouve dans leurs bagages.

— Vous vous faites engueuler souvent ?

— Non, très rarement en fait. Au contraire, ces bonnes gens se trouvent tout à fait rassurés de me voir à l'œuvre.

Au fond, convint David en secret, toute cette présence ne servait qu'à cela, sécuriser les gens. Dans une agglomération de quatre millions d'habitants, une demi-douzaine de terroristes passaient totalement inaperçus. Les cibles qui s'offraient à eux s'avéraient innombrables. Les stations du chemin de fer métropolitain devenaient juste un peu moins faciles d'accès. Pourquoi ne pas poser la bombe dans un restaurant, un grand magasin, ou même dans une église ? Toutefois, voir un policier fouiller dans les vêtements d'un quidam donnait aux gens l'illusion que le gouvernement prenait leur sécurité au sérieux.

Alors que depuis des semaines David trouvait scandaleuse la nonchalance de ses collègues du Service spécial affectés à cette surveillance, maintenant, à voir une multitude de passagers déambuler dans cette gare, il comprenait que ceux-ci faisaient un travail tout aussi utile en avalant une bière matinale ou une tasse de thé. Pour qu'une opération de ce genre soit réellement efficace, une véritable armée de policiers aurait dû entraver les allées et venues de tous les Londoniens... avec pour premier effet de rendre à chacun la vie impossible.

— Écoutez, je ne vois aucune raison pour que vous perdiez toute votre journée avec moi, déclara le sergent en se levant. Venez me voir à l'œuvre pendant un moment, puis rentrez chez vous. Je vais abandonner cette corvée vers six heures. Vous prendrez le relais à ce moment. Nous savons déjà que les terroristes ne s'en tiennent pas nécessairement à l'horaire habituel de travail.

Quelques minutes plus tard, le policier repérait un homme d'une quarantaine d'années dont le lacet du soulier droit s'était détaché.

— Bonjour, Monsieur, déclara-t-il en se plantant devant lui. Je peux voir le contenu de votre sac?

— Oui, oui, bien sûr.

Après avoir tâté dans des vêtements pour s'assurer qu'ils ne cachaient pas une machine infernale, le sergent Thompson conclut:

— Je vous remercie, Monsieur. Je vous souhaite bon voyage.

— Je... euh!... Merci, fit l'homme en s'esquivant.

David comprenait très bien le fonctionnement de l'opération. Après un salut à son collègue, il décida d'aller aider sa femme à déchiffrer l'héritage de feu son beau-père.

❧✦❧

— Ah ! Te voilà déjà, déclara Édith en descendant l'escalier après avoir entendu le bruit de la porte d'entrée. Ton messager spécial a apporté un télégramme de madame Reynolds. Je viens tout juste de finir de le décoder.

David prit la feuille que lui tendait sa femme pour lire : « Un nouveau chargé de mission vient de quitter Philadelphie : John Daly. Un homme de Sullivan. J'ai avisé EJ. HLC. »

— Déjà que nous n'arrivons pas à trouver la première équipe de dynamiteurs, en voilà une deuxième. Enfin, cela montre l'efficacité du consul Clipperton.

— Pardon ?

— Ton père a un émule. Le consul de Philadelphie paraît avoir des informateurs compétents. Il a signalé une certaine agitation dans cette ville.

Sans tarder, David se rendit dans le salon pour brûler la feuille de papier, confiant que sa femme avait pris la même précaution avec le télégramme. Pour parer aux oreilles indiscrètes des domestiques, ils s'étaient parlé en français.

— Dois-tu aller en avertir ton patron ?

— Non. Si Jenkinson a été mis au courant, le commissaire Williamson doit déjà savoir. Je vais t'aider à déchiffrer les carnets paternels, puis j'irai passer la soirée à la gare Victoria.

En quelques mots, il la mit au courant de sa nouvelle affectation, puis s'arrêta au milieu de l'escalier en se frappant le front du plat de la main :

— Sapristi ! Je connais John Daly. Le prototype même de la beauté virile irlandaise.

— Comme le pendu de Kilmainham ? murmura Édith, se souvenant des descriptions dans les journaux.

— Non, son opposé même. Un homme effroyablement intelligent. Arrivé aux États-Unis en ne sachant ni lire ni écrire, il a travaillé comme débardeur tout en fréquentant l'école du soir. Son intelligence vive a attiré l'attention de généreux bienfaiteurs irlandais, qui lui ont payé des études de médecine. C'est l'une de ces merveilleuses histoires qui alimentent le rêve américain chez les immigrants. Tous les journaux en ont parlé.

Édith, debout dans l'escalier, regardait son mari immobilisé sur le palier. Elle déclara, dépitée :

— Et un homme si doué abandonne tout pour venir poser des bombes à Londres ?

— La maladie du nationalisme farouche peut toucher les plus intelligents. Je te laisse à tes carnets, je vais chercher des portraits de ce type dans les journaux du British Museum.

— Ce sont tes carnets, mon père te les a donnés. Veux-tu brûler ta petite complicité avec Henri LeCaron ? Tu ne peux pas aller chercher des portraits de ce type avant que ton patron ne te les demande.

L'agent spécial recommença à gravir l'escalier à regret en convenant :

— Tu as raison. J'espère seulement qu'il se souvient que ce genre de travail convient davantage à mes compétences que fouiller les valises des gens.

Quelques minutes plus tard, David renouait avec l'extraordinaire liste des informateurs du consul Archibald.

❧❧❧

Londres, mardi 26 février 1884

Un peu avant six heures le lendemain, pour la seconde fois, l'agent spécial retrouvait le sergent Thompson, plus blasé que jamais, sur le quai de la gare Victoria. Prendre le relais pour fouiller des sacs de voyage le laissait songeur : la nouvelle prospérité de sa femme rendait une retraite prématurée de plus en plus séduisante.

Trois heures plus tard, ce genre de réflexion le rendait de plus en plus morose. Bientôt, il n'y tiendrait plus et rentrerait chez lui. Un petit homme malingre vint interrompre sa routine en demandant :

— Monsieur, vous êtes bien de la police ?

— Du Service spécial. Pourquoi ?

— Une malle qui fait tic-tac, peut-il s'agir d'une bombe ?

David releva la tête de la valise dont il tâtait le contenu. Une petite table lui permettait d'opérer sans se plier le corps en deux.

— Où ça ?

— À la consigne. Je travaille là. Une malle fait un petit bruit.

— Montrez-moi cela au plus vite.

Le voyageur interloqué fut abandonné avec son bagage à demi défait, alors que l'agent spécial emboîtait le pas au petit homme. La consigne se trouvait dans un coin sombre de la gare, une grande pièce sans fenêtre où des voyageurs remisaient leurs valises pendant quelques jours, contre le paiement de quelques pence.

L'employé déverrouilla la porte et leva un rideau métallique qui s'abaissait jusqu'à la surface d'un petit comptoir.

— Voilà, déclara-t-il en désignant une malle de bois cerclée de fer. Quelqu'un l'a amenée ici avant que je ne commence mon service.

En se collant une oreille contre la caisse, David perçut un faible bruit, le tic-tac de l'un de ces gros réveils qu'affectionnaient les travailleurs pour leur robustesse et leur durabilité.

L'agent spécial prit délicatement le bagage sur son étagère et le déposa sur le petit comptoir. L'attitude la plus prudente aurait été d'appeler des spécialistes après avoir fait évacuer tout le monde. Mais si cet homme avait été prudent, à vingt ans, il serait devenu séminariste plutôt que de s'engager dans l'armée nordiste au début de la guerre de Sécession américaine.

— Vous avez un outil, quelque chose comme un pied-de-biche, pour faire sauter cette serrure ?

Le commis trouva une tige de métal de deux pieds de long, aplatie à l'une de ses extrémités. David la coinça dans l'anneau du petit cadenas et appliqua toute sa force sur la barre de fer jusqu'à le briser. Un instant plus tard, les deux hommes contemplaient la malle, hésitants.

— Cela peut éclater, si on lève le couvercle ? demanda le petit homme.

— Je ne crois pas, car dans ce cas un cadran serait inutile pour la mise à feu. Nous allons le savoir tout de suite.

L'homme du Service spécial souleva le rabat alors que le commis, effaré, reculait. Le bagage contenait des briques de ce qui semblait être de l'argile de potier. Une planche de bois traversait le contenant sur sa largeur, sur laquelle le gros réveil tictaquait sans faiblir. Une petite aiguille dans le haut du cadran indiquait l'heure à laquelle la sonnerie devait retentir : dans un peu plus d'une dizaine d'heures. À huit heures du matin, cette gare serait remplie de personnes désireuses de quitter la ville ou de celles arrivant des banlieues pour leur journée de travail.

La quantité de dynamite contenue dans cette caisse pouvait détruire tout l'édifice. Un fil métallique partait de sous le réveil pour s'attacher à la détente d'un minuscule pistolet, l'un de ces *derringers* que des personnes glissaient dans leur poche, ou même dans leur manche. Une arme à deux dollars qui, si elle partait maintenant, raserait l'un des monuments dédiés à l'ère industrielle dont le Royaume-Uni était entiché.

David mit son index gauche sous le chien du pistolet pour éviter que celui-ci ne heurte la cartouche, et demanda au commis :

— Vous avez certainement de quoi couper du fil de fer.

— Oui, nous devons parfois ouvrir une valise abandonnée ici par un voyageur négligent.

L'homme chercha une petite paire de pinces coupantes dans un tiroir et la posa dans la main tendue de David. Celui-ci coupa le fil métallique près de la détente du pistolet. Ensuite, en s'aidant du bout aplati de la tige de fer, il s'acharna à décoller l'arme de la planche. Un mouvement trop brusque déclencha le ressort et le chien lui heurta brutalement l'index.

— Aïe ! Je devrais affiner ma technique.

Tout de même, le coup de feu ne partit pas, le doigt arrêtant le percuteur. En appuyant sur la détente, il laissa le chien aller doucement reposer sur la cartouche. À la fin, l'agent spécial réussit à dégager l'arme de la planchette de bois où elle avait été clouée, pour la mettre dans sa poche.

— Maintenant, à moins que vous ne vous mettiez à frapper dessus à grands coups de marteau, cette machine infernale est tout à fait inoffensive.

— Mais... dans le métro, ils en avaient mis plusieurs !

David retira de sa bouche son index endolori pour dire, soudainement inquiet :

— Il y a des fiacres à la sortie de cette gare. Allez en prendre un tout de suite pour vous rendre au poste de police le plus proche.

Tout en parlant, l'agent posa la dynamite sur le sol.

— Je dois fermer...

— Oui, bien sûr. Quant à moi, je vais me rendre directement à Scotland Yard.

Contre un pourboire généreux, le cocher accepta de fouetter son cheval de façon à atteindre la rue Whitehall au plus vite. Au moment où il y arriva, la plus grande fébrilité régnait déjà. Le commis de la consigne avait atteint le poste de police de quartier un peu avant lui. Tous les postes étaient reliés entre eux par des appareils télégraphiques.

— Le commissaire Williamson ? demanda-t-il à l'intention du planton de service.

— Une voiture est en route pour aller le chercher, de même que tous les membres du Service spécial. Dans une heure, tous devraient être là.

Cela voulait dire à minuit. La bombe qu'il venait de désarmer devait exploser à huit heures. Cela laissait peu de temps. Il expliqua précipitamment :

— Les consignes de toutes les gares... Il faudrait les fouiller.

— Je suppose que les différents postes de police ont déjà envoyé des équipes.

Bien sûr, un plan d'intervention, incluant la mise en place d'équipes de déminage, devait avoir été préparé depuis long-temps, pour procéder aux fouilles dans des cas de ce genre.

Faute de trouver la façon de se rendre utile, David com-mença par chercher l'un de ces gamins qui encombraient les édifices publics dans l'espoir de gagner quelques pences en acheminant un message. Même à cette heure tardive, l'un d'eux se porta volontaire. Un mot permettrait de faire savoir à Édith que son absence serait longue.

À une heure du matin, un commissaire Williamson ébou-riffé, son oreiller encore imprimé dans le visage, s'adressa à la demi-douzaine d'hommes qui avaient réussi à se rendre à Scotland Yard :

— Messieurs, toutes les gares ont été évacuées. Heureu-sement, à cette heure, il ne s'y trouve plus grand monde. Des hommes fouillent les consignes et tous les coins sombres de ces édifices.

— La bombe que j'ai trouvée devait éclater à huit heures, glissa David.

— Ce qui nous laisse encore sept heures environ, en admettant qu'elles aient toutes été réglées de la même façon.

— Le mécanisme était assez simple à désamorcer : un gros réveil et un *derringer*.

— Parce que vous faites maintenant dans le déminage ! Thompson, allez demander que l'on transmette l'information à tout le monde.

Le commissaire s'impatientait. Dans ce genre de réunion, lui seul jouissait du privilège de communiquer de nouvelles informations. David se résolut à rester coi, attendant qu'un autre pose la question devenue inévitable :

— Que faisons-nous maintenant ?

— Nous attendons. Les commissaires de police de toute la ville connaissent leur métier. Demain matin, ils nous aviseront de leur récolte de la nuit, et nous chercherons des indices.

Un peu plus tard, alors que Williamson se retirait dans son bureau, les hommes cherchaient un moyen confortable de terminer leur nuit. Deux d'entre eux roulèrent leur veste pour en faire un oreiller avant de s'étendre sur la table; d'autres décidèrent d'aller voir si les couchettes des cellules encore vides ne seraient pas plus accueillantes. David préféra se caler dans la chaise la plus confortable qu'il trouva, en utilisa une autre pour allonger les jambes et somnola un peu.

❧❀❧

Londres, mercredi 27 février 1884

Dès l'ouverture de l'établissement, de nombreux agents envahirent le *Rising Sun* afin de prendre un petit déjeuner copieux, arrosé de thé. Les collègues qui n'avaient pu être rejoints pendant la nuit, parce qu'ils logeaient à une nouvelle adresse ou dans une banlieue trop éloignée, arrivaient un à un. Leurs camarades s'empressaient de raconter les péripéties des dernières heures. David répéta le récit de son aventure à quelques reprises, au rythme de l'arrivée des nouveaux venus.

À neuf heures, tous se retrouvaient à nouveau dans la grande salle devant Williamson. Le manque de sommeil le rendait plus bourru que d'habitude. Le commissaire tenait une poignée de télégrammes à la main.

— En plus de celle trouvée par Langevin à la gare Victoria, les policiers ont récolté trois autres bombes, à Charing-Cross et dans les stations de métro de la rue Praed et de la colline Ludgate.

Un murmure étonné parcourut les hommes réunis. Quelqu'un s'exclama:

— Quatre bombes en même temps!

— Toutes susceptibles de raser une gare entière. À huit heures du matin, nous aurions récolté des dizaines de cadavres et des blessés par centaines.

— Toutes dans les consignes ? questionna un autre.

— Oui. Les voyageurs vont trouver des dizaines de valises ouvertes : nos collègues n'ont pas lésiné pendant leurs recherches. Comme aucune explosion n'a eu lieu ce matin, je suppose que leur zèle a été profitable.

Des rires satisfaits exprimèrent le soulagement de toutes les personnes présentes. En réalité, chacun réalisait que seul un hasard providentiel avait permis d'éviter la catastrophe. Les agresseurs demeuraient toutefois en liberté, en mesure de recommencer dès le lendemain.

— Quelle est la suite des opérations ? questionna quelqu'un.

— Nous irons interroger les employés des différentes consignes afin de savoir s'ils se souviennent des clients qui ont laissé un bagage infernal. Les journaux inviteront tous les badauds qui auraient remarqué quelque chose à se rendre au poste de police le plus proche. Le ministre de l'Intérieur m'a autorisé à offrir mille livres à quiconque fournira une information permettant de conduire au coupable.

— Cela va déclencher une avalanche de confidences inutiles, commenta un policier

— Mais dans le lot, il se trouvera peut-être une employée d'un petit hôtel, ou la tenancière d'une maison de chambres, qui aura remarqué un Américain mystérieux qui ne semble pas occuper un réel emploi.

Cet espoir semblait d'autant plus réaliste que tous les Londoniens ouvriraient l'œil, maintenant conscients d'avoir échappé à un véritable cataclysme. Si les dénonciations fantaisistes se comptaient par centaines, tôt ou tard l'une d'elles serait la bonne.

— Comme les mauvaises nouvelles n'arrivent jamais seules, le ministère de l'Intérieur a été informé du départ des États-Unis d'un nouveau dynamiteur du Clan-na-Gaël, John Daly. De plus, il paraît que la société révolutionnaire s'est livrée à d'intenses recherches pour développer de nouveaux types de bombes prenant la forme d'objets usuels, comme un livre, un colis postal ou un panier de couture, qui explosent quand on les ouvre.

Quelques jurons fusèrent çà et là dans la salle. Quand le silence revint, David risqua :

— Je connais cet homme.

— Alors, ne nous faites pas languir, rétorqua le commissaire d'une voix impatiente.

— La trentaine, très beau, grand, les cheveux noirs, les yeux bleus. C'est un médecin compétent.

— Un homme dont la photo a été publiée dans la presse ?

— Certainement.

Le commissaire esquissa un demi-sourire avant de continuer :

— Alors, vous avez congé d'interrogatoire aujourd'hui. Trouvez un dessinateur et allez au British Museum. Nous devrons avoir communiqué son portrait à tous les services portuaires avant que ce type ne débarque de son navire dans une ville du Royaume-Uni.

Cette fois, l'information reçue de Henri LeCaron donnait un véritable avantage au Service spécial. « Un bon agent secret valait mieux qu'un régiment », avait plaidé David des années plus tôt, alors qu'il était jeune recrue au service du consul Archibald.

Quant à l'équipe de William Lonegan, la liberté d'action de celle-ci tenait au fait que John Devoy n'avait fait l'objet d'aucune surveillance rapprochée juste avant d'être évincé de son poste. Surtout, le président du Clan-na-Gaël, menacé d'un coup d'État au sein de sa propre organisation, n'avait partagé son secret avec personne au moment d'envoyer un vieil ami en mission.

ॐ❀ॐ

La grande salle numéro 56, au rez-de-chaussée du ministère de l'Intérieur, accueillait un nouveau locataire depuis le matin, même si la nouvelle ne devait pas être connue avant trois jours. Edward Jenkinson se tenait devant les grandes fenêtres donnant sur la rue, admirant son reflet dans la vitre. Le chemin avait été très long, passant par l'autre bout du monde. Maintenant, le fonctionnaire occupait un poste d'importance dans la capitale. Sa femme et sa mère resteraient dans la banlieue, à Stocks. Il lui serait possible de les rejoindre les fins de semaine. Un deux-pièces dans un immeuble élégant, à peu de distance du ministère, lui procurait un havre de paix.

Des coups à la porte interrompirent ses réflexions satisfaites. Un « Entrez » sonore amena le commissaire Williamson et le major Gosselin à prendre place sur les chaises réservées aux visiteurs.

— Messieurs, je suis maintenant responsable de la lutte antiterroriste.

— Vous l'étiez déjà, remarqua l'ancien militaire.

— Pas tout à fait. Depuis ce matin, je prends les initiatives, le ministre sera d'accord avec toutes mes décisions à venir. En quelque sorte, il me donne carte blanche.

L'homme s'en frottait les mains de plaisir. Toutes ses grandes machinations futures profitaient déjà d'une bénédiction préalable des autorités.

— Je serai constamment en lien avec lui, de même qu'avec vous, Williamson, grâce à l'une de ces machines.

Le fonctionnaire désignait un petit appareil, à l'allure monstrueuse fixé au mur, composé d'une boîte de bois portant deux cloches métalliques, un cône dans lequel parler, deux écouteurs et une petite manivelle sur le côté: un téléphone. Le Tout-Londres comptait peut-être un millier d'abonnés.

Jenkinson se montrait certainement le plus fier d'entre eux. Il continua :

— Commissaire, vous avez un portrait de notre nouvel adversaire, John Daly ?

— Oui. Langevin fait merveille dans les vieux journaux du British Museum.

— Dommage que nous ne puissions l'enfermer là à demeure.

Une enveloppe changea de côté du bureau, Jenkinson regarda la série de portraits, puis les remit au major Gosselin en disant :

— C'est une pitié que notre espion à Chicago n'ait pas appris le nom du navire sur lequel cet homme arrivera au Royaume-Uni. Au plus tôt, il débarquera demain ou après-demain. Assurez-vous de le localiser.

— Je l'arrête ?

— Grands dieux non ! Vous le suivez, afin que nous sachions quels sont ses contacts sur ce continent.

Une chose plus facile à dire qu'à faire. Un échec lui serait amèrement reproché. Le patron tourna à nouveau son attention vers le commissaire :

— Vous savez quelque chose à propos des auteurs de l'attentat à la bombe dans les gares ?

— Des milliers de dénonciations, cela s'avère pire qu'aucune dénonciation du tout. Les employés des consignes nous donnent des descriptions qui correspondent à la moitié de la population de Londres, ce qui ne nous conduit nulle part.

Edward Jenkinson échappa un soupir impatient. Finalement, Williamson se découvrait très vite une certaine nostalgie pour la direction plus respectueuse de Robert Anderson.

❧❀❧

L'hôtel *York*, sur Wellclose Square, se trouvait à peu de distance du bassin de Londres, un grand rectangle d'eau relié à la Tamise par un jeu de canaux et de bassins plus petits. Des entreprises de construction navale ou d'accastillage situées là permettaient de fabriquer et d'équiper des navires, sans compter les multiples entrepôts servant aux activités portuaires.

L'établissement se révélait confortable, meilleur que celui que William Lonegan venait de quitter. Son petit visage osseux se couvrait vite d'une repousse de barbe si foncée que celle-ci semblait prendre la couleur bleue. Présenter des joues glabres était son meilleur déguisement, puisqu'une toison avait dissimulé ses traits depuis qu'il avait atteint l'âge de seize ans, sauf pendant les rares intervalles où il la coupait. Pour y arriver, cela signifiait deux séances de rasage quotidiennes. La lame parcourait sa peau avec un crissement râpeux.

— Tout de même, c'est un peu frustrant de te voir toujours occuper les plus beaux hôtels, se lamenta un homme debout près de la fenêtre.

— Vois-tu, je le mérite pour deux raisons. Je suis ton frère aîné, et le chef de notre petite équipe. Et après tout, tu n'as pas tellement à te plaindre, comparé à Martin, dans sa petite maison de chambres. Celui-là fait trop débardeur pour loger à l'hôtel. Il attirerait tout de suite les soupçons.

Joseph Lonegan murmura quelques paroles indistinctes. William essuya les dernières traces de savon à raser de son visage, avant de s'éloigner du miroir pendu au mur, pour aller s'étendre à demi sur le lit.

— Moi, ce qui me frustre surtout, c'est la damnée malchance qui s'acharne sur nous. Selon les journaux, personne ne serait mort des suites des deux bombes dans le métro. Ensuite, les quatre engins explosifs dans les consignes des gares ont été désamorcés avant de sauter. Si je ne te connaissais pas si bien, je me demanderais si tu ne trahis pas. Mais ce Martin, nous ne le connaissons pas…

— Tu n'es pas sérieux ? prononça le frère cadet d'une voix inquiète.

— Non, pas vraiment. Ce gars semble fiable. Tout de même, découvrir quatre bombes en une seule nuit, cela paraît impossible !

— D'après la presse, c'est le bruit du réveil…

— Je sais, je sais.

William Lonegan offrait un visage sombre, dépité. Après des mois au Royaume-Uni, son bilan se révélait terriblement mince : des transports perturbés, des dizaines de blessés, des politiciens aux abois. Rien de commun avec l'objectif fixé par John Devoy : mettre le pays à feu et à sang.

— Peut-être que si nous enveloppions ces appareils dans du tissu… Il faut bien admettre qu'un gros réveil dans une pièce étroite et sans fenêtre, cela peut s'entendre sans trop de mal en soirée, quand les lieux deviennent plus calmes.

— Nous l'essaierons de cette façon. Tout de même, quelle déveine !

Las de contempler les badauds dans le parc devant l'hôtel *York*, Joseph quitta la fenêtre pour venir s'asseoir sur la chaise placée devant une petite table, dans un coin de la chambre, avant de demander :

— Que proposes-tu que nous fassions maintenant ? Encore des chemins de fer ?

— Je ne sais trop. Les risques d'être capturés sont infimes, mais avec le mauvais sort qui s'acharne sur nous, l'un des ploucs du Service spécial nous demandera sans doute d'ouvrir notre valise… Quant aux consignes, ils les ont fermées, tout simplement.

— Pourquoi ne pas viser un navire ? Une caisse avec une machine infernale qui exploserait après deux ou trois jours de navigation : tout le monde crèverait dans le naufrage. Tu crois qu'il existe un réveil dont la sonnerie se déclencherait au bout de soixante-douze heures ?

— Je n'en ai aucune idée. Nous ferons des recherches. Revenons à tes malheurs, c'est moins déprimant. Si tu me trouves si bien nanti, comment se présente ton nouvel hôtel ?

— Plutôt minable, dans l'est, au milieu des taudis. Tu penses que c'est utile de nous déplacer sans cesse ?

Depuis des mois, toutes les deux ou trois semaines, les trois hommes en mission s'efforçaient de changer d'hôtel ou de maison de chambres, car aucun voyageur de commerce américain ne pouvait raisonnablement demeurer plus longtemps à la même place.

— C'est absolument essentiel, sinon quelqu'un finira par contacter la police, insista le frère aîné, un peu las de devoir tout répéter si souvent.

— Comme nous sommes inactifs pendant plusieurs semaines d'affilée, peut-être pourrions-nous aller dans une ville de la côte française. En plus, la vie y est moins chère qu'ici.

— Et repasser chaque fois par les douanes ? C'est probablement à ce moment que les risques de se faire repérer sont les plus grands. Au moins, les Anglais ne demandent jamais à un type dans la rue de présenter ses papiers.

Si les changements réguliers de domicile exaspéraient Joseph, le plus difficile demeurait toutefois de partir tous les matins, pour ne revenir qu'en début de soirée. Rester toute la journée enfermé dans sa chambre deviendrait rapidement suspect, à moins de prétexter un mauvais rhume, ce qui ne pouvait se répéter trop souvent. Dans un premier temps, les trois complices avaient perdu des journées entières dans des pubs. Cependant, très vite, ils avaient repéré d'autres désœuvrés qui ne pouvaient être que des informateurs de police.

En conséquence, peu importe la température, ils devaient errer dans les rues des heures durant.

— Dans cette ville, un parc se trouve toujours à distance raisonnable, conclut bientôt William. Maintenant que le beau temps revient, tu pourras venir passer tes journées sous mes fenêtres avec des journaux, et moi sous les tiennes.

— Mon hôtel ne se trouve pas en face d'un parc !

En émettant un long soupir, le chef d'équipe se leva de son lit pour aller prendre sa veste accrochée dans une minuscule penderie. Autant mettre tout de suite ses conseils à exécution.

17

Le major Nicholas Gosselin faisait de son mieux pour assumer une autre identité que la sienne. Une veste de laine à carreaux et une curieuse petite casquette lui donnaient vaguement l'air d'un chasseur écossais irrémédiablement perdu dans la gare de Liverpool. Celle-ci se trouvait tout près des quais où s'amarraient les grands navires transatlantiques. Un terroriste venu des États-Unis avait toutes les chances de débarquer là.

La veille, un télégramme signalait l'arrivée de John Daly — lequel voyageait sous le nom de Brady — sur le sol du Royaume-Uni. Dans toutes les villes portuaires du pays, les commissariats de police avaient reçu l'ordre de dépêcher des policiers afin de surveiller tous les débarquements de passagers de tous les navires. Comme le terroriste ne savait pas que l'alerte avait été donnée, il ne prit aucune précaution particulière. Au moment de poser le pied sur le quai, il ne prêta pas attention à un petit homme chargé de vérifier son passeport une seconde fois. En réalité, le fonctionnaire zélé le retenait devant lui pour comparer son visage au portrait que le Service spécial avait reproduit à des milliers d'exemplaires.

Vingt-quatre heures plus tard, Gosselin mettait cette image sous le nez du vendeur de billets de chemin de fer en demandant :

— Vous avez vu cet homme hier ?

— Oui… Je l'ai dit à votre collègue déjà.

Tant pis pour son déguisement: l'employé assis dans sa petite cage percée d'un guichet n'hésita pas un instant à reconnaître son occupation et à le relier au policier passé la veille.

— Où est-il allé? continua le major.

— Cela, je ne saurais vous le dire.

— Pourtant, hier, vous avez déclaré…

— … qu'il avait acheté un billet pour Birmingham. Cela ne signifie pas qu'il y soit allé.

— Cessez de faire le malin avec moi et donnez-moi un billet!

— Pour Birmingham?

L'air courroucé du policier convainquit le guichetier d'obtempérer sans rien ajouter de plus. L'enquêteur savait déjà où se trouvait son suspect: dès la veille, le commissaire de police de Liverpool avait télégraphié à son collègue de Birmingham pour lui dire de dépêcher une équipe de surveillance à la gare.

Quelques heures plus tard, Gosselin descendait sur le quai de la gare de la ville des Midlands, où se tenait le commissaire Harris venu l'accueillir. Après une poignée de main, il lui demanda:

— Vous avez toujours notre suspect à l'œil?

— Depuis son arrivée hier. Six hommes se relaient sans cesse pour être certains qu'il ne nous échappe pas. Mais je n'ai pas les ressources pour continuer encore longtemps…

L'ancien militaire retrouva spontanément le ton hargneux qu'il fallait pour rétorquer:

— Croyez-moi sur parole, vous n'avez surtout pas les ressources pour le perdre de vue. Ce serait la fin de votre carrière.

— Mais… nous devons aussi patrouiller dans les rues.

— Les putains putasseront, les voleurs voleront, mais vous ne perdrez pas cet homme.

Le commissaire se plongea un bref moment dans la contemplation du bout de ses chaussures, puis il capitula :

— Je ferai ce que vous dites.

— Je n'en attendais pas moins de vous ! Maintenant, où loge notre bonhomme ?

— Dans une petite maison située tout près d'ici, sur la rue Nova Scotia. Elle appartient à un mécanicien de locomotive nommé James Egan.

— Allons-y.

Le commissaire demeura un moment interdit, avant de balbutier :

— Pardon ?

— Je veux voir où il habite. Alors guidez-moi.

— Même si c'est tout près, autant prendre un fiacre, ce sera plus discret.

Diriger la force de police d'une grande ville industrielle présentait son lot de défis quotidiens à relever, mais en quelques jours le commissaire Harris comprit que jusque-là, sa vie avait été plutôt tranquille.

Quelques instants plus tard, les deux policiers étaient installés dans un fiacre secoué par les pavés irréguliers de ce coin de la ville. La rue Grosvenor passait devant la gare et donnait immédiatement sur Nova Scotia. Après cinq minutes, la voiture s'arrêta dans une rue étroite, devant une rangée de petites maisons de briques toutes identiques.

— Cet homme, Egan vous avez dit, qui est-il ?

— Un mécanicien de locomotive.

— Si vous ne savez rien de plus sur lui, changez de métier.

— Membre de l'union ouvrière, d'une société de bienveillance irlandaise, et surtout de la Fraternité républicaine.

La vieille association créée par le révolutionnaire James Stephens près de vingt-cinq ans plus tôt recrutait toujours. Le major demanda après un silence, un peu plus amène :

— Vous avez des informateurs chez eux ?

— Un informateur me suffit pour savoir ce qui s'y passe. Eux aussi avaient un informateur chez nous. Je m'en suis rendu compte au moment où nous avons découvert le laboratoire clandestin. Ces gens-là ont disparu trop précipitamment pour que ce soit un hasard.

— Vous l'avez arrêté?

— Je l'ai mis à pied. Pour une arrestation, il aurait fallu une certitude, pas un solide soupçon.

Le commissaire Harris avait raison. À moins d'un aveu, personne ne pouvait démontrer hors de tout doute que les criminels disparus avaient profité d'une indiscrétion. Un peu rassuré sur le sens commun de Harris, Gosselin demanda encore:

— Ces gens planifient-ils des attentats?

— La Fraternité? Non, pas vraiment. Mais chacun donne quelques pences toutes les semaines afin de soutenir le projet révolutionnaire.

Pour des centaines de milliers d'Irlandais, qu'ils habitent leur pays, le Royaume-Uni ou les États-Unis, l'engagement révolutionnaire n'allait pas plus loin. Jamais ces pauvres gens n'admettraient avoir du sang sur les mains. Toutefois, ces contributions permettaient à des hommes de se livrer à des campagnes de terreur à Glasgow, à Londres ou à Birmingham.

— Celui-là fait tout de même un peu plus: donner refuge à un tueur.

— Pour le moment, il offre refuge à un voyageur américain. Ce n'est pas un crime, à ce que je sache, commenta Harris.

En regardant sous le rideau qui obstruait la petite fenêtre de la portière, Gosselin remarqua un homme appuyé contre un muret de briques:

— Cet agent se fera très vite remarquer, si ce n'est déjà fait.

— Dans une rue comme celle-ci, difficile de faire autrement.

— Voyons, faites preuve d'un peu d'imagination. Toutes ces maisons ne sont certainement pas habitées par des Irlandais, plusieurs occupants doivent louer des chambres. Trouvez quelqu'un devant, et derrière aussi, disposé à prendre un locataire, par patriotisme ou pour de l'argent.

Le major reprit sa place au fond de la banquette avant de continuer :

— D'abord, commencez par dire à cet idiot de s'éloigner un peu des fenêtres de cette demeure. Puis vous me reconduirez à mon hôtel. Demain, je verrai avec vous comment organiser la surveillance.

D'un geste de la main, par la portière entrouverte, le commissaire Harris demanda au policier en civil de s'approcher. Gosselin lui indiqua un poste d'observation plus discret, complétant le tout de quelques conseils. Puis le cocher fouetta son cheval.

❧

Londres, samedi 5 avril 1884

L'un des plaisirs de la vie dans une grande ville était sans conteste la possibilité de tromper l'ennui les jours de congé. La très grande majorité des gens travaillaient le samedi. Cependant, de plus en plus souvent, David s'accordait le privilège de l'enquête buissonnière.

La Galerie nationale donnait sur Trafalgar Square. Il s'agissait d'un bel édifice construit au début du siècle, de style classique, flanqué d'une rangée de colonnes devant l'entrée principale et surmonté d'un petit dôme. Un moment, le journaliste se retourna pour contempler la colonne Nelson érigée au centre de la grande place, gardée depuis la fin des années 1860 par les lions de bronze sculptés par Edwin Landseer : le symbole de la victoire anglaise sur ses ennemis.

— Tu entres avec moi ou tu restes à contempler ce monument ? demanda Édith près de lui.

— Je te suis... Trop de dandys se promènent dans ce genre d'endroit l'après-midi pour séduire les bourgeoises esseulées.

— Où vas-tu chercher des idées pareilles ?

— Je dois lire de mauvais journaux. Ceux où j'écris, par exemple.

La nouvelle prospérité de sa femme entraînait un certain réinvestissement dans sa garde-robe. La robe noire s'ornait d'une abondance de rubans et de dentelle, et la tournure modeste sur les fesses ondulait à chaque pas. Une silhouette élancée et des cheveux savamment coiffés faisaient le reste. Seule dans ce musée, sa tenue laissant soupçonner un veuvage récent, l'un des dilettantes errant dans le grand édifice serait certainement venu lui offrir de longues explications sur la peinture italienne primitive.

La Galerie nationale présentait une impressionnante collection et ses murs croulaient littéralement sous les toiles. Tout néophyte qu'il fut, David se fit la remarque que l'accumulation de tableaux nuisait plutôt à l'effet d'ensemble. L'œil se trouvait détourné, distrait sans cesse de la peinture contemplée.

Devant l'*Adoration des mages* de Botticelli, Édith murmura :

— Que penses-tu des carnets de mon père ?

La traduction de ceux-ci en langage clair, effectuée à temps perdu, lui avait finalement pris des semaines.

— C'est en quelque sorte le bottin de tous les traîtres à la cause irlandaise. Ils furent tellement nombreux à venir chercher leur pitance que je me demande si le Royaume-Uni tire encore un bénéfice économique de la possession de ce territoire.

— Je suppose que oui. Mais cela t'est-il vraiment utile ?

— Cela le serait considérablement si j'avais un rôle significatif à jouer. Dans le fauteuil de Jenkinson par exemple, ou même comme l'un de ses subalternes au ministère de l'Intérieur, cela ferait une grande différence. Ce serait la même chose si j'étais consul dans une ville quelconque des

États-Unis. À titre d'enquêteur occasionnel au Service spécial, je ne peux pas vraiment en faire usage.

— Pour obtenir l'un ou l'autre de ces postes, tu aurais dû témoigner de la plus grande docilité au cours des vingt dernières années. Cela ne convient pas vraiment à ton caractère.

David se retourna vers sa femme, qui affichait son petit sourire railleur, pour répondre :

— Aux États-Unis, ce que tu dis serait vrai. En conséquence, j'aurais peut-être changé mon attitude afin de recevoir une promotion ; ou peut-être pas, en faisant mon deuil de bonne grâce d'une brillante carrière. Ce n'est pas le cas au Royaume-Uni. Pour obtenir un poste significatif, je devrais être né avec une cuillère d'argent dans la bouche, ou avoir fait des mignardises à un fils de lord dans l'une de ces écoles privées anglaises réputées.

— Tu exagères, lui répondit-elle en se déplaçant vers une autre toile.

Le sujet des privilèges héréditaires revenait sans cesse entre eux. L'arrogance des puissants et l'étanchéité des rapports entre les classes heurtaient l'homme élevé en Amérique. La rudesse des États-Unis lui paraissait infiniment préférable à cette sclérose sociale.

Édith préféra changer de sujet après un moment de silence :

— Ce fameux John Devoy, ce type qui a libéré des prisonniers en Australie, c'est bien le même qui a envoyé l'équipe de terroristes à l'œuvre à Londres depuis des mois ?

Pour préserver une certaine discrétion à leur conversation, elle était passée au français. Son mari répondit dans la même langue :

— Oui. Ce fut sa dernière mauvaise action à titre de président du Clan-na-Gaël.

— Puisqu'il a été victime d'un putsch, il devait se sentir assiégé par ses propres hommes à la fin.

— Je suppose que tu as raison. Mais où veux-tu en venir ?

— Même si rester debout devant une toile intitulée *La Bataille de San Romano* peut nous disposer à discuter de sujets de ce genre, allons boire une tasse de thé… Je te ferai part de mes longues réflexions pendant que je déchiffrais les mémoires de mon père.

Au fond du grand édifice, un salon de thé permettait aux visiteurs de prendre une collation. Quelques tables accueillaient autant de couples. Quand la théière et les tasses de porcelaine furent posées devant eux, Édith continua, toujours en français :

— Si Henri LeCaron ne sait pas de qui il s'agit, cela signifie que Devoy n'a pas recruté un membre important du Clan. Autrement, son absence pendant de longs mois aurait été remarquée par ton collègue espion.

— … Je suppose que tu as raison, encore une fois.

— Je parierais qu'il a demandé à l'un de ses fidèles, à quelqu'un dont l'allégeance va à l'homme plutôt qu'à l'organisation révolutionnaire.

— Un parent, un ami ? LeCaron a sûrement pensé à cela.

Édith fit mine de prendre un biscuit sur le plateau posé devant elle, interrompit son geste en se souvenant de la difficulté de Violet, le matin, à nouer les lacets de son corset. Mieux valait continuer à exposer sa théorie plutôt que de manger.

— Je pense à quelque chose de moins évident. Par exemple, des vétérans de la révolte de 1865, ou de 1867, des personnes en qui il peut avoir une confiance absolue.

— Comme des gens de son cercle révolutionnaire il y a près de vingt ans… fit David, songeur.

— Cela a du sens ?

— … Évidemment ! Tu as hérité de l'esprit retors de ton père !

Édith venait d'énoncer là une évidence. Pourtant, des dizaines de spécialistes de la lutte antiterroriste, dont son mari, n'y avaient pas pensé. Ces choses arrivaient, inspirant les «Nous aurions dû…» pendant les décennies suivantes. Le genre d'anecdote susceptible de figurer longtemps dans la longue liste des erreurs militaires légendaires. En 1884, trente ans après les faits, la ridicule charge de la Brigade légère près de Balaklava en Crimée venait toujours à l'esprit pour illustrer la sottise des généraux.

— Je te permets de dire à ton patron que l'idée vient de toi.

Sur ces mots, elle lui adressa un clin d'œil. Quelques minutes plus tard, le couple entrait dans une nouvelle salle, encombrée de peintures anglaises, celle-là.

☙❈❧

Londres, lundi 7 avril 1884

Le commissaire Williamson le reçut dans les minutes suivant son petit exposé hebdomadaire.

— Une idée m'est venue, commença David en ayant une pensée amusée pour son épouse. Comme vos informateurs ne peuvent découvrir l'identité du terroriste à l'œuvre à Londres, cela signifie que Devoy a recruté des personnes qui ne jouent pas un rôle essentiel dans le Clan.

— Cela se peut bien, convint le commissaire. Et alors?

— Nous devons chercher des individus en qui il a une absolue confiance. Le mieux serait d'examiner son passé. Jeremiah O'Donovan Rossa a montré l'exemple: plus de vingt ans après ses premiers exploits, ce sont ses amis de Cork qui ont fourni la main-d'œuvre des équipes de McDermott et O'Brien.

Un peu à la façon de son interlocuteur deux jours plus tôt, le policier s'étonna que personne n'ait fait cette suggestion avant. Pire, le fait qu'elle vienne finalement de ce dilettante l'agaçait au plus haut point. Toutefois, il dut convenir que cette piste valait d'être examinée de près.

— Que proposez-vous?

— Je veux me rendre en Irlande afin d'en apprendre un peu plus sur cet homme. Sans doute que je trouverai dans son sillage les noms de quelques fidèles.

— C'est bon. Vous serez tout aussi utile là-bas qu'à visiter des gares ou des stations de métro.

— Vous pouvez m'en dire un peu plus sur la surveillance de Daly ?

Le commissaire eut envie d'envoyer paître le prétentieux qui souhaitait en savoir plus que les autres membres du Service spécial, puis à la fin il consentit à dire :

— Le commissaire de police de Birmingham a toute une équipe sur le dos. L'homme réside chez un militant irlandais. Il quitte la maison pour marcher un peu et aller manger dans un pub voisin qui lui sert presque de résidence secondaire. Sa seule lubie est de lire tous les ouvrages de médecine qui lui tombent sous la main.

— Aucune rencontre susceptible de nous mettre sur une piste ?

— Quelques visiteurs parmi les piliers des associations irlandaises des Midlands, sans plus.

Ce qui signifiait sans doute que Daly savait qu'il était surveillé. Espionner une personne pendant des semaines sans que celle-ci ne s'en rende compte paraissait impossible à David.

— Jamais les policiers n'ont été repérés ? demanda-t-il avec scepticisme.

— À en croire Gosselin, non. Daly serait plutôt insouciant. De toute façon, comment peut-il soupçonner que nous avons été avisés de sa venue au Royaume-Uni ?

— Tout de même, il doit se douter que nous sommes après lui. Si nous parlions un peu de mes prochains déplacements…

Pendant quelques minutes, David aborda la question de son compte de dépense, résolu à ce que cette expédition ne lui coûte pas un sou de sa poche.

ᘒᙚᙚᘓ

Birmingham, mardi 8 avril 1884

Après des semaines d'inactivité, John Daly se résolut à passer à l'action. Au moment où il ferma la porte de la petite maison de James Egan, un rideau bougea légèrement à une fenêtre de la résidence d'en face. Cette surveillance systématique ne pouvait signifier qu'une chose : quelqu'un informait les Britanniques. Néanmoins, aux yeux du terroriste, les dés n'étaient pas encore jetés.

Au coin de la rue Hicks, l'homme tourna à gauche. Dès le moment où il disparut, la porte d'une demeure s'ouvrit et un policier en civil sortit pour lui emboîter le pas. Au moment où celui-ci arriva à son tour à l'intersection, il aperçut l'homme entrer dans le pub *King's Head*. La routine : le terroriste passerait là une heure, puis ferait le tour du pâté de maisons avant de revenir chez lui.

Ce soir-là, pourtant, John Daly avait d'autres projets. Sans s'arrêter dans la grande salle du commerce, il se dirigea vers la porte arrière, comme pour accéder aux latrines dans la cour. Un mur de briques de six pieds de haut fermait le petit espace. En trois foulées souples, l'homme s'en approcha, posa ses mains sur le rebord et se hissa sans trop de mal à son sommet, puis sauta dans la ruelle. Au pas de course, il rejoignit la rue la plus proche, où l'attendait un fiacre.

Le tout avait été organisé par James Egan. Birmingham regorgeait de cochers d'origine irlandaise. En trouver un qui saurait tenir sa langue n'avait posé aucune difficulté. Dix minutes plus tard, Daly prenait le train alors qu'un policier faisait toujours le pied de grue devant le petit pub.

❧❧❧❧

Wolverhampton, mercredi 9 avril 1884

Dans la petite gare de la ville industrielle de Wolverhampton, comme dans la plupart de celles du pays, un agent de police perdait son temps. La veille au soir, on avait donné l'ordre, au moyen de télégrammes envoyés dans les principales localités du Royaume-Uni, de surveiller les stations de chemin de fer, les dépôts de diligences et les ports. Les forces de l'ordre devaient signaler les déplacements de tous les individus de grande taille aux cheveux noirs. Heureusement, les très nombreux portraits reproduits en innombrables copies rendaient la tâche plus facile.

Le policier de faction, affalé sur un banc avec un journal déployé devant lui, suivit des yeux une grande silhouette se dirigeant vers le guichet afin d'acheter un billet, pour accéder ensuite au quai. Quand le voyageur eut disparu, l'agent se leva, passa sans vergogne devant un client pressé, et mit une feuille sous les yeux du commis en disant :

— Le gars qui vient d'acheter un billet, c'est bien lui ?

— … Oui, je crois, répondit l'autre en posant le doigt sur l'un des dessins montrant un visage portant favoris et moustache, des ornements cultivés depuis l'arrivée du suspect au Royaume-Uni.

— Où allait-il ?

— Birkenhead.

Le policier s'éloigna un peu pour laisser les voyageurs acheter leur billet. Le mieux était de s'assurer que cet homme montait bien dans le train, pour ensuite aller au plus vite faire rapport à ses supérieurs. Ceux-ci pourraient avertir leurs collègues de la petite ville sur les bords de la Mersey.

En après-midi, à des dizaines de milles de là, un autre agent vit bel et bien Daly descendre d'un wagon, puis se diriger vers la sortie de la gare pour prendre un fiacre. Le policier monta dans une autre voiture et ordonna au cocher de suivre la première. Ou le gros homme éprouvait une sympathie innée pour toutes les personnes poursuivies par les autorités, ou la circulation assez dense l'empêcha réellement de s'accrocher aux roues de son collègue. Toujours est-il qu'au moment d'arriver sur les quais d'où partaient les traversiers à destination de Liverpool, Daly ne s'y trouvait plus.

Le commissaire de police de Birkenhead eut droit à une longue diatribe de la part du major Gosselin dès l'arrivée de celui-ci dans la ville : placer un seul homme à la gare alors qu'un terroriste devait y passer frisait la négligence.

Dublin, mercredi 9 avril 1884

Le directeur de police Conàn Mallon demeurait aussi maussade qu'au moment des exécutions des Invincibles, mais il accepta de bonne grâce l'invitation à souper de David. Peut-être le sergent Collins avait-il évoqué les largesses de son hôte au point de donner envie à son supérieur de profiter de l'aubaine à son tour.

— Très intéressants, vos articles dans le *Tribune*. Comme tous mes collègues du poste de police vous connaissent, quelqu'un les a affichés au mur.

— Un jour prochain, ce sera la gloire, ricana le journaliste.

— J'ai surtout apprécié votre discrétion sur les événements les plus… désagréables.

Le policier faisait allusion à l'exécution gâchée de Kelly. Pendant un moment, les deux hommes s'occupèrent de passer leur commande à un serveur. Quand il se fut esquivé, David continua :

— Je ne voyais aucune utilité à donner dans l'horreur. Mais je ne désire pas évoquer la chasse aux Invincibles avec vous. Mon gibier, aujourd'hui, est le dynamiteur de Londres.

— Votre habileté pour désamorcer une bombe m'a impressionné. À la gare Victoria, cela aurait pu être l'hécatombe.

— Bah! Le héros, là-dedans, c'est le petit commis à l'oreille assez fine pour entendre un gros réveil enfermé dans une malle. Ce genre de dispositif se révèle bien primitif.

— Tout de même, cela empêche certainement Jenkinson de vous faire la vie trop dure.

Le serveur arriva avec deux whiskys sur un plateau, les réduisant au silence une nouvelle fois. Ensuite, Mallon reprit le fil de la conversation:

— Vous croyez que la piste de ce terroriste passe par l'Irlande?

— En réalité, l'idée vient de ma femme. Si aucun informateur n'a pu nous donner d'indication sur cet homme, cela peut tenir au fait que John Devoy a cherché ses complices dans son passé, plutôt que chez les membres les plus actifs du Clan.

— Je comprends. Un peu comme Rossa.

Après avoir reçu le premier service, le directeur de police continua:

— Vous voulez donc que je vous parle de Devoy.

— Vous vous souvenez de son arrestation?

— Bien sûr. J'étais alors un simple sergent, mais parce que je ne voulais pas le demeurer toute ma vie, je gardais les deux yeux bien ouverts. Ce gars est né dans le comté de Kildare en 1842. Avant d'avoir vingt ans, il fréquentait la Fraternité républicaine. En 1861, il est allé à Paris pour s'engager dans la Légion étrangère…

— Vous voulez rire?

— Pas du tout. Votre homme a servi pendant un an en Algérie. C'était une façon toute simple de recevoir une formation militaire.

Au début de la guerre de Sécession, les féniens ne pouvaient pas encore s'alimenter au rang des vétérans pour trouver des personnes rompues au combat. La Légion étrangère, formée de désespérés auxquels le gouvernement français ne posait aucune question sur leur passé, procurait une source de recrutement inespérée.

— Une fois revenu au pays en 1862, Devoy a commencé son travail d'organisateur pour la Fraternité dans le comté de Kildare. Quand nous avons ramassé les principaux dirigeants en 1865, cela lui a permis de prendre du galon au sein de l'organisation. À ce moment, son travail consistait à former des cercles révolutionnaires chez les soldats irlandais des différentes garnisons de nos armées, en particulier dans la région de Dublin.

— Avec succès ? demanda David un peu incrédule.

— Il semble que oui. Nous n'avons jamais mesuré l'étendue de son prosélytisme, les Irlandais ont été mutés dans des villes anglaises et des Écossais et des Anglais amenés ici. Toutefois, Devoy estimait que les cercles féniens dans l'armée comptaient un total de quatre-vingt mille hommes.

— Voyons, c'est totalement absurde.

Particulièrement pauvres, les habitants de l'Irlande s'engageaient en grand nombre dans la police et surtout dans l'armée. Mais un nombre pareil ne pouvait être réaliste : en fait, l'armée britannique ne devait pas regrouper plus de deux cent cinquante mille hommes au total. Si les Irlandais comptaient vraiment pour le tiers de l'effectif, tous n'adhéraient certainement pas au projet révolutionnaire.

— Même si vous divisez par dix, cela aurait représenté une menace très sérieuse, continua le directeur. C'est pour cela que les régiments ont été déplacés. Devoy a réalisé un autre tour de force en 1865, bien réel celui-là : l'évasion de son chef James Stephens grâce à la complicité de gardiens de la prison Kilmainham gagnés à sa cause.

— Vous l'avez arrêté…

— En février 1866. Il a été condamné à quinze ans de travaux forcés. Il en a purgé une partie à la prison de Portland, où il a fomenté une grève de la faim chez les prisonniers irlandais. Le gouvernement l'a expédié ensuite à la prison Millbank, à Londres.

La suite était bien connue de David. Pour apaiser les esprits en Irlande, le gouvernement britannique avait adopté une loi d'amnistie en 1871. De très nombreux prisonniers avaient recouvré leur liberté à condition de quitter le pays pour toujours. Au moment de son arrivée aux États-Unis, John Devoy avait été promené sur toutes les tribunes par des politiciens du Parti démocrate soucieux d'obtenir les voix des Irlandais. Le révolutionnaire avait même profité de l'insigne honneur de s'adresser aux élus dans la salle du Congrès, à Washington. Ensuite, de bonnes âmes lui avaient déniché un emploi de journaliste au *New York Herald*.

— Vous vous souvenez des noms de ses principaux collaborateurs, demanda David, surtout ceux qui sont allés en Amérique ?

— Je ne sais trop. Il y a près de vingt ans, vous savez...

Pendant les minutes suivantes, tout en mangeant, Mallon nomma quelques personnes, alors que David prenait des notes dans un carnet. Aucun de ces noms ne lui paraissait familier. Une heure plus tard, alors que les deux hommes se séparaient devant la porte du restaurant, le journaliste dit encore :

— Si vous pensez à d'autres révolutionnaires, envoyez-moi un mot au Service spécial.

— Je le ferai, mais à la fin j'aurai nommé tellement de féniens que cela ne vous servira à rien. Trouver ses collaborateurs les plus fiables est impossible, surtout après tout ce temps.

Après un dernier salut, David rentra dans son petit hôtel de la rue Dame. La distance parcourue pour venir à Dublin lui paraissait bien exagérée, et le profit de sa démarche totalement hypothétique.

ବ୍ୟୁଞ୍ଚ

Portland, vendredi 11 avril 1884

Au moment de descendre dans le port de Liverpool la veille, David avait envoyé un télégramme à sa femme pour lui faire part de son désir de se rendre directement à la prison de Portland. Il dormit mal, même si son compartiment de première classe offrait des banquettes moelleuses, sur lesquelles il put s'étendre de tout son long.

Le vendredi matin, le journaliste se trouvait devant le grand pénitencier, tout près de la petite ville de Waymouth. Après avoir demandé au cocher de l'attendre devant les grandes portes, il pénétra dans l'immense bâtisse lugubre. Au terme de longues explications et après la présentation d'un mot d'introduction du commissaire Williamson, les gardiens acceptèrent de le conduire chez le gouverneur de la prison, dans un bureau situé au-dessus de l'entrée principale.

Après avoir pris place sur la chaise que lui désigna un vieil homme aux cheveux gris, il commença :

— Étiez-vous déjà ici au moment de la détention de John Devoy ?

— Malheureusement, oui. On dirait que le gouvernement m'a condamné à une peine bien plus longue que celle de tous ces révolutionnaires, répondit le fonctionnaire d'une voix dépitée.

— Vous en avez connu plusieurs ?

— Tous : Rossa, Devoy, Davitt... Tenez, encore tout récemment, ce dernier était mon locataire. Quel homme respectable, depuis qu'il est député !

Le dépit teintait la voix du directeur de la prison. Visiblement, l'ordre de traiter ce pensionnaire aux petits oignons le laissait perplexe.

— Celui qui m'intéresse pour le moment, c'est John Devoy, précisa David.

— Ah! Moins farouche que Rossa, mais c'est tout de même un type dangereux.

— Son séjour a été mouvementé, je crois.

— Il a organisé une grève de la faim, mais aucun de ces salauds n'en est mort!

Que ces hommes en soient venus à cette extrémité pour alléger les brutalités qui s'abattaient sur eux n'effleurait pas l'esprit de ce geôlier.

— En fait, je veux connaître les noms des personnes qui étaient proches de lui.

— Personne ne peut vraiment être près de qui que ce soit en prison. Nous faisons tout pour que cela n'arrive pas. Je veux dire que nos pensionnaires ne choisissent pas leur compagnon, que ce soit dans la cour ou au moulin.

— Le moulin? demanda le journaliste, qui jouait très bien l'Américain ignorant les mœurs britanniques quand il le voulait.

— Ces gens-là sont condamnés aux travaux forcés, vous le savez?

David fit un signe d'assentiment. Non seulement tous les journaux le répétaient avec régularité, mais quelques mois plus tôt, les terroristes de Glasgow avaient écopé de cette sentence devant lui.

— Nous n'avons pas vraiment de travail à leur donner. Venez, je vais vous montrer.

Le vieil homme quitta son siège et guida son visiteur dans des couloirs sombres à la peinture écaillée. Après un moment, le gouverneur s'arrêta devant une fenêtre donnant sur une cour intérieure. Trois étages plus bas, une douzaine d'hommes revêtus d'un uniforme d'un vilain gris tournaient en rond sur un petit espace de terre battue. Aucun brin d'herbe n'apportait une touche de couleur. Les pas hésitants des prisonniers tenaient aux lourdes chaînes à leurs pieds.

— Nous les faisons sortir en petits groupes, afin d'éviter les désordres et les conspirations.

— Qu'est-ce qu'ils ont sur la tête? s'inquiéta le journaliste.

— Un masque.

— Pourquoi, grands dieux?

Chacun des prisonniers portait un curieux masque sur le visage, une pièce de tissu percée de deux trous pour les yeux, descendant à la hauteur du menton.

— Pour qu'ils ne se reconnaissent pas entre eux... Ces gens complotent toujours un mauvais coup. Puis cela les empêche de bien voir, au cas où ils se mettraient en tête d'attaquer les gardiens. Allons à ce fameux moulin.

Les deux hommes reprirent leur marche dans les corridors interminables, passant devant des successions de cellules étroites. Bientôt, ils entrèrent dans une grande pièce encombrée d'un énorme cylindre composé d'une série de roues reliées entre elles par des planches posées à intervalle régulier. Ce curieux appareil occupait tout un pan de mur. L'ensemble rappelait les roues à aubes des vieux navires à vapeur.

Huit hommes se tenaient à une barre de bois attachée au-dessus de leur tête et, en posant d'abord un pied sur l'une des planches placées à l'horizontale, puis l'autre sur la planche juste au-dessus, ils imprimaient un mouvement circulaire à cette étrange machine. Au fond, cela revenait à leur faire gravir un escalier sans fin, au gré de la rotation qu'ils imprimaient au cylindre. Cet effort devait se dérouler au seul son des grognements d'hommes exténués.

— Pendant combien d'heures par jour les prisonniers doivent-ils se livrer à cet exercice?

— Selon leur état de santé, entre six et huit. Ils ont cinq minutes de pause à toutes les demi-heures.

— Est-ce que leur effort sert à quelque chose?

— Les ramener dans le bon chemin.

Après plusieurs années passées dans ces lieux lugubres, le vieil homme trouvait tout naturel d'astreindre ses semblables à une corvée aussi absurde. Sans doute attribuait-il l'effroyable mortalité dans les prisons à une tout autre cause que l'épuisement physique. David savait très bien que huit heures sur cet appareil pouvaient revenir à gravir un escalier de plus de huit mille pieds de hauteur. Dès le premier mois, un homme perdait généralement vingt livres. Bien sûr, une diète faite de gruau et de pain ne permettait à aucun individu de refaire ses forces.

— Je veux dire : est-ce que ce travail a une utilité quelconque ? précisa David.

— Non. Au début du siècle, on essayait de coupler ces moulins à une pompe pour monter l'eau, ou à une machine à filer ou à tisser. Cela ne fonctionnait pas vraiment.

« Cela ne sert qu'à abrutir et à tuer », songea le journaliste. Tout d'un coup, la corde de Marwood, qui avait fini sa carrière avec cent soixante-seize pendaisons à son palmarès, lui parut moins cruelle.

Certains des prisonniers, sans doute les plus dangereux, devaient se livrer à cet exercice inutile les pieds entravés de chaînes. Aucun ne disait un mot. Des gardiens, dont un vieillard armé d'un lourd gourdin noueux, les regardaient avec lassitude. Le directeur demanda à l'aîné du groupe :

— Vous vous souvenez de John Devoy ?

— L'Irlandais complètement fou ? Bien sûr.

— Cet homme veut savoir qui était avec lui… Les noms de ses amis, si vous voulez.

Le vieillard se gratta la tête un moment, puis déclara :

— Il se trouvait toujours sur le moulin avec le même type à côté de lui : William Lonegan. À part cela, je ne sais pas.

Le gouverneur remercia l'employé et quitta la pièce avec le journaliste plutôt songeur attaché à ses pas. À la fin, ce dernier déclara :

— Ce nom de Lonegan me dit quelque chose. Vous pouvez me rafraîchir la mémoire ?

— C'est un autre de ces révolutionnaires irlandais. Dans mon bureau, je pourrai vous dire ce qui se trouve dans le registre d'écrou.

Après avoir parcouru à nouveau le dédale des couloirs de la prison, de retour dans son bureau, le directeur chercha le nom de William Lonegan dans un grand livre relié de cuir sombre.

— En 1867, il a participé à l'attaque d'un poste de police à Ballyknockane, puis à celle de bureaux des douanes. Il a été arrêté à Cork au début de l'année suivante et condamné à douze ans de travaux forcés. Libéré avec Devoy au moment de l'amnistie de 1871, il est passé aux États-Unis. Cela vous dit quelque chose ?

— Je crois que oui. Merci de votre aide, je dois me presser pour prendre un train au plus vite.

Le gouverneur s'en remit à un gardien pour faire escorter le visiteur jusqu'à l'extérieur de la prison. Ce ne fut pas avant d'atteindre la gare que la mémoire revint à David : William Lonegan, un petit homme à la barbe drue et noire, avait menacé Henri LeCaron de son revolver dix mois plus tôt, lors du congrès du Clan-na-Gaël à New York.

❦❦

Birkenhead, vendredi 11 avril 1884

Cette fois, le major Nicholas Gosselin ne voulut prendre aucun risque : un policier avait signalé que John Daly était monté dans un train à Warwick à destination de Birkenhead. Il se trouvait à la gare, accompagné de cinq agents de la police locale, tous vêtus en civil et affectant d'occuper un emploi en ces lieux.

Avec une ponctualité de métronome, à l'heure annoncée, le train s'arrêta le long du quai sous la grande coupole de carreaux de verre sur une armature de fonte. Des voyageurs descendirent, parmi eux se trouvait un homme de grande taille à la tignasse de cheveux noirs dense et ondulée. D'un seul mouvement, un balayeur, trois porteurs et un homme vêtu comme un mécanicien s'avancèrent de façon à l'encercler en tirant chacun un revolver de sous leurs vêtements.

429

— John Daly, je vous arrête, lança Gosselin en s'avançant à son tour.

L'Irlandais esquissa le geste de chercher sous sa veste, mais les canons de deux armes pointés sur son visage le convainquirent de se soumettre. Alors que les autres voyageurs s'attroupaient à distance respectueuse, le major prit la valise de toile de Daly pour la remettre à l'un de ses hommes. Il fouilla ensuite le suspect avec soin et prit le revolver de celui-ci placé sous son aisselle gauche ainsi qu'un couteau pliant dans l'une de ses poches de pantalon.

Un instant plus tard, des menottes aux poignets, John Daly montait dans un fourgon cellulaire stationné à une cinquantaine de pas de l'entrée de la gare. Gosselin s'assit avec lui dans la voiture. Deux banquettes se trouvaient l'une en face de l'autre. Le prisonnier fut placé sur l'une d'elles, encadré par deux agents. Sur la seconde, le major s'installa un peu de travers, le sac de voyage posé près de lui afin d'en examiner le contenu.

Sous les vêtements, enveloppés dans une pièce de tissu, il découvrit d'abord trois cylindres de cuivre. Avec précaution, il en prit un dans ses mains, en apprécia la texture alvéolée. Assez lourd, l'objet faisait environ huit pouces de longueur par trois de largeur. L'extrémité se dévissait pour révéler une structure complexe d'enveloppes de cuivre concentriques. De la terre glaise d'une épaisseur d'un pouce et demi en occupait le centre, excepté un long trou où l'enquêteur pouvait glisser tout son petit doigt.

— C'est bien ce que je pense ? interrogea Gosselin en désignant le cylindre.

— Va te faire enculer ! clama le prisonnier.

— Je prends cela comme un aveu. En vertu de la *Loi sur les explosifs*, cela peut vous valoir vingt ans.

Le major continuait de fouiller dans la valise, jusqu'à en extraire une petite boîte de bois, du genre de celles dans lesquelles les femmes rangent leurs bijoux. Il l'ouvrit, découvrit trois petits cylindres de verre du diamètre d'un doigt, longs de sept pouces, et deux fioles contenant un liquide jaunâtre, le tout soigneusement enveloppé dans de la ouate. Au moment où il sortit l'une des bouteilles pour en examiner le contenu, John Daly lança :

— Faites attention, imbécile !

— Voilà donc les détonateurs à la nitroglycérine, commenta Gosselin en remettant la petite fiole à sa place.

Le prisonnier lui jeta un regard assassin. Un moment plus tard, le fourgon s'arrêtait devant le poste de police.

❧

Birmingham, vendredi 11 avril 1884

Le commissaire Harris fit en sorte que deux fiacres arrivent par des voies opposées devant la maison de James Egan, alors qu'un autre s'arrêtait dans la ruelle. Cinq policiers entrèrent par le devant pendant que deux autres s'infiltraient par l'arrière, après avoir défoncé les portes à coups d'épaule. Ils trouvèrent le propriétaire des lieux effaré, debout près d'une chaise renversée derrière lui, avec dans les mains le journal qu'il lisait un peu plus tôt. Le suspect demanda :

— Que me voulez-vous ?

— James Egan, vous êtes en état d'arrestation, annonça le commissaire.

— Pourquoi ?

— Complicité avec un terroriste américain. Vous autres, fouillez la maison, ajouta-t-il à l'intention de ses hommes.

L'enquêteur fit signe au mécanicien de se rasseoir et prit lui-même une chaise afin d'attendre la fin de la fouille. Pendant une heure, les agents s'agitèrent en tous sens, faisant voler les couvertures des lits, ouvrant les enveloppes des matelas pour en répandre la paille sur le sol, sondant toutes les lattes du plancher et des murs, sans rien trouver.

— Vous n'avez rien à me reprocher, déclara Egan alors que les policiers revenaient encombrer son petit séjour.

Le commissaire Harris afficha sa mine la plus sombre pour demander :

— Vous n'avez négligé aucun recoin ?

— Aucun, répondit un sergent.

— Vous avez regardé dans la cour ?

Devant le silence gêné de ses hommes, Harris maugréa en secouant la tête, puis se dirigea vers la porte arrière. Elle donnait sur un rectangle de seize pieds — la largeur de la maison — par dix-huit, et était entourée d'un mur de brique. Une porte rongée de mousse s'ouvrait sur la ruelle.

Dans la clarté du jour déclinant, le commissaire examina le sol, cherchant un endroit où la terre aurait été remuée récemment, sans rien trouver. À la fin, il ouvrit la porte d'un petit cagibi où se trouvaient les latrines. La puanteur lui donna envie de rebrousser chemin, mais le sens du devoir l'amena à mettre la tête dans l'ouverture circulaire percée dans la planche de bois servant de siège, une allumette au bout des doigts.

Son effort pour ne pas regarder au fond du trou malodorant s'avéra vain, mais il découvrit tout de même dans un coin une petite boîte de fer-blanc carrée, fermée d'un couvercle circulaire, comme celles où l'on mettait le thé. Tout à côté se trouvait une liasse de papiers. Et dans un autre coin de ce cabinet grossier reposaient deux bouteilles de verre.

De retour dans la maison, le commissaire reconnut la documentation du Clan-na-Gaël. Il jeta la liasse de revues sur la petite table près de laquelle Egan se trouvait toujours assis. Les autres policiers occupaient les chaises disponibles dans la pièce.

— Tant pis pour vous, commenta-t-il à l'intention du suspect. Déjà, ces documents compromettants vous vaudront des ennuis. Mais je devine ce qu'il y a là-dedans.

À l'aide d'un canif pêché au fond de sa poche, le policier fit sauter le couvercle de la boîte de fer-blanc pour découvrir de l'argile grisâtre.

— Voilà, vous venez avec nous. Quant à vous, Messieurs, ajouta le commissaire pour ses hommes, comme vous ne savez pas faire une fouille, vous en avez encore pour des années à parcourir les trottoirs...

Après avoir endossé sa veste, le visage lugubre, Egan prenait la route des cellules.

18

Même s'il était descendu du train en soirée, David demanda à son épouse dès son arrivée à la maison de chiffrer un message à l'intention de Reynolds-LeCaron. Assise à la table de travail dans la bibliothèque, le roman *Les Mystères de Paris* sous les yeux, elle transcrivit le texte dicté par son mari. Une fois la table alphabétique mise au point, Édith se permit de commenter:

— Tu crois que l'un des cinq hommes de ta liste se promène à Londres pour mettre des bombes?

— En vérité, je pense que William Lonegan fait exploser la ville.

En quelques mots, David décrivit le petit esclandre dont il avait été le témoin à New York.

— Sortir un revolver dans un hôtel américain! Tu fréquentes ce genre d'individu…

Avant qu'elle ne s'engage dans un long exposé sur les dangers du travail d'espionnage, le journaliste précisa:

— Si tu veux que je revienne dormir ici, mieux vaudrait que tu termines bientôt. Je devrai encore me rendre au bureau du télégraphe avant de me coucher.

Ramenée à son devoir, Édith se pencha sur sa feuille de papier et, d'une écriture élégante, accumula les blocs de cinq lettres qui n'auraient de sens que pour Henri LeCaron.

❧❦❧

Au moment où David revint à la maison en fin d'après-midi, Violet lui expliqua en prenant son chapeau melon :

— Monsieur, mon frère est venu tout à l'heure. Madame se trouve dans la bibliothèque.

— Merci, je monte tout de suite.

Un moment plus tard, il prenait place sur une chaise devant la table de travail, alors qu'Édith s'adossait dans le grand fauteuil derrière le bureau.

— Ton suspect, William Lonegan, se révèle absent de sa librairie catholique de Détroit depuis plusieurs mois. Ton instinct de chasseur ne t'a pas trompé.

— Je suis plutôt inspiré par une chasseresse. Tu te souviens, c'est toi qui m'as dit de jeter un regard sur le passé de Devoy.

Son épouse lui adressa un regard amusé, heureuse qu'il se souvienne de ce fait, et lui tendit une feuille de papier. En plus de lui souligner l'absence du libraire, Henri LeCaron lui expliquait que les autres personnes dont les noms figuraient au télégramme paraissaient toutes présentes chez elles.

— Alors, descendons-nous manger l'horrible cuisine de madame Jones ? demanda David après une pause.

— Tu ne t'y fais pas ?

— Je ne m'y ferai jamais… mais je suis un homme de courage.

Bras dessus, bras dessous, ils regagnèrent le rez-de-chaussée.

Pendant ce temps, trois hommes s'installaient à une table de la salle à manger de l'*Hôtel du terminus*, dans le quartier Bermondsey. Cet établissement offrait un confort certain, ce qui ne calmait pas la jalousie des camarades de William Lonegan, condamnés à des logis plus spartiates. Ce bel édifice de cinq étages, y compris les deux sous le toit en pente, se trouvait sur la rive sud de la Tamise. La salle à manger, avec ses hauts plafonds à caissons et ses décorations de plâtre, était éclairée par de nombreuses lampes au gaz suspendues aux lambris. Les serveurs, revêtus d'habits noirs à queue-de-pie, allaient et venaient entre les tables alignées sur trois rangées. De très hautes fenêtres en ogive donnaient sur une place, et, au-delà, sur le pont de Londres.

Le grand pont jeté d'une rive à l'autre de la Tamise datait de 1831. Long de neuf cent vingt-huit pieds et large de quarante-neuf, il se composait de grandes arches de granit plongeant dans le lit du fleuve. En ce début de soirée, une masse de piétons, des voitures de toutes sortes, des cabriolets aux camions tirés par de lourds chevaux de labour ainsi que des fiacres, s'entassaient sur le tablier.

— Personne ne peut en douter, ton statut de chef te vaut les plus beaux hôtels, commenta Joseph Lonegan en levant la tête pour contempler l'élégant plafond.

— Cesse de te plaindre : tu aimais l'hôtel *York*, maintenant tu y loges ! grommela William. De toute façon, ni l'un ni l'autre d'entre vous ne se trouve à la rue.

— Sans doute, mais rien qui ne se compare à cela.

L'homme faisait un geste ample de la main, afin de désigner à la fois la grande salle et tout l'établissement. La gare attenante à l'édifice fournissait une clientèle abondante à l'hôtel. Les chambres se répartissaient sur quatre étages, le rez-de-chaussée étant réservé à la réception, à cette immense salle à manger et à un bar élégant, aux boiseries sombres.

Après qu'un serveur fut venu prendre leur commande pour s'esquiver tout de suite, Martin Feeny exprima l'inquiétude qui les tenaillait tous les trois :

— Ces arrestations, à Birkenhead et à Birmingham, signifient sans doute que les policiers sont sur notre piste.

Il avait murmuré ces paroles en gaélique. Utiliser ce langage à Londres suscitait maintenant la réprobation, et parfois des insultes fusaient de la part des occupants des tables voisines. Heureusement, à cette heure, les clients demeuraient encore peu nombreux.

— C'est impossible, déclara William. Daly est un proche du nouveau maître du Clan, Alexander Sullivan. Au moins un espion lui tourne autour, il s'agit de ce gars qui se fait passer pour un Français. Devoy, quant à lui, se montrait toujours méfiant, pour éviter les fuites. Si ce damné Service spécial était sur notre piste, nous serions en prison depuis des mois.

— Tout de même, tôt ou tard, des policiers se pointeront dans ma maison de chambres, commenta Feeny, ou alors dans les pubs que je fréquente.

— Ce qui veut dire qu'il convient de les éviter pour en adopter d'autres, grommela le chef entre ses dents.

Malgré ses dénégations, William commençait à s'inquiéter de la situation, au point de retarder, de semaine en semaine, la prochaine opération.

— Nous devons rentrer à la maison, déclara son frère Joseph. Le temps passe, et nous ne faisons plus rien.

— Après la prochaine fois. Nous ne pouvons partir avant de faire un dernier feu d'artifice.

Rentrer maintenant était un aveu de défaite pour ce vieux militant. Sauf en ce qui concerne les blessés de la station du chemin de fer métropolitain de la rue Praed, après plus de six mois de campagne, il n'avait aucun résultat tangible à présenter à John Devoy.

Londres, vendredi 18 avril 1884

Le British Museum, un grand édifice classique au fronton orné de colonnes ioniques, protégé par de hautes grilles de fonte, avait ouvert ses portes en 1759 pour ne plus les fermer ensuite. Il se trouvait sur la rue Great Russell, à une demi-heure de marche de la rue Malet. Seul, de son pas rapide, David parcourut la distance en vingt minutes à peine. Une fois à l'intérieur, plutôt que d'aller du côté des antiquités, comme il le faisait si souvent avec sa femme, il se dirigea vers la salle de lecture circulaire bâtie dans la cour centrale.

Fidèle à ses habitudes, le journaliste déposa son porte-document sur la table où, selon la légende, Karl Marx avait rédigé ses travaux. Un moment plus tard, il se présenta au comptoir pour demander si, dans l'immense collection du musée, on trouvait des journaux catholiques publiés dans la ville de Détroit.

— Je suppose, Monsieur, répondit un commis malingre, étriqué, déjà habitué aux requêtes un peu étonnantes de ce client.

Une demi-heure plus tard, David parcourait des numéros du *True Witness*. Régulièrement, dans un coin de la dernière page, il reconnaissait la petite carte de William Lonegan, libraire, sans aucun portrait de lui cependant. Pour cela, mieux valait s'en remettre à un journal politique irlandais. Au début de l'après-midi, il trouva un premier portrait d'un homme à demi chauve portant une barbe. À part la ligne du nez, les yeux creux et les sourcils broussailleux, le dessinateur ne pourrait en tirer grand-chose. Il s'acharna encore deux heures, le temps de trouver une image vieille de quelques années, où son suspect apparaissait imberbe et légèrement plus chevelu.

Après avoir tiré sa montre de son gousset, David constata ne plus avoir le temps de se rendre à Scotland Yard pour revenir avec un dessinateur avant la fermeture du musée. Il se présenta plutôt au comptoir de prêt afin de demander au commis :

— Y a-t-il quelqu'un dans ce service qui pourrait dessiner un portrait ? Je le paierai.

— Non, je ne vois pas... Mais pourquoi n'allez-vous pas du côté des antiquités ? Il y a toujours une douzaine de personnes qui font des dessins des œuvres d'art.

Quelques minutes plus tard, le journaliste se trouvait dans une immense salle où figuraient des bustes et de grandes statues en marbre représentant des divinités grecques ou romaines. Comme le commis l'avait prédit, de nombreuses personnes, hommes et femmes, assises sur de petits strapontins, dessinaient à grands traits.

Discrètement, David tendit le cou par-dessus l'épaule des artistes amateurs. Sur les cahiers tenus par les trois premiers, les coups de crayons incertains donnaient un résultat assez éloigné du modèle. Puis il se déplaça derrière une jeune fille blonde concentrée sur un buste de Zeus. À la fin, agacée par cette présence importune, sans doute l'un de ces dandys amateurs de chairs juvéniles, elle se retourna pour demander :

— Monsieur, dois-je me déplacer pour vous permettre de mieux voir cette sculpture ?

Ses joues prenaient une petite teinte rose, à la fois intimidée de son audace et en colère contre cet homme qui la serrait d'un peu trop près.

— Mademoiselle, je m'excuse. Vous dessinez très bien.

— Je... Merci. Maintenant, laissez-moi continuer, je vous prie.

— Ne vous méprenez pas, mon intérêt est tout à fait professionnel. Je voudrais vous demander un service.

David lui offrit son meilleur sourire. Rassurée à moitié que cet homme n'en veuille pas à ses charmes, cette jeune personne aux boucles blondes encadrant un beau visage, âgée d'environ dix-huit ans, se révélait fort jolie dans sa robe rose. Puis, elle demanda :

— Un service ?

— Juste à côté, à la bibliothèque. J'aimerais que vous dessiniez un portrait pour moi.

— Je ne sais pas si j'en suis capable.

— D'après ce que j'ai vu, vous le pouvez certainement. Cependant, vous devez être discrète.

Les paupières de la jeune fille battirent sur ses grands yeux bleus et un moment elle se demanda comment répondre, incertaine, puis risqua :

— Pour un motif honnête ?

— Il s'agit d'une affaire de police. J'ai trouvé le portrait d'un suspect dans un journal, j'aimerais que vous me le reproduisiez. Ce sera l'affaire de quelques minutes.

— ... Je veux bien essayer.

En disant ces mots, elle referma son grand bloc à dessin, puis rangea les crayons et les fusains dans une petite mallette de bois pour le suivre. Quelques minutes plus tard, elle prenait place à la table de Karl Marx en ramassant ses jupes pour s'asseoir bien à son aise. À cette heure du jour et à son âge, une femme élégante pouvait faire l'économie d'une tournure, ce qui ne nuisait certainement pas à la silhouette de cette nouvelle recrue du Service spécial.

— Cet homme, c'est un Irlandais? demanda-t-elle en levant les yeux vers lui.

— Oui. Je travaille à combattre le terrorisme.

— C'est l'homme qui pose les bombes?

— Peut-être. Votre portrait nous aidera à le trouver. Alors, nous saurons si c'est lui.

Songeuse, un peu inquiète de la tournure des événements, elle ouvrit son bloc à dessin à la page suivant celle où Zeus jetait un regard courroucé sur le monde, puis demanda:

— Je peux dessiner au trait, pour reproduire ce que je vois là. Mais les images dans les journaux demeurent statiques, sans expression. Dois-je utiliser mes fusains et tenter de lui communiquer... un sentiment?

— Si vous pouvez me donner un peu de votre temps, j'aimerais les deux. J'ai vu cet homme: si vous pouviez mettre dans ses yeux une colère intense...

De la tête, la jeune artiste fit un signe d'assentiment, puis se mit au travail. Le premier dessin, au crayon, ne lui prit que quelques minutes. L'image suivante, menaçante, soulignée au fusain, montrait des yeux creux un peu cruels.

— Vous croyez que cela ira? demanda-t-elle en lui montrant le fruit de ses efforts.

— Remarquable. Puis-je abuser au point de vous demander le même avec une moustache, et un autre encore avec une barbe noire, comme celle que je vais vous montrer dans un autre numéro du journal ? Quand je l'ai vu en juin dernier, il portait une barbe.

— Je comprends. Mais il se fait tard...

Elle chercha la chaîne dorée sur son corsage, au bout de laquelle pendait une petite montre, regarda l'heure et afficha un petit air ennuyé.

— Je pourrai vous reconduire en voiture tout à l'heure.

— Ce n'est pas convenable.

— Vous pouvez me faire confiance, je vous assure.

La jeune fille eut une hésitation, car l'offre d'une promenade en fiacre avec un inconnu lui semblait inconvenante. Puis, à la fin, elle se remit au travail. Une heure plus tard, au moment où la fermeture de l'établissement approchait, le commis se mit à tourner autour de leur table sans trop oser leur demander de partir.

— Voilà le mieux que je peux faire. Je dois vraiment rentrer.

— Votre travail est remarquable, la rassura David en mettant les trois larges pages arrachées à sa tablette à dessin dans son porte-document.

Un instant plus tard, au moment où ils mettaient le pied sur le parvis du British Museum, la grande porte se referma sur eux. La jeune fille tenta d'une voix intimidée :

— Je peux rentrer toute seule...

— Je vous assure, le mieux serait que je vous raccompagne en voiture. Mais j'y pense, je ne me suis même pas présenté. Voici ma carte.

David lui tendit un petit carton portant son nom, tout en ajoutant :

— Pas plus que je ne vous ai demandé votre nom.

Un nouveau sourire timide se dessina sur ses lèvres.

— Elizabeth Adams, prononça-t-elle en tendant la main.

— Enchanté, répondit le journaliste en serrant celle-ci. Voyez, une voiture se trouve juste devant nous.

Il s'agissait d'un petit cabriolet dont la capote était levée, ouvert sur le devant, beaucoup moins discret — donc moins inconvenant — que les boîtes fermées des fiacres habituels. Elle donna son adresse au cocher, accepta de s'appuyer sur la main du mystérieux chasseur de terroristes au nom français et à l'accent anglais impeccable, puis monta.

❧❧❧

Londres, samedi 19 avril 1884

Dolly Williamson contempla les grandes pages où s'étalaient les œuvres d'Elizabeth Adams, puis il demanda, sceptique :
— Comment cet homme se nomme-t-il ?
— William Lonegan, libraire à Détroit.
— Ce serait lui le poseur de bombes ?
— Je vous ai donné mes motifs de le penser. Bien sûr, il s'agit d'une hypothèse.
Le commissaire demeurait songeur. Il résuma après un moment :
— Vous avez connu l'existence de ce type à la prison de Portland, et un ami vous a confirmé qu'il se trouvait absent de son commerce aux États-Unis.
— Je connais son existence depuis quelques années. Je l'ai vu en conversation avec Devoy au dernier congrès du Clanna-Gaël, en juin dernier.
— Bon, nous allons reproduire ce portrait pour tous les services de police.
David adressa un bref salut de la tête à son supérieur et se leva pour regagner la porte du petit bureau. Au moment où il allait sortir, Williamson lui lança :
— Très beaux, ces dessins ! Cela ne vient pas de l'un des artistes de la police.
— J'ai recruté une charmante jeune fille devant la statue d'un dieu grec, Elizabeth Adams. Elle doit tout juste sortir de l'école. Mon charme, son talent et son patriotisme ont fait

le reste. Mais je suis tout de même entré chez elle pour rassurer ses parents.

— Si votre client ressemble vraiment à cela, nous pourrions lui demander à nouveau de participer à nos efforts avec ses coups de crayon.

Le Service spécial venait de s'enrichir de son membre le plus charmant grâce à une rencontre fortuite.

༄༅

Londres, dimanche 27 avril 1884

Profitant d'une seule véritable journée de congé par semaine, David prit comme un affront le fait que Williamson l'invite à se présenter à un entrepôt du bassin de Londres, un peu à l'est de la Tour de Londres. En descendant du fiacre devant une bâtisse sombre et basse de la rue Pennington, il aperçut une vingtaine de ces lourdes voitures de maître attelées à deux chevaux, quatre pour les plus lourdes, arborant les armes d'une famille noble sur les portières. Les cochers en livrée battaient la semelle en attendant leur employeur.

Au moment d'entrer dans l'entrepôt, le journaliste se trouva un moment devant Edward Jenkinson. Les deux hommes échangèrent un regard peu amène et finalement le fonctionnaire déclara, moqueur :

— Vous vous distinguez, monsieur Langevin. D'abord la bombe à la gare Victoria, ensuite la piste de ce Lonegan.

— Je dois vous retourner le compliment, avec toutes ces arrestations successives. Ces deux hommes, Daly et Egan, seront-ils bientôt traduits en justice ?

— Oui, à Warwick. Nous compterons encore sur vous pour en faire un récit édifiant pour nos cousins d'Amérique.

— Nos cousins du Parti républicain. Ceux du Parti démocrate s'abreuvent à une autre source de sagesse.

Ayant épuisé pour les mois à venir les réserves de civilités qu'ils possédaient l'un pour l'autre, tous deux se dirigèrent au fond de la grande bâtisse où le responsable des services secrets avait monté tout un spectacle. Autour d'une longue table, quatorze mannequins se trouvaient installés sur des chaises. À distance respectueuse, une vingtaine de personnages parmi les plus importants du royaume attendaient la représentation préparée à leur intention.

David reconnut tous les ministres du cabinet et quelques hauts fonctionnaires dans leurs plus beaux atours, un chapeau haut de forme sur la tête, parfois un monocle rivé dans un œil, toujours des gants du cuir le plus fin dans les mains et une canne à pommeau d'argent, ou d'or, pour se donner une contenance.

Gladstone lui-même, un vieil homme digne et toujours droit, se tenait au centre du groupe de notables.

— Très Honorables Messieurs, commença Jenkinson, je vous ai demandé de venir assister à une petite démonstration. Jusqu'ici, les attentats des Irlandais ont été réalisés à l'aveuglette, avec des machines infernales peu fiables, qui explosent une fois sur deux. Aujourd'hui, nos ennemis peuvent faire subir à n'importe qui le même sort qu'au tzar Alexandre II.

Le 13 mars 1881 à Saint-Pétersbourg, un groupe anarchiste autoproclamé La volonté du peuple lançait une première bombe en direction d'un carrosse occupé par le tzar. Alors que celui-ci portait secours à un soldat blessé, une seconde bombe le tuait. Le monde apprenait qu'aucun chef d'État ne pouvait échapper à des assassins résolus à mourir avec leur victime.

Avec précaution, deux hommes tendaient une solide ficelle dans un anneau fixé à une poutre au plafond. Une extrémité du cordage fut attachée à un cylindre de cuivre afin de le suspendre au-dessus de la longue table tandis que l'autre bout de la ficelle fut fixé derrière un mur solide composé de sacs de sable entassés les uns sur les autres.

Quand cela fut complété, Jenkinson monta sur la table pour se livrer à l'opération la plus délicate. Après avoir dévissé une extrémité du cylindre, il glissa un tube de verre en son centre, puis replaça le couvercle à sa place.

— Messieurs, nous allons tous nous cacher derrière ces sacs de sable. Assurez-vous qu'aucune partie de votre corps ne soit à découvert.

Les ministres se regroupèrent en arc de cercle, assis sur des chaises, derrière l'amoncellement de sacs de sable le plus volumineux. Les autres témoins, épaule contre épaule, s'entassèrent du mieux qu'ils le pouvaient, assis sur leurs talons, derrière les autres murs de protection.

— Attention! hurla Jenkinson, à trois. Un, deux, trois…

Au dernier mot, le fonctionnaire coupa la ficelle et se précipita tout de suite à l'abri. Au moment où le cylindre de cuivre heurta la surface de la table, une explosion secoua tout l'édifice, faisant éclater les vitres non seulement de cette grande bâtisse, mais aussi celles des immeubles immédiatement voisins.

David ressentit l'onde de choc comme un grand coup de poing dans la poitrine. Un nuage de poussière fit tousser tout le monde pendant de longues minutes. Tour à tour, chacun s'approcha de la longue table pour constater les dégâts. Le cylindre de cuivre avait heurté le centre du meuble, la déflagration le réduisant en de petits morceaux de bois. Les mannequins, projetés à travers la bâtisse, portaient tous de petits trous: les alvéoles de l'enveloppe de la bombe formaient autant de projectiles. Le journaliste reconnut des impacts sur les murs de l'édifice, à une trentaine de pas.

— Comme vous le voyez, expliqua bientôt Jenkinson, une bombe de ce genre lancée dans une réunion du cabinet, ou à la Chambre des communes, depuis la galerie des visiteurs, pourrait tuer tous les membres du gouvernement. Vous imaginez l'effet sous les roues du carrosse de la reine…

«Ou dans n'importe quelle assemblée de pauvres gens», songea David. Dans un pub, un restaurant ou une église, un cylindre de ce genre pouvait tuer cinquante personnes et en blesser cent. Le terrorisme franchissait une nouvelle étape dans l'horreur.

Surtout, Edward Jenkinson venait de démontrer à douze ministres effarés et à quelques autres grands du royaume que sans son extraordinaire efficacité pour arrêter John Daly, une hécatombe aurait pu se produire. Son étoile continuerait de briller encore un long moment.

❧

Londres, lundi 28 avril 1884

Martin Feeny essayait de prendre tous ses repas dans des pubs différents, afin de ne pas attirer l'attention sur sa personne. Il en était à terminer sa bière quand deux hommes entrèrent pour se diriger vers le comptoir. L'un affichait l'allure du policier en civil londonien, mais l'autre demeurait difficile à caser dans une profession.

— Vous avez déjà aperçu ce type ici ? demanda le sergent Thompson à un serveur.

— Non, non, jamais, affirma l'homme en examinant la feuille placée sous ses yeux.

— Il s'agit de William Lonegan, continua le policier.

— Je n'en ai jamais entendu parler.

David se dit que deux « non » enchaînés à un « jamais » pouvaient signifier un peut-être, sinon un oui. Cependant, insister ne donnerait rien. Tout au plus se déciderait-il à envoyer un agent discret faire un tour en soirée.

Feeny se concentra sur le fond de sa pinte de bière jusqu'à ce que les intrus quittent les lieux. Quelques minutes plus tard, il regagnait l'*Hôtel du terminus* d'un pas rapide.

❧

Londres, lundi 19 mai 1884

David se joignit à ses collègues du Service spécial pour la réunion hebdomadaire du lundi matin. Ses présences se

447

faisaient moins régulières, alors que ses articles dans le *Tribune* devenaient plus nombreux.

— Messieurs, commença Williamson, nous savons que Lonegan se trouve à Londres, quelques personnes nous l'ont confirmé en voyant les portraits. Cependant, cet homme semble s'être réfugié sous terre. Nous ne suffisons pas à la tâche : les maisons de chambres, les hôtels, les débits de boisson sont trop nombreux.

— Si tous les policiers de la ville nous donnaient un coup de main, commenta quelqu'un, cela faciliterait les choses.

— Nous ferons mieux que cela. Toute la population de Londres viendra à notre aide. Le ministre de l'Intérieur nous autorise à mettre les portraits de notre adversaire dans les journaux.

Le sujet avait occupé quelques discussions déjà. Tous les voisins d'un homme un peu malcommode risquaient de le dénoncer, sous prétexte d'une quelconque ressemblance avec le suspect, juste pour lui causer des ennuis. Les forces policières suivraient d'innombrables pistes ne conduisant nulle part.

— Cela deviendra infernal… commenta Thompson.

— Je sais tout cela, maugréa Williamson. Mais une seule confidence pertinente, parmi toutes les autres, pourra nous mener à lui.

Le commissaire levait un doigt comme pour souligner le chiffre magique. Après une pause, il enchaîna :

— Nous recevrons sans doute nos premiers visiteurs désireux de dénoncer un collègue, un contremaître, ou l'amant de leur femme, dès demain matin, juste après la parution des premiers journaux. Mettez de solides chaussures, vous marcherez longuement.

David décida dans son for intérieur de chercher résolument un nouveau sujet d'article, car les marches interminables à la poursuite d'une ombre ne lui disaient rien.

❧❀❧

Londres, mardi 20 mai 1884

Les trois hommes réunis sur le quai de pierre couvert de mousse verdâtre ressemblaient à des conspirateurs… ce qu'ils étaient. Depuis que son portrait circulait dans des hôtels et des pubs, William Lonegan portait un chapeau un peu trop grand lui tombant sur les yeux. Maintenant que ces images se trouvaient dans les journaux, mettre le nez dehors devenait fort dangereux. Avec l'été qui revenait, impossible de s'enrouler un foulard autour du visage.

— Nous devons quitter ce pays au plus vite, murmura Martin Feeny.

Sous leurs yeux, la Tamise roulait ses eaux sombres, alourdies par les égouts d'une agglomération de quatre millions d'habitants. Si près, ce cloaque répandait une puanteur à peine soutenable.

— Au contraire, insista William. Nous allons leur taper dans la gueule.

— … Que veux-tu dire ? demanda son frère.

— Nous avons une réserve inépuisable de dynamite. Je suis passé par Scotland Yard déjà. Une série de maisons un peu branlantes. Trente livres d'explosifs bien placés, et toutes se retrouveront par terre.

— Tout le monde connaît ton visage maintenant, remarqua Feeny. Le portrait est très ressemblant, en plus.

Sur ces mots, l'ancien débardeur jeta dans le fleuve le numéro du *London News* qu'il traînait dans sa poche depuis le matin.

— Tu n'es pas sérieux, maugréa Joseph.

— Pourquoi s'attaquer à un train, alors que le véritable ennemi se trouve sur la rue Whitehall ?

Discuter ne servait plus à rien si le petit homme avait décidé de passer à l'action. Il ne restait plus qu'à voir comment les choses se passeraient.

༄༅

Londres, le vendredi 30 mai 1884

Pendant toute une journée, Martin Feeny avait erré près des locaux de Scotland Yard. Bien sûr, à moins de vouloir dénoncer un sosie de William Lonegan, impossible pour lui d'entrer sans attirer l'attention. Pendant un long moment, il imagina mettre la bombe contre un mur. Dans ces cas-là cependant, la majeure partie de la déflagration se perdait dans l'air, souvent sans avoir fait le moindre mal à la cible.

La présence du *Rising Sun* lui parut providentielle, à cause du mur mitoyen avec les bureaux du Service spécial. Un peu avant neuf heures du soir, un fiacre s'arrêta devant le débit de boisson. Le débardeur accourut au moment où s'ouvrait la portière. Il reçut une petite valise dans les mains et pressa le pas pour regagner les latrines attenantes au pub.

Le *Rising Sun* allait fermer sous peu. Comme les employés des bureaux des immeubles voisins avaient regagné leur domicile depuis des heures, les clients se faisaient rares. Le terroriste s'enferma dans un cubicule exigu. Au centre du plancher s'ouvrait un trou circulaire, avec le dessin d'un pied de chaque côté, comme si les utilisateurs risquaient de ne pas comprendre le fonctionnement de cet équipement.

Martin Feeny s'accroupit, ouvrit la valise et en sortit un colis enveloppé de toile pour l'enfoncer dans l'ouverture d'une dizaine de pouces de diamètre. Ensuite, il plaça dessus un détonateur composé d'un petit revolver dont le percuteur tiré tenait en place grâce à un fil de fer. Il ouvrit une petite fiole qui laisserait tomber des gouttes d'acide une à une. Le fil serait rongé par le liquide corrosif jusqu'au point de céder, ce qui déclencherait l'explosion. Un moment plus tard, il refermait la porte du cubicule, puis inscrivait « Défectueux » avec une craie.

Avec un dispositif de ce genre, totalement silencieux, aucun risque d'être trahi pas un tic-tac indiscret. La difficulté était de prévoir l'heure précise de l'explosion. Tout de même, Feeny savait qu'il avait le temps de pisser dans un des urinoirs de zinc avant de regagner le fiacre stationné un peu plus bas sur la rue Whitehall. Au moment d'ouvrir la portière, il entendit William demander :

— Des problèmes ?

— Aucun. D'ici une demi-heure, je suppose que tout va sauter.

— Donc, tu t'énervais pour rien. Il reste des policiers sur les lieux ?

— Je ne crois pas. Ces messieurs semblent finir tôt !

— Dommage.

Le dépit marquait la voix du chef d'équipe. Faire sauter de la brique ne lui procurait pas la même satisfaction qu'additionner des victimes.

Dès que le passager eut fermé la portière, le cocher fouetta ses chevaux. La seconde étape se trouvait à Trafalgar Square. Quelques minutes plus tard, Feeny plaçait une bombe au pied de la colonne Nelson, avec l'espoir que l'un des lions de Landseer fasse obstacle aux regards des passants. À cet endroit, même après la tombée de la nuit, des gens pouvaient déambuler sur les trottoirs, les grands théâtres se trouvant à proximité. Parce qu'il fallait faire vite, descendre et monter dans la voiture sans se faire remarquer, le choix avait cette fois porté sur un mécanisme de mise à feu provoqué par un réveil. À minuit, la statue du vainqueur de Trafalgar tomberait de haut.

❧❧❧

Dans un salon meublé de façon exquise, en soirée, sir George Harcourt aimait bien prendre son vieux porto avec Madame. À neuf heures dix environ, alors qu'il portait son verre à ses lèvres, une détonation infernale réduisait en miettes toutes les vitres de la somptueuse maison de St. James Square. La boisson se répandit sur son plastron de celluloïd.

Le ministre de l'Intérieur se demanda un moment s'il n'était pas devenu sourd. Puis, la stupeur passée, il se rendit compte que son épouse avait eu la bonne idée de s'évanouir. Avec un peu de chance, les domestiques auraient le temps de tout nettoyer avant qu'elle ne revienne à elle.

Le mauvais sort joua contre la pauvre femme : elle reprenait ses esprits quand une seconde explosion, cette fois un peu plus lointaine, secoua ce qui restait des vitres dans les châssis. Le club Carlton trembla sur ses fondations quand la machine infernale explosa contre l'un de ses murs.

Excepté le verre brisé et une maçonnerie fortement ébranlée, les deux déflagrations provoquées par l'équipe de Lonegan ne firent aucune victime et les dégâts s'avérèrent minimes.

❧❦❧

Quand les coups sourds sur la porte du couple Langevin retentirent, David murmura :

— Cela ne peut être que le sergent Thompson. Lui seul cherche à défoncer de la sorte…

Tout de même, il ouvrit avec précaution, pour s'entendre dire d'une voix surexcitée :

— Suivez-moi sans tarder. Londres explose, ce soir.

David alla faire la bise à sa femme, décrocha une veste de tweed et s'empressa de rejoindre le sergent dans le fiacre stationné en face de la maison.

— Une bombe ?

— Des bombes. Trois jusqu'à maintenant. Toute la verrerie de cristal du ministre de l'Intérieur a été réduite en miettes, et les futures gloires du Parti libéral ont fait sous eux en entendant un grand BOUM sous les fenêtres du club Carlton. Mais à ces endroits, tout le monde en sera quitte pour un petit nettoyage.

— Quelque chose me dit que vous gardez les pires nouvelles pour la fin, remarqua le journaliste.

452

— Scotland Yard n'existe plus. À tout le moins, c'est ce que le messager m'a expliqué.

Dix minutes plus tard, après un trajet parcouru au petit trot, les deux hommes descendirent sur le trottoir devant un amas de ruines. Le *Rising Sun* avait été littéralement soufflé : seul le grand panneau de bois peint portant le nom de l'établissement, ordinairement placé au-dessus de l'entrée principale, paraissait être en un seul morceau. Quant aux bâtisses qui accueillaient les locaux de Scotland Yard, certaines ne conservaient que des bouts de murs branlants ; d'autres tenaient encore debout, mais des policiers empêchaient quiconque d'entrer, car aucun plancher ni aucun escalier n'étaient à présent sécuritaires.

— Il y a des victimes ? demanda David après être demeuré un moment bouche bée.

— Nous ne le saurons avec certitude que lorsque les débris auront été enlevés. Mais cela ne semble pas être le cas. Selon les voisins, l'explosion a eu lieu vers neuf heures vingt. À ce moment, le pub venait de fermer, et les locaux du Service spécial étaient vides. Notre collègue Sweeny avait quitté les lieux une quinzaine de minutes plus tôt.

— Nous n'avons pas fini d'entendre parler du jour où il a vu la mort de près.

Les deux hommes avaient marché en direction des édifices encore debout. Malgré l'obscurité, de grandes fissures apparaissaient sur les murs extérieurs.

— Ici, les personnes encore sur les lieux sont sorties en vitesse, expliqua Thompson. À leur place, je n'y mettrais pas les pieds de sitôt.

— Vous avez raison. Le mieux sera de tout jeter par terre pour reconstruire. Nous nous joignons à eux ?

Des hommes s'agitaient dans les débris afin de voir si des victimes demeuraient prisonnières des gravats.

— Nous sommes venus pour cela, quoique dans cette obscurité, cela ne servira à rien.

L'explosion pouvait avoir brisé les conduites de gaz. Par mesure de prudence, les policiers avaient éteint les réverbères sur les trottoirs et demandé aux résidents des environs de faire de même dans leur domicile. Pendant des heures, David se déplaça au milieu des débris. À toutes les trois minutes, un officier ordonnait à tout le monde de garder le silence, afin de tendre l'oreille. Si des survivants se trouvaient enfouis, il serait peut-être possible d'entendre leurs cris.

❧❦❧

Londres, samedi 31 mai 1884

— Scotland Yard a été complètement rasé?

Le couple se trouvait réuni au-dessus d'un petit déjeuner copieux, le seul repas anglais qui recevait l'approbation de David. Le ton d'Édith trahissait le plus complet scepticisme. Poser des bombes dans une station du métropolitain ou à la consigne d'une gare était une chose. S'attaquer directement au service de police chargé de combattre le terrorisme en était une autre.

— Non, je te l'ai expliqué: le pub a été rasé, de même que le petit édifice où se trouvaient les bureaux du Service spécial. Les dégâts subis rendront sans doute nécessaire de jeter au sol les bâtisses voisines, mais pour l'instant les murs tiennent encore.

— Quitte ce travail. Ni toi ni moi n'avons besoin de cela pour vivre. Bien plus, le temps que tu passes à la poursuite de ces fous te détourne des travaux d'écriture.

Chaque fois que son mari échappait à un danger, Édith ressassait les mêmes arguments. Chaque fois aussi, David offrait la même réponse:

— Je reçois tous les mois une somme généreuse du gouvernement britannique. Je rembourse en effectuant ce travail.

— Tu reçois cet argent pour tes exploits passés. Le petit capital qui a servi à financer ton annuité ne pèse pas bien lourd dans les finances du royaume. Les robes de bal de l'épouse du prince Arthur, dont tu as sauvé la vie, doivent coûter encore plus cher au gouvernement.

— Gentille façon de me rappeler la modestie de mon revenu !

Édith se mordit la lèvre inférieure, déçue d'avoir oublié un instant la prudence qui était de mise au moment d'aborder les questions d'argent. Son époux restait très sensible au montant de leurs ressources respectives, malgré toutes les années écoulées depuis leur première rencontre.

— C'est plutôt une façon de te dire que tous ces grands aristocrates, tous ces politiciens arrogants peuvent bien aller au diable, car aucun ne te vaut à mes yeux.

— Désolé de m'être énervé, reprit David sur un ton plus posé. La nuit a été difficile. Et ce matin, nous avons appris qu'une bombe avait fait long feu au pied de la colonne Nelson, à Trafalgar Square. Finalement, ces gros réveils américains ne sont pas si fiables. Pas tellement surprenant que de si nombreux travailleurs irlandais arrivent en retard au travail le matin. Les mauvaises langues attribuent cela, à tort, à l'abus de whisky.

Les excuses esquissées, plutôt que l'humour douteux, lui valurent un sourire. Édith demanda après un moment consacré à ses œufs et son bacon :

— Où le Service spécial logera-t-il désormais ?

— Quand j'ai quitté la rue Whitehall ce matin, Williamson nous a donné rendez-vous cet après-midi dans les locaux du ministère de l'Intérieur. Je me réjouis déjà à l'idée de croiser Jenkinson tous les jours.

« Protéger sa propre vie n'est pas une motivation suffisante, songea son épouse, mais pour éviter de voir cet homme, peut-être cessera-t-il d'aller là-bas. » Mieux valait toutefois rester discrète sur ces supputations, afin de ne pas donner à David un motif de la faire mentir.

※※※

Londres, mardi 3 juin 1884

— Pas un seul mort, pestait William Lonegan en gaélique. Ni chez les policiers ni chez ces foutus libéraux.

— J'ai fait exactement comme tu as dit, se défendit son frère Joseph. Les bombes se trouvaient placées contre le mur des deux bâtisses. La maçonnerie était trop solide.

Les trois complices se trouvaient dans le bar de l'*Hôtel du terminus*, à une table placée à une extrémité de la pièce. Depuis la parution de son portrait dans les journaux, le chef de la petite expédition portait une barbe longue de moins d'un demi-pouce. Cela lui semblait un compromis entre le visage glabre et la barbe d'apôtre dont ces dessins l'affublaient. Il commenta :

— Je ne te fais aucun reproche. Peut-être l'explosif a-t-il été entreposé dans de mauvaises conditions et a perdu de son efficacité. Ou nous sommes simplement les soldats les plus malchanceux du monde. Si nous comptons celui de la colonne Nelson, depuis le début trois de nos colis n'ont tout simplement pas explosé. Ces cochons en ont découvert cinq avant l'heure du feu d'artifice. Le mauvais sort s'acharne sur nous.

— Foutons le camp d'ici ! clama Feeny entre ses dents.

Le chef eut l'impression que la main de l'ancien débardeur tremblait au moment où celui-ci portait son verre à ses lèvres. Depuis des mois, il réaffirmait son désir de retrouver sa femme et ses enfants. Entendre la liste des mauvais coups du sort ne l'avait pas rassuré.

— Pas tout de suite. Nous allons faire un dernier essai, répondit William.

— Faire des repérages prend du temps, ces foutus portraits te ressemblent beaucoup, plaida son frère. Après les dernières explosions, ils les ont publiés encore, cette fois en première page.

— Nous n'aurons pas à chercher une nouvelle cible : elle se trouve sous vos yeux.

De la main, le chef montrait la fenêtre qui donnait sur une petite place. Tout de suite au-delà de celle-ci se trouvait l'entrée du pont de Londres. Malgré l'heure tardive, les réverbères leur permettaient de voir une foule de piétons et des véhicules de toutes sortes. La circulation était si dense que tous les chevaux avaient les naseaux contre l'arrière de la voiture qui les précédait.

— Imaginez le résultat, vers sept heures du matin, alors que les gens se rendent au travail.

— Tout de même, ce n'est pas si simple : quelqu'un devra retourner au nord de la ville, expliqua Joseph. Nous manquons… de provisions.

— Tôt ou tard les policiers sauront que j'ai un frère qui est aussi absent de son domicile depuis des mois, précisa William. Je crains que ton portrait ne s'étale bientôt dans le journal. Martin ira. Même si quelqu'un remonte la piste jusqu'à lui à New York, aucune de ses photographies ne doit traîner où que ce soit.

Les deux frères posaient les yeux sur leur compagnon. Celui-ci les regarda à tour de rôle, avant de prononcer d'une voix chevrotante :

— Pas question. Chaque fois, vous me collez cette corvée. Si je me fais prendre avec la… marchandise, c'est douze ans au moins.

— Mais personne ne connaît ton visage, plaida Joseph.

— Ni le tien !

Feeny avait parlé un peu plus fort, au point d'attirer l'attention de buveurs à une table voisine. L'usage du gaélique devenait carrément dangereux. Tous les Irlandais du Royaume-Uni devaient multiplier les efforts pour arriver à parler anglais sans accent.

— J'irai, déclara William d'une voix blanche.

Visiblement, aller placer la bombe à Scotland Yard avait joué sur les nerfs du débardeur. La prochaine fois, le chef choisirait un militant avec une expérience militaire, un homme moins impressionnable que cet amateur.

— Ton visage est trop connu... plaida Joseph.

— J'irai, répéta le libraire. Nous placerons le colis sous l'une des arches, avec le réveil réglé pour sept heures le lendemain matin, puis nous prendrons le train à la gare d'à côté pour regagner une ville de la Manche, et, de là, passer en France.

Discuter ne servait plus à rien. Les choses se passeraient comme le chef venait de le dire.

19

Globe Town se trouvait au nord-est de Londres, au croisement du chemin de fer réunissant la métropole à l'est du pays et du canal Regent. Le trajet depuis l'*Hôtel du terminus* prit largement plus d'une heure à William Lonegan. Par mesure de précaution, le terroriste descendit au cimetière juif et traversa la voie ferrée à pied pour se rendre sur la rue Union. Là, il recruta un nouveau cocher et se retrouva finalement devant un petit atelier de la rue Folly, spécialisé dans la fabrication de meubles.

— Attendez-moi ici un moment, je dois prendre une malle, expliqua-t-il en mettant le pied sur le trottoir.

Le gros homme grommela son assentiment, son passager alla frapper à la porte de la petite bâtisse un peu délabrée et entra après avoir regardé de tous les côtés afin de s'assurer que personne ne le surveillait. Quelques minutes plus tard, un homme malingre l'aidait à transporter une malle visiblement très lourde jusque sur le trottoir.

— Je vais chercher les bouteilles, murmura l'artisan.

— Très bien.

Puis Lonegan enchaîna à l'intention du cocher:

— Aidez-moi à grimper ce bagage sur le toit de la voiture.

— Cela a l'air terriblement lourd. Avec mes rhumatismes… Demandez à votre ami.

Le militant jeta quelques jurons et essaya de lever tout seul la malle à bout de bras. Même si celle-ci ne s'avérait pas tellement volumineuse — moins de trente pouces de long par environ vingt de hauteur et de profondeur —, son poids excédait ses forces. Alors que le cocher regardait résolument ailleurs, un passant s'approcha en disant :

— Attendez, je vais vous donner un coup de main.

D'après les vêtements que l'homme portait, Lonegan reconnut un artisan d'un atelier voisin, sans doute en route vers un pub pour prendre son repas du midi. À deux, le bagage atterrit prestement sur le toit du véhicule.

— Je vous remercie, fit le terroriste en tendant la main.

— Ce n'est rien, répondit l'autre avec un sourire. Vous venez des États-Unis ?

— ... Oui. Mon voyage se termine, je vais rentrer.

L'autre s'éloigna. Après plus de dix ans dans ce pays, Lonegan affichait un accent américain assez crédible. Un moment plus tard, l'ébéniste revenait près du fiacre. En tendant un petit sac de voyage, il murmura :

— Je les ai enveloppées dans des chiffons.

Un moment plus tard, le cocher amorçait le long trajet jusqu'à l'*Hôtel du terminus*.

෴

Pendant toute la durée de son heure de pause, le mécanicien Barry Radcliffe se demanda où il avait déjà vu ce petit homme si noir de poil, à la barbe de trois ou quatre jours qui dissimulait mal son visage osseux. Puis cet accent américain demeurait plutôt guttural. Après coup, l'artisan se disait que cet homme devait plutôt venir d'Irlande.

Au moment de sortir, la mémoire lui revint en voyant un homme absorbé dans le dernier numéro de l'hebdomadaire *Police News*, une publication riche en illustrations lugubres et sensationnalistes.

Au risque d'arriver en retard au travail, Radcliffe chercha un agent de police dans les rues de Globe Town. Comme toujours, ces hommes omniprésents quand il s'agissait de vous gâcher l'existence devenaient introuvables au moment où l'on avait besoin d'eux. Finalement, le mécanicien en dénicha un sur la rue Green, où l'abondance des commerces exigeait la présence des forces de l'ordre.

— Je viens de voir le gars dont le portrait se trouvait dans le *London News*. Lonegan, je crois.

— Vous êtes certain ? Tout le monde le voit partout.

Le policier dissimula si mal son scepticisme que son interlocuteur répondit :

— Il y a une heure que je vous cherche. Mais si vous préférez vous réveiller avec un bâton de dynamite dans le cul, je retourne travailler.

— Attendez, dit l'agent en voyant l'homme faire mine de tourner les talons. Où l'avez-vous vu ?

— Sur la rue Folly, devant la boutique d'un ébéniste. Un Irlandais.

Le policier nota soigneusement les adresses du domicile et du travail de ce témoin. Après des remerciements peu sincères, il décida d'aller tout de suite rendre compte de cette rencontre à son supérieur.

Londres, jeudi 5 juin 1884

Pour une fois, les coups du sergent Thompson contre la porte de la maison de la rue Malet ne firent sursauter personne. Quand Violet arriva dans l'embrasure de celle de la bibliothèque, ce fut pour dire :

— Monsieur, c'est encore ce policier. Il ne m'a pas donné sa carte…

— Je ne pense pas qu'il en possède une.

Un moment plus tard, David retrouvait le sergent dans le petit hall du rez-de-chaussée. Celui-ci commenta :

— Vous vous faites rare. On ne vous voit plus au Service spécial.

— La dernière fois que j'ai vu le Service spécial, il n'en restait plus qu'un amas de gravats.

— Voyons, voyons, les hommes qui se dépensent à protéger les Londoniens des menaces terroristes existent toujours, eux. Je vous soupçonne de préférer noircir du papier dans votre belle maison à notre compagnie.

Les allusions de Williamson à ses travaux d'écriture, tout comme les absences répétées du journaliste, avaient permis aux policiers les plus délurés de faire le lien entre les patronymes Langevin et Devlin. Cet esprit de déduction rendait David encore plus soucieux de sa sécurité.

— Qu'est-ce qui me vaut le plaisir de votre visite? demanda-t-il pour changer de sujet. Vous paraissez trop calme pour m'annoncer de nouvelles explosions.

— Une piste. Quelqu'un aurait vu Lonegan sur un trottoir du quartier Globe Town.

— Combien de signalements de ce genre ont eu lieu ces dernières semaines?

Le journaliste avait dit cela en riant. Des quidams se permettaient même de dénoncer des voisins dans les pages de journaux populaires, se plaignant au passage de l'inertie des forces de l'ordre à ce sujet.

— Des centaines, répondit Thompson du même ton amusé. Mais cette fois, cela paraît plus sérieux. Les policiers locaux ont fait leurs devoirs. Le suspect se trouvait devant la boutique d'un militant irlandais. J'ai pensé que vous aimeriez m'accompagner.

— Le temps de mettre mon chapeau, et je suis à vous.

Un fiacre attendait dans la rue. Environ une heure plus tard, les deux passagers descendaient devant l'atelier d'un fabricant de machines-outils de la rue Folly. En entrant, ils demandèrent à parler à Barry Radcliffe. Après un petit moment, alors que les autres travailleurs jetaient sur eux des regards curieux, le trio cherchait un coin tranquille et discret.

— Vous avez vu cet homme ? demanda Thompson en lui montrant le jeu de portraits de Lonegan.

— Oui, sinon je n'aurais pas parlé à ce policier.

— À quoi ressemblait-il ? intervint David.

— À ces dessins, répondit l'autre, méfiant.

Le journaliste reçut d'un sourire le mouvement d'humeur, puis jugea utile de préciser :

— Je veux savoir à quoi il ressemble. Porte-t-il une barbe, une moustache ?

— Une barbe de quelques jours, comme un gars qui a cassé son rasoir et attend sa prochaine paie pour en acheter un autre.

— Et vous l'avez tout de même reconnu ? intervint Thompson.

— Les yeux, le nez, le front... puis avec une barbe si courte, la forme de la bouche et du menton demeure bien visible.

Ce témoin avait une tête solide et beaucoup de sens commun. Mieux valait écouter ce qu'il avait à dire et prendre des notes.

— Que faisait-il ? demanda Thompson.

— Je l'ai aidé à mettre une petite malle sur le toit d'un fiacre. Elle était rudement lourde.

Les deux enquêteurs échangèrent un regard : la dynamite s'avérait pondéreuse. Mais une malle lourde au point qu'il faille plus d'un homme pour la soulever devait contenir un pouvoir de destruction exceptionnel.

— Cet homme parlait anglais comme un américain, commenta encore l'artisan, mais cela sonnait aussi comme l'accent irlandais. Il y en a beaucoup dans les environs.

— Vous dites qu'il plaçait cette malle sur un fiacre. Il vous a dit où il allait ? demanda David.

— Il a fait allusion à son voyage qui se terminait.

— Rien d'autre ? intervint le sergent à son tour.

Radcliffe fit signe que non de la tête.

— Vous connaissez le cocher? demanda David.

— Pas son nom, mais c'est un type qui travaille dans le coin. Je l'ai vu assez souvent dans les rues de Globe Town.

— Vous pouvez le décrire? questionna Thompson à son tour.

— Un gros gars mal rasé, le poil blanc, la cinquantaine sans doute. Il porte un vieux chapeau haut de forme tout cabossé et une veste rougeâtre.

Si ce cocher travaillait régulièrement dans le quartier, à moins que sa garde-robe ne soit exceptionnellement riche, le retrouver ne serait pas très difficile.

— Merci, déclara Thompson en refermant son carnet. Nous allons nous en occuper.

De retour sur le trottoir, le sergent indiqua au cocher de les suivre. L'atelier de fabrication de meubles se trouvait tout près, mieux valait faire le trajet à pied.

— Que faisons-nous maintenant? demanda David.

— Nous arrêtons cet ébéniste. Ensuite, nous irons au poste de police afin de mettre le plus de monde possible sur la trace de ce cocher. Avec un peu de chance, il nous conduira au gîte de Lonegan.

Leur entrée dans le petit atelier jeta la consternation chez le maître des lieux et ses deux apprentis. Pour tout salut, Thompson plaça le portrait du suspect devant le visage de l'artisan en affirmant:

— Vous connaissez cet homme.

— Non, je ne l'ai jamais vu.

— Il est venu ici hier chercher une cargaison de dynamite. Vous êtes en état d'arrestation.

Thompson cherchait son arme dans une poche de sa veste.

— Pourquoi m'arrêtez-vous? Je n'ai rien fait.

— Aider un terroriste est un crime. La complicité dans les attentats des derniers mois s'ajoutera peut-être à l'acte d'accusation.

David lut la peur sur le visage de l'artisan. Cela ressemblait fort à un aveu de culpabilité, mais la perspective d'une accusation de ce genre aurait terrorisé bien des innocents. Les deux apprentis, des garçons de quatorze ans environ, se rapprochaient de la porte, prêts à s'enfuir.

— Ne bougez pas, ordonna le policier de son ton le plus sévère.

Le sergent sortit ses menottes de sa poche et demanda à David de les passer aux deux adolescents. Attachés ensemble, ils risquaient peu de se sauver, et, si cela arrivait, les retrouver ne poserait pas de difficultés. La menace du pistolet suffirait à réprimer toutes les velléités de fuite du maître des lieux.

— Allez demander au cocher de se rendre au poste de police le plus proche pour ramener des agents en nombre suffisant pour fouiller les lieux et s'occuper de ces trois personnes, demanda ensuite Thompson à son compagnon.

Alors que le journaliste obéissait, le sergent demanda à son prisonnier, planté debout avec un revolver pointé vers le visage :

— Allez, faites-moi des confidences. Si vous nous aidez à empêcher un nouvel attentat, le juge s'en souviendra.

L'autre lui présenta un visage fermé.

Peut-être parce qu'il avait décidé de s'accorder un moment de relâche pour profiter du temps clément, ou que son cheval devait être ferré à neuf après l'expédition jusqu'au centre de Londres, le colignon tarda à se manifester. Ce ne fut que le lendemain, un peu avant l'heure du repas, qu'un policier aperçut le cocher coiffé d'un vieux haut-de-forme et vêtu d'un manteau d'un rouge passé. L'homme fut amené au poste de police où Thompson et Langevin perdaient leur temps depuis le matin.

Quand le cocher se présenta devant eux, le sergent reprit le scénario habituel, plaçant les portraits de Lonegan sous ses yeux pour dire :

— Il y a deux jours, vous avez fait monter cet homme dans votre voiture. Il portait une barbe de quelques jours.

— Le gars avec la malle.

Les deux enquêteurs échangèrent un regard. Ce fut David qui posa la question suivante :

— Où l'avez-vous conduit ?

— À l'*Hôtel du terminus*, au bout du pont de Londres. L'aller-retour m'a pris tout l'après-midi.

— Il vit là ? intervint Thompson.

— Comment voulez-vous que je le sache ? Je présume, puisqu'il a demandé à des employés de l'aider à porter son bagage à l'intérieur.

❧❦❧

Au milieu de l'après-midi, le sergent Thompson, David sur les talons, se présentait au comptoir de l'*Hôtel du terminus*, le jeu de portraits du suspect à la main :

— Cet homme réside ici depuis au moins deux jours, déclara-t-il au commis de service à la réception.

— Aucun des clients de l'hôtel ne ressemble à cela.

— Il portait une barbe de quelques jours, mercredi matin.

Le rasoir permettait de faire varier un déguisement très rapidement, alors que la repousse de la barbe prenait nécessairement du temps. Au mieux, Lonegan présentait maintenant des joues glabres.

— Je vois à qui vous faites allusion : Lomasney. Mais ce client n'est pas arrivé il y a deux jours. Je regarderai dans mon registre si vous désirez connaître la date exacte de son arrivée, cela remonte à quelques semaines…

Le commis s'arrêta, interdit, puis il reprit d'une voix hésitante :

— Vous voulez dire que ce serait le terroriste ?

— Nous avons de bonnes raisons de le croire. Quel est son numéro de chambre ?

— ... Il est parti depuis quelques heures.

— Parti ? Où est-il allé ? questionna le policier d'une voix impatiente.

— Je ne sais pas. Ce matin, il a réglé le prix de la chambre.

Après des mois de vaines recherches, perdre le suspect après avoir cru le saisir enfin laissa le policier un moment sans voix. David insista :

— Vous n'avez rien entendu ? Une indication donnée à un cocher ? Une remarque anodine en réglant la note ?

— Tout ce que je sais, c'est qu'il doit prendre un train ce soir à la gare à côté, sans doute pour aller sur le continent. Comme la consigne est fermée depuis les attentats, ce client a demandé que nous gardions non seulement sa valise, mais celles de ses deux compatriotes qui voyageront avec lui.

— Vous avez ses bagages ? intervint Thompson, les yeux écarquillés de surprise.

Ce commis affichait un esprit particulièrement lent. Pas étonnant qu'il ait vu tous les jours un homme dont le portrait avait été plusieurs fois publié dans les journaux sans s'en rendre compte. La chance ne penchait pas seulement en faveur des policiers : d'un côté, des bombes étaient désamorcées à temps, de l'autre, le personnel d'un grand hôtel semblait affligé d'une cécité sélective.

— Où sont ces bagages ? continua le policier.

— Juste ici, dans cette pièce.

Le commis désignait une porte à la gauche de son comptoir.

— Montrez-les-nous. Quand ces hommes doivent-ils les récupérer ?

— Ce soir. Lomasney...

— Lonegan, son nom est Lonegan.

— Lonegan a parlé de onze heures.

L'employé avait ouvert une petite pièce. Des étagères de bois permettaient de ranger des bagages. Quatre valises placées l'une contre l'autre se détachaient sur l'une d'elles.

— Voilà, déclara l'employé en tendant le doigt.

Le sergent Thompson les prit une à une pour les mettre sur le sol. Les deux enquêteurs se posaient la même question ; ce fut finalement le journaliste qui la formula à voix haute :

— La petite malle très lourde que Lonegan a amenée ici plus tôt cette semaine ?

— Les trois hommes l'ont emportée en matinée. Des échantillons...

Le bon sens sembla enfin pénétrer dans l'esprit du commis :

— Vous voulez dire que c'était une bombe ?

Cela ne méritait aucune réponse. Thompson demanda sur un ton qui exigeait une réponse positive :

— Nous avons besoin d'une pièce où il sera possible de fouiller ces valises. La chambre de Lonegan a-t-elle un nouvel occupant ?

— Non, pas encore.

— Je la réquisitionne. Aidez-nous à monter ce barda.

Quelques minutes plus tard, les quatre valises se trouvaient déposées sur un lit. David se dirigea tout de suite vers la grande fenêtre pour ouvrir les rideaux. Sous ses yeux se trouvait une petite place animée et, au-delà, le pont de Londres offrait le spectacle habituel : des piétons et des voitures formaient un flux continuel, comme le sang dans une artère.

— Retournez à la réception, ordonna Thompson au commis, mais ne dites pas un mot sur ce qui se passe. Inutile d'alerter le personnel de l'hôtel. Si l'un des trois hommes, Lonegan ou l'un ou l'autre de ses compagnons, se présente, vous avertirez mon collègue discrètement.

Dès que l'employé eut fermé la porte de la chambre derrière son dos, le sergent continua à l'attention de David :

— Si cette malle est à ce point lourde, cela signifie que ces hommes possèdent encore des dizaines de livres de dynamite. Comme ils doivent revenir ici en fin de soirée seulement, les terroristes ont encore une douzaine d'heures pour semer de nombreuses bombes à travers la ville.

— Ou une seule, très puissante. Que faisons-nous?

— Vous restez ici pour fouiller ces valises et accueillir Lonegan au cas où il reviendrait, ce qui est bien improbable. Je vais aller au Service spécial. Je suppose que Williamson voudra mobiliser toutes les forces de police disponibles pour fouiller les gares et les stations du métropolitain. Je lui demanderai de poster quelques hommes ici, pour parer aux imprévus.

David fit un signe d'assentiment et commença à examiner les serrures des bagages, alors que son compagnon quittait les lieux. Après un moment, il dut se résoudre à aller chercher un pied-de-biche à la réception pour les faire sauter. Pendant une heure, le journaliste examina le contenu des quatre valises sans rien trouver de compromettant. Ces hommes entendaient passer la frontière sans attirer l'attention.

❧❀❧

Des deux côtés de la Tamise, des maisons de commerce ou des entrepôts vétustes s'entassaient les uns contre les autres. D'étroites ruelles, boueuses dès qu'un peu de pluie tombait, poussiéreuses autrement, toujours malodorantes, conduisaient au bord de l'eau. Des quais, les plus anciens construits en bois et les plus récents avec des pierres, rendaient possible l'arrimage des embarcations de diverses tailles.

Parfois, des escaliers descendaient au bord des flots, permettant de monter dans des chaloupes ou des canots. Même si des moyens de transport autrement plus performants existaient maintenant à Londres, des centaines d'hommes gagnaient toujours une modeste pitance en conduisant à grands coups de rames leurs semblables vers leur destination.

— Nous voulons simplement louer votre barque, répéta Lonegan à un homme coiffé d'un chapeau ciré à large bord, comme s'il devait affronter les mauvais temps de Terre-Neuve. À neuf heures, de toute façon, vous serez couché.

— Je ne loue pas des bateaux. Je transporte des gens… ou des bagages. Mettez cette foutue malle dans la chaloupe et dites-moi où la déposer.

Joseph Lonegan et Martin Feeny se tenaient au milieu de l'escalier, le bagage posé entre eux sur une marche.

— Je veux louer votre embarcation jusqu'à demain matin. Vous n'avez qu'à vous asseoir dans un pub et profiter de l'existence. Vous retrouverez celle-ci quand nous aurons terminé nos affaires.

— Oh! Des affaires tellement secrètes que je ne dois rien voir. Pourtant, je suis discret, croyez-moi.

Aucun batelier ne pouvait ignorer l'important commerce illicite qui se déroulait sur la Tamise, et la plupart y participaient, ne serait-ce qu'en détournant les yeux au moment opportun. Sans doute ces hommes désiraient-ils descendre le cours du fleuve pour rejoindre un navire et y embarquer cette mystérieuse malle. Si on lui avait demandé ce qu'elle contenait, le vieux marinier aurait risqué l'hypothèse de pièces d'orfèvrerie volées.

— Trois livres. Tout ce que je vous demande, c'est de disparaître jusqu'à demain matin.

— Qu'est-ce qui me prouve que vous ne laisserez pas dériver ma barque après être monté sur un cargo?

— Je vous donne cinq livres de plus en dépôt. Vous me les rendrez demain au moment de reprendre cette foutue chaloupe vermoulue.

Un total de huit livres, plus qu'il n'amassait en un mois. Le vieil homme ne réfléchit qu'un instant avant de répondre:

— Si je ne la trouve pas demain, je garde l'argent et mets la police à vos trousses.

— Que voulez-vous que nous en fassions? C'est une ruine.

En disant ces derniers mots, William chercha dans sa poche un billet de cinq livres, puis des pièces pour compléter le paiement. Le batelier se fit la réflexion qu'au fond, si son embarcation ne se trouvait pas là le lendemain, avec cette somme il en achèterait une meilleure. Cette pensée le rendit soudainement plus conciliant :

— Comme vous attendrez sans doute le coucher du soleil avant de faire votre livraison, vous pouvez vous asseoir dans l'appentis juste en haut de l'escalier. Je vais m'y réfugier lorsqu'il pleut, ou quand le soleil tape trop fort.

Quand le vieil homme se fut enfin esquivé pour chercher un pub où célébrer la fortune qui venait de lui tomber du ciel, les trois hommes procédèrent à un examen rapide de la chaloupe. Ensuite, gravissant l'escalier de pierre avec leur malle, ils regagnèrent l'appentis adossé à un entrepôt, une construction branlante faite de bois récupéré sur le fleuve.

William entra le premier dans la petite bâtisse mesurant environ trois pieds par six, et y trouva deux chaises et une table branlante.

— Nous irons manger à tour de rôle. Ainsi, deux d'entre nous pourront garder un œil sur notre colis, expliqua-t-il à ses hommes.

— Nous devrions prendre le prochain train… murmura Feeny pour la dixième fois peut-être depuis leur départ de l'*Hôtel du terminus*.

— Vas-tu nous casser les oreilles jusqu'à neuf heures du soir ? Nous sommes en mission. Si tu souhaitais faire du tourisme, il aurait fallu le dire en juin dernier, avant de quitter New York. Je me serais mis à la recherche de quelqu'un d'autre.

Le débardeur se mordit la lèvre inférieure. Sa famille, et même son travail au port, lui manquaient de plus en plus. S'il se trouvait encore avec les frères Lonegan, cela ne tenait qu'au fait que ceux-ci contrôlaient les finances du trio. Prendre la fuite aurait signifié tendre la main pour manger, puis chercher un emploi à fond de cale sur un cargo pour revenir en Amérique. Son manque de détermination le condamnait à poursuivre une mission en laquelle il ne croyait plus.

Tout naturellement, les deux frères prirent les chaises disponibles. Feeny se retrouva le cul sur la malle, le dos appuyé contre le mur de la cabane. L'attente de cinq heures ne faisait que commencer.

❧

Fouiller quatre valises, puis examiner soigneusement la chambre, n'occupa David que pendant une heure. Ensuite, étendu sur le lit, le journaliste s'accorda une petite sieste. La nuit risquait d'être longue, si les trois conspirateurs venaient se faire cueillir comme prévu en fin de soirée. Tous les efforts viseraient ensuite à leur faire avouer où ils avaient semé leurs bombes.

Vers quatre heures, le poing autoritaire de Thompson contre la porte le réveilla sans douceur.

— Étendu dans un lit! Vous connaissez certainement la meilleure façon de conduire une surveillance, remarqua le policier quand David lui ouvrit.

— Qu'auriez-vous fait à ma place? Vous planter dans le lobby de l'hôtel? Le premier de ces hommes à pénétrer dans l'établissement vous aurait reconnu pour ce que vous êtes: un policier en civil.

— Justement, vous n'en êtes pas un: vous ressemblez à un touriste. Alors descendez, je prends le relais dans le lit.

Un moment David chercha l'humour dans le ton de son compagnon, mais ne le trouva pas. Avant d'obtempérer, il demanda:

— Quelles mesures Williamson a-t-il adoptées?

— Toutes les forces de police sont sur le qui-vive: les gares et les stations du métropolitain sont assiégées par des collègues.

— Ce qui laisse tous les navires, les grands magasins et les autres endroits publics sans défense.

— Mais que feriez-vous à sa place ? demanda Thompson, une certaine irritation dans la voix.

David était allé chercher sa veste, posée sur le dos d'une chaise. Au moment de sortir, il admit :

— En réalité, je n'en ai aucune idée.

∂✿✿∂

En début de soirée, le sergent Thompson et David partagèrent un repas dans la salle à manger de l'hôtel. Assis près de la fenêtre, ils discutèrent un moment de la foule qui se pressait sur le pont de Londres et de la folle agitation de la ville, au point de se remémorer avec un brin de nostalgie la campagne où, chacun de leur côté de l'Atlantique, ils avaient passé leur enfance.

Les conspirateurs ne s'étaient pas montrés. Quand les deux hommes de faction revinrent dans le lobby de l'hôtel, ils choisirent deux fauteuils placés un peu à l'écart, avec à la fois une excellente vue sur l'entrée principale et le comptoir de la réception. Seul à avoir aperçu les trois Irlandais, le commis s'était fait ordonner de demeurer à son poste toute la soirée, afin de pouvoir signaler le retour de l'un ou l'autre des suspects. La perspective de rester seize heures d'affilée au travail ne lui souriait pas : sa mine maussade découragerait les clients.

Vers neuf heures du soir, David faisait semblant de s'absorber dans un journal, un verre de porto sur une table à côté de lui. Le sergent Thompson, quant à lui, se concentrait sur la porte, un verre de bière à la main.

Ce fut le commissaire Williamson qui arriva sur les lieux vers neuf heures trente, plutôt que l'un des terroristes. Après avoir jeté un regard circulaire dans le hall de l'hôtel, il s'approcha d'eux et fit remarquer, railleur :

473

— Voilà une affectation qui n'exige pas de très grands efforts !

— Qu'est-ce qui vous fait dire cela ? demanda David sur le même ton. Pour ne pas nous faire repérer, je joue le rôle d'un bourgeois venu passer la soirée avec un cousin tout juste arrivé de la campagne.

Le sergent Thompson jeta un regard un peu vexé à son compagnon, puis demanda :

— Qu'est-ce qui vous amène aussi tôt ?

— Une information. Un batelier a raconté à un agent que trois Américains lui avaient versé une petite fortune pour utiliser son embarcation. Au début, il a pensé que ces hommes voulaient faire sortir des objets volés du pays. Mais avec le temps, la ressemblance de l'un de ses trois clients avec le portrait dans le journal lui a semblé intrigante.

— Ces hommes avaient une malle avec eux ? demanda le journaliste.

— Comment avez-vous deviné ?

Thompson intervint à son tour pour tirer la conclusion qui s'imposait :

— Ils abandonnent donc les chemins de fer pour chercher une autre cible. S'il leur faut une chaloupe, sans doute visent-ils un navire.

— Ou un pont ! s'exclama David. Nous avons eu un pont sous les yeux toute la soirée.

— Le pont de Londres ? demanda Williamson.

— Pourquoi pas ? Imaginez le nombre de victimes, demain matin. Où ont-ils loué cette barque ?

— En bas de la ruelle Tine, près de l'escalier Pokleher, à peu de distance d'ici.

Le sergent Thompson avait posé sa bière sur la table dès l'entrée de son supérieur dans l'hôtel. Il se leva en disant :

— S'ils doivent revenir ici vers onze heures, cela signifie que leur cible ne se trouve pas loin. Comme ils ne peuvent poser une bombe à la lumière du jour sur un fleuve où la circulation est constante, peut-être sont-ils justement à l'œuvre en ce moment.

Le commissaire Williamson contempla le sergent, avant de convenir:

— Cela se peut bien. De toute façon, comme ils reviendront ici, autant les attendre.

— Tout comme ils ont pu laisser leurs valises pour nous tromper, réfléchit David à voix haute, sans jamais avoir eu l'intention de les récupérer. Peut-être ont-ils été informés de l'arrestation de l'ébéniste de Globe Town…

— Allons-y.

Le sergent Thompson s'était élancé vers la sortie. David lui emboîta le pas. Dehors, plutôt que de se diriger vers le pont, le policier traversa la place en diagonale jusqu'à un grand pâté de maisons dont l'arrière donnait directement sur le fleuve. Un étroit passage permettait d'atteindre l'escalier Pepper, ce qui donnait une excellente idée du commerce effectué dans ces entrepôts il y avait deux, ou même trois siècles plus tôt.

Dès qu'ils eurent descendu les marches rendues glissantes par l'usure et l'humidité, les deux hommes se retrouvèrent sur une plate-forme étroite, située à dix pouces tout au plus de la surface des flots. Plusieurs embarcations avaient été attachées à de grands anneaux fixés à la pierre du quai.

— Nous allons emprunter une de ces chaloupes, la plus légère, décida Thompson.

— Ces chaînes…

— Tant pis.

Le sergent avait pris une rame dans l'une des embarcations, pour glisser l'une de ses extrémités dans l'un des anneaux accrochés au quai. L'effet de levier lui permit de casser la tige qui le retenait à la pierre.

Un instant plus tard, la barque longue de trois mètres s'éloignait du lieu d'amarrage grâce aux efforts des deux hommes arc-boutés sur les rames. Le pont de Londres, à cent cinquante pieds environ, demeurait facilement visible, car les réverbères traçaient une ligne pointillée de lumière au-dessus de son tablier.

Plus près, l'immense masse sombre de l'ouvrage de pierre se dégageait de la pénombre ambiante, chacune des grandes arches se présentant comme autant de tunnels s'ouvrant dans une muraille. Thompson dirigeait les opérations, résolu à passer successivement devant toutes les arches dans un premier temps, pour ensuite les traverser l'une après l'autre si nécessaire.

Au moment d'atteindre la troisième arche, ils entendirent distinctement une voix prononcer en gaélique :

— William, j'entends un bruit de rames dans l'eau.

David repéra des silhouettes debout dans une embarcation amarrée près de l'un des piliers qui plongeaient dans la rivière.

— Ne bougez plus, hurla Thompson. Vous êtes en état d'arrestation.

Le journaliste songea que ce genre d'entrée en matière aurait mieux convenu à un petit peloton d'hommes armés. La réponse vint sous la forme d'une détonation et la flamme au bout du canon du revolver permit de bien localiser les trois comploteurs. Une voix leur parvint encore :

— Martin, pose la bouteille dans la malle.

D'autres coups de feu déchirèrent la nuit. David sortit son arme cachée au bas de son dos et riposta à deux reprises. Plus prudent, tout en tirant son revolver de sa poche, le policier s'allongea au fond de la barque, peu soucieux de mouiller ses vêtements dans l'eau stagnante de celle-ci.

Le journaliste tira encore à deux reprises, un cri parvint de la chaloupe des Irlandais, puis ces mots :

— La nit…

Le bruit de l'explosion effaça tout le reste. À moins de soixante pieds, l'embarcation des deux enquêteurs fut un peu soulevée. Projeté vers l'arrière, David culbuta dans l'eau, provoquant de grandes éclaboussures. L'odeur de merde, tenace, lui fit fermer la bouche et les yeux de toutes ses forces.

Il s'enfonça à environ deux ou trois pieds, et battit désespérément des bras pour revenir à la surface. Quand sa tête fut hors de l'eau, son appel à l'aide déchira le silence. Tout de suite, le poids de ses vêtements mouillés commença à le tirer vers le fond. Son nouveau cri pour obtenir du secours s'interrompit quand une poigne solide saisit ses cheveux, et que quelqu'un hurla :

— Accrochez-vous à la barque.

Celle-ci se trouvait tout près. David saisit le rebord à deux mains et utilisa toute sa force pour se hisser dans la chaloupe maintenant à demi remplie d'eau. Au moment où il se laissait tomber au fond, le visage de Thompson, tout près du sien, hurlait encore :

— La prochaine fois, ne tirez pas sur un type qui manipule de la nitroglycérine !

Pourtant, David l'entendait à peine. Les tympans des deux hommes mettraient un moment avant de se remettre de l'explosion.

— Allons faire rapport au commissaire, déclara encore le policier.

— Je pense qu'il est au courant, après ce vacarme. Allons plutôt voir ce qui reste de ces gens, et de leur bombe.

Les deux hommes reprirent leur place sur le banc, retrouvèrent les rames et, de l'eau jusqu'aux mollets, entrèrent sous l'arche du pont. Déjà, le courant faisait dériver les corps vers l'embouchure de la Tamise, de même que la barque des terroristes, dont le bordage avait été déchiré par la déflagration.

Les lourds piliers de maçonnerie s'enfonçaient jusque dans le lit du fleuve. Chacune des arches venait s'appuyer sur eux. Cette assise, un peu moins large que le pilier lui-même, laissait un espace de deux pieds de profondeur. Les Irlandais avaient placé la malle sur celui-ci. David comprit que la dynamite elle-même demeurait intacte. Seule une bouteille de nitroglycérine avait explosé, sans doute l'un des éléments du détonateur de la machine infernale.

Avec précaution, le journaliste récupéra le bagage très lourd pour le déposer sur l'un des bancs de la chaloupe.

— Vous risquez de nous faire sauter aussi, cria Thompson.

— Si cette dynamite a résisté à la première déflagration, cela signifie qu'elle est très stable. Malgré tout, la laisser là serait dangereux.

Des mains, dans une obscurité à peu près totale sous le pont, David chercha longuement sur le pilier, près de l'endroit où la malle avait reposé, afin d'être sûr qu'il ne restait aucun autre explosif. Ne trouvant rien, il reprit sa place sur le banc.

— Ramenez-nous au quai, hurla-t-il à son compagnon, mais auparavant passez-moi vos allumettes. Les miennes doivent être trempées.

— Que voulez-vous faire? demanda le policier sur le même ton.

— Regarder dans cette foutue caisse.

David frotta une allumette contre le côté rugueux de la petite boîte de carton et protégea la flamme de sa main gauche, le temps de voir comment fermait la malle. Au moment où Thompson, manipulant maintenant seul les deux rames, sortait de sous le pont, il put soulever le couvercle.

Les réverbères sur le pont les éclairèrent à nouveau, faiblement. Tout de même, le journaliste gratta une autre allumette tout en faisant observer:

— Quelqu'un devrait éteindre ces lumières. Si les tuyaux du gaz ont été rompus...

— Quand vous vous y mettez, vous avez vraiment le mot pour rire.

En réprimant un fou rire nerveux, David regardait le mécanisme de mise à feu: un réveil et un petit pistolet, un *derringer*. Un creux dans l'argile grisâtre lui permit de deviner où devait aller la bouteille de nitroglycérine dans la trajectoire de la balle. Son travail prenait déjà l'allure de la routine:

il plaça son doigt pour bloquer le percuteur de la petite arme et tira sur la planchette à laquelle le mécanisme avait été fixé pour la dégager. Après cela, il fit en sorte de pointer le pistolet vers les flots et appuya sur la détente.

Ensuite, la planchette et tout le mécanisme se retrouvèrent dans l'eau qui encombrait le fond de l'embarcation. Le journaliste reprit sa rame afin de rejoindre l'escalier Pepper au plus vite. Sur le fleuve, dans ses habits trempés et empestant la merde, les pieds et les mollets dans un liquide brunâtre, l'envie d'un long bain chaud le tenaillait.

Contre le courant, dans une chaloupe alourdie à cause de l'eau accumulée, il leur fallut plus d'une demi-heure pour parcourir la faible distance les séparant du quai. Au moment où les deux hommes prenaient pied, deux agents de police en uniforme les accueillirent avec la question qui serait mille fois répétée pendant les jours à venir :

— Qu'est-ce qui s'est passé ?

— Pardon ?

De la main, Thompson désignait son oreille droite. À la façon des sourds, il avait plutôt crié que parlé. Le policier répéta :

— Que s'est-il passé ? Cette explosion ?

— Oh ! Cet Américain, avec moi, tire des balles explosives avec son petit revolver. Surveillez cette embarcation, son contenu intéressera les collègues.

Le sergent se précipita dans l'escalier, son compagnon derrière lui. Devant l'*Hôtel du terminus*, la plus grande pagaille régnait sur la place. La circulation sur le pont avait été arrêtée. Les personnes qui se trouvaient sur le tablier au moment du grand fracas gardaient un air ahuri, surprises d'être encore en vie.

Au moment où ils se retrouvèrent devant Williamson, ce fut le journaliste qui commença :

— Vos terroristes ont sauté avec la bouteille de nitroglycérine qui devait servir de détonateur à leur machine

479

infernale. La dynamite se trouve dans notre barque, je vous la confie. Thompson vous racontera le reste. Moi, je vais me laver et me changer avant d'attraper la crève. En plus, je déteste puer.

— Mais je veux tout savoir, tout de suite !

— En ce qui me concerne, ce ne sera pas avant demain matin.

Sans un mot de plus, David tourna les talons pour se diriger vers les fiacres stationnés devant la gare. Après une dizaine de pas, il s'arrêta et revint vers le sergent pour lui crier au visage :

— Vous m'avez sauvé la vie. Vous ai-je remercié ?

— Je n'ai rien entendu... Mais je suis sourd.

— Alors je ne l'ai pas fait. Merci. Cela vous dit de venir dîner dimanche ? Vous en profiterez pour visiter la maison.

— Avec ma femme ?

— Bien sûr. Nous mangerons à midi.

Après un salut de la tête, David s'en alla, cette fois résolu à ne pas s'arrêter avant d'être dans son bain de cuivre, étendu de tout son long.

❧❦❧

Londres, dimanche 8 juin 1884

Regent Park, un magnifique espace vert de quatre cent dix acres inauguré en 1811 dans Marylebone, offrait aux Londoniens de belles pelouses soigneusement entretenues, un grand lac, des équipements sportifs, un jardin zoologique et des expositions florales. Sous des arbres majestueux, des bancs permettaient de se reposer et des sentiers invitaient les plus actifs à se promener à pied, à dos de cheval ou en voiture.

Charles Parnell avait demandé au cocher de s'arrêter à l'extrémité ouest de la grande oasis de verdure.

— Tu es certaine de ne pas vouloir m'accompagner ?

— Bien certaine. Et puis vous vous rencontrez afin d'être vus ensemble. La présence de la femme adultère gâcherait tout.

Un profond dépit marquait la voix de Katherine O'Shea. Cette vie hypocrite, la nécessité de cacher une liaison qui, de toute façon, offrait toute la respectabilité de la relation conjugale bourgeoise, pesait sur elle. D'un autre côté, les yeux plissés et concupiscents de William Gladstone ne lui manqueraient certainement pas.

Après un soupir, Charles descendit de voiture et s'engagea dans une allée, sa canne à pommeau d'ivoire à la main, comme tous les promeneurs de cette magnifique matinée du début juin. Au gré d'un hasard soigneusement planifié, bientôt une grande berline tirée par deux chevaux, les portières marquées aux armes du premier ministre, tourna l'intersection la plus proche. Le cocher s'arrêta et l'homme d'État se leva de la banquette de sa voiture en disant:

— Cher monsieur Parnell, quelle heureuse surprise. Me ferez-vous le plaisir de monter avec moi?

Des dizaines de notables assistaient à la scène. Dans les meilleurs milieux de Londres, la nouvelle du bon accueil du premier ministre à l'égard du chef irlandais serait commentée dans les salons, un verre de sherry, de *claret* ou de porto à la main.

— Ce sera avec plaisir, sir William.

Un moment plus tard, Parnell s'assoyait à côté du premier ministre et le cocher fouetta son cheval. Après un moment de silence gêné, il remarqua:

— Le synchronisme des deux événements est remarquable: vendredi soir ces assassins qui sautent avec leur propre machine infernale, le lendemain la nouvelle du changement à la loi électorale publiée dans tous les journaux libéraux.

— Croyez-moi sur parole, cela tient du hasard. Même moi, je ne saurais pas comment mettre en scène un pareil dénouement.

Parnell lui adressa un petit sourire narquois, mais il prit bien garde de ne pas évoquer les attentats fomentés par Edward Jenkinson. En réalité, jamais les deux hommes ne mentionnaient de sujets désagréables l'un devant l'autre. Toutes leurs rencontres devaient présenter le simulacre de la plus totale bonne foi.

— Vous pensez que les deux Chambres vont adopter la loi? questionna le chef nationaliste. Les membres de la Chambre des lords ne se distinguent pas par leur sens de la démocratie.

— Refuser, ce serait dire à tous les paysans de leurs grands domaines qu'ils sont plus idiots que les ouvriers des villes. Ces gens-là font mine de vouer une affection paternelle aux gens qui cultivent leurs terres.

— Ils ont déjà refusé.

— Pas cette fois.

L'assurance du premier ministre se communiquait lentement au passager de la grande berline. Tout le long du trajet, des hommes portant le haut-de-forme, des gants de cuir fin et des guêtres s'arrêtaient sur les côtés de l'allée et soulevaient leur chapeau pour saluer le grand homme. Celui-ci leur rendait leur salut; bientôt Parnell se surprit à faire de même.

— Quelle proportion de la population exercera désormais son droit de suffrage? demanda-t-il.

— Selon le dernier recensement, celui de 1881, nous ajoutons six millions d'électeurs. Cela portera la proportion à soixante pour cent des hommes adultes.

— Lors des prochaines élections, les gens reconnaissants voteront pour vous. Ce sera un balayage.

Gladstone jeta sur son voisin un regard tout à coup maussade. Il expliqua à la fin:

— Vous balaierez l'Irlande. En Angleterre ou en Écosse, je dois m'attendre à tout. Les ouvriers des villes, enclins à voter pour moi d'habitude, me reprocheront sans doute mon ouverture envers votre pays. Le résultat est loin d'être acquis.

Parnell demeura un moment songeur, puis il murmura :

— Dans ce cas, pourquoi bougez-vous ?

Le premier ministre choisit de ne pas parler des menaces explicites exprimées par Katherine O'Shea, pour se lancer dans une justification qui passerait à l'histoire :

— Nous avons une occasion unique de régler la question irlandaise de façon pacifique, en préservant l'amitié entre nos deux pays. Si vous et moi ne la saisissons pas immédiatement, j'ai bien peur que nous assistions à un bain de sang… où les Irlandais joueront le rôle de victimes, et nous de bourreaux.

Gladstone s'interrompit un moment, avant de continuer :

— Évidemment, le terrorisme aveugle pourra tout ruiner.

— Je suis parfaitement d'accord avec vous. Tous mes efforts serviront l'objectif de la paix, afin d'obtenir un gouvernement autonome.

— Mais vous ne pouvez pas répondre de ce que feront les personnes réfugiées aux États-Unis, ou même en France.

Parnell dut convenir après un moment :

— Non, je ne le peux pas.

Le premier ministre laissa échapper un long soupir. La petite représentation qu'ils donnaient tous les deux se poursuivit encore quelques minutes, puis le cocher arrêta ses chevaux. Les deux hommes enlevèrent leur chapeau, se serrèrent la main avec effusion sous les yeux de nombreux témoins, puis se quittèrent.

❧❧❧

Le sergent Thompson se prénommait Thomas. David l'apprit quand madame Thompson l'appela ainsi devant lui. La jeune dame, fort jolie et enjouée sous ses bouclettes brunes, toujours souriante, répondait au diminutif de Winnie, sans doute inspiré par le prénom Winnifred, ou même Gwendolyn. La multiplicité des surnoms anglais laissait David pantois.

Finalement, la petite rencontre, appelée à ne jamais se reproduire, se révéla plutôt agréable. Après le dessert, Édith leva son verre de vin en disant :

— À la santé de Thomas, sans lequel mon mari reposerait au fond de l'égout qu'est la Tamise.

Chacun vida son verre au moment où quelqu'un frappait à la porte. Violet alla ouvrir et revint avec un morceau de papier à la main.

— Vous avez reçu un télégramme. Je me suis occupé du livreur.

Elle voulait dire que le jeune garçon avait reçu un pourboire. Un peu inquiet, car ce moyen de communication n'apportait que rarement de bonnes nouvelles, David ouvrit le pli en s'excusant auprès de ses invités. Un silence gêné s'imposa autour de la table. « Superbe, votre dernier article publié hier en première page. Comment faites-vous pour être ainsi aux premières loges ? Si vous voulez toujours agir à titre de correspondant à Londres, le poste vous appartient. » Le nom du rédacteur du *Tribune* suivait.

— Une mauvaise nouvelle ? s'enquit Winnie Thompson.

— C'est plutôt le contraire. Une nouvelle qui fera plaisir à ma femme autant qu'à moi, expliqua David en tendant le télégramme à Édith.

Celle-ci lut à son tour, la plus grande joie envahit son visage alors que le journaliste expliquait au policier :

— Au cours des prochains mois, le commissaire Williamson m'en voudra certainement de négliger le Service spécial encore un peu plus. Je devrai mettre davantage d'efforts à mes écrits dans les journaux.

— Le plus déçu sera certainement Jenkinson ! commenta le sergent dans un sourire.

Thomas Thompson en savait visiblement beaucoup sur son collègue dilettante.

Quelques minutes plus tard, les visiteurs remerciaient leurs hôtes et les laissaient célébrer la bonne nouvelle dans l'intimité. Quand la porte de la demeure de la rue Mallet se referma, Édith se pressa contre son mari en disant:

— Maintenant c'est bien vrai? Tu passeras tes journées au parlement de Westminster à quémander des entrevues à des politiciens, au lieu de tirer sur des gens qui manipulent des explosifs?

— Je verrai Jenkinson demain. Je suppose qu'il ne trouvera pas d'inconvénient à ce que je devienne un collaborateur très exceptionnel du Service spécial.

Le baiser qui scella ce dénouement se révéla suffisamment langoureux pour que, d'un regard, ils conviennent de monter à l'étage.

Encore un mot

Depuis quelques années, des individus n'hésitent pas à s'en prendre à des usagers du transport en commun pour faire valoir leurs projets politiques. De l'attaque contre le World Trade Center de New York en 2001 aux explosions dans les trains ou les autobus de Madrid et de Londres plus récemment, les cadavres de personnes innocentes deviennent des arguments politiques.

Cette façon de combattre a été inaugurée dans les années 1870, peu de temps après qu'Alfred Nobel eut inventé la dynamite. Non seulement on utilisait alors des méthodes toujours familières aujourd'hui, mais le caractère international de ces entreprises s'affirmait déjà. Devant les initiatives actuelles des États-Unis, dans le contexte de la lutte au terrorisme, il y a une certaine ironie à se souvenir qu'au XIXe siècle, ce pays laissait le champ libre à des organisations qui mettaient le Royaume-Uni, un pays ami, à feu et à sang…

Dans ce roman, je me suis plu à renouer avec cette époque. Cette œuvre de fiction met en scène de nombreux personnages historiques. Je leur attribue des attitudes et des paroles qui relèvent de mon imagination. Quant aux événements décrits, il m'arrive d'en aménager le déroulement afin de mieux servir le récit. Par exemple, les dernières pages racontent la fin de la mission terroriste de William Lonegan. En réalité, ce personnage fictif, à qui je fais utiliser le pseudonyme de Lomasney, revit dans ses nombreux détails l'odyssée d'un individu bien réel : William Mackay Lomasney, qui mourut avec son frère Joseph et un troisième complice, John Fleming, lors de l'explosion de la bombe qu'il plaçait sous le pont de Londres le 13 décembre 1884.

Toutefois, je n'ai pas voulu renchérir sur l'horreur pour frapper les imaginations. Si dans le roman, il n'y a pas de mort lors de l'attentat de la rue Praed, c'est que les journalistes qui ont couvert l'événement n'ont signalé aucun décès. De la même façon, à la fois dans la réalité et dans le roman, après qu'un policier eut trouvé à temps une bombe à la gare Victoria, trois autres engins explosifs posés par Lomasney purent être désamorcés dans autant de stations. J'attribue tout simplement un rôle central dans cet heureux coup du sort à David Langevin.

Pour les personnes qui voudraient en savoir plus sur cette époque, un ouvrage de Christy Campbell présente avec une richesse de détails inouïe les péripéties de la lutte contre le mouvement nationaliste irlandais : *Fenian Fire : the British Government Plot to Assassinate Queen Victoria* (Harper Collins, 2002). En ce qui concerne le contre-terrorisme proprement dit, à la fin de sa carrière Thomas Miller Beach, alias Henri LeCaron, publia *Twenty-Five Years in the Secret Service*, une histoire de sa vie. C'est une source d'un grand intérêt, et l'expérience de cet homme m'a inspiré le personnage de David Devlin/Langevin. Robert Anderson, le maître en espionnage, a aussi publié ses mémoires : *The Lighter Side of my Official Life*. Bien qu'édulcorés, ces deux documents portent un regard exceptionnel sur ces temps agités. Enfin, les carnets de Michael Davitt, sur lesquels il écrivait en lettres carrées en guise de titre *Mémoires d'un détective amateur*, subsistent toujours.

Bien sûr des mystères autrement opaques ne reçoivent aucun éclaircissement de la part des historiens patentés : le marquis de Lorne et le comte Spencer étaient-ils homosexuels ? À tout le moins, la rumeur de cette orientation s'est rendue jusqu'à nous. Le premier ministre Gladstone visitait-il les prostituées pour les ramener dans le droit chemin ? Oui, et il se flagellait le soir quand des mauvaises pensées l'assaillaient. Enfin, John Brown partageait-il la couche de la reine Victoria ? Je préfère croire qu'il s'agissait de véritables amis. Cela aussi existe. Toujours est-il qu'on plaça une mèche de ses cheveux dans la tombe de la souveraine, près de vingt ans plus tard.

JEAN-PIERRE CHARLAND
Montréal, 2007